구미호뎐

1938

극본 한우리 오리지널 무삭제 대본집

구미호뎐
1938

상권

너와숲

나는 우리말이 좋다.

붕어빵이라는 단어는 이응이 3개나 들어가서, 소리 내 말할 때면
동글동글 입 안을 다정하게 채운다. 꼭 그 글자를 닮은 단팥의 맛.
붕어빵을 타이야끼라고 발음하면, 도무지 그 맛이 안 산다.

모국어를 빼앗긴 시절.

이연은 과거의 문을 열고, 식민지 조선을 찾았다.

'조선의 마지막 산신'으로서 이름 없는 숱한 죽음을 기억하고,
그 역사를 딛고 살아갈 이들을 위로하는 한판 '지노귀굿'을 펼치기 위해.

누구보다 시즌2를 기다려 준 구미호 형제.

위험천만한 액션도, 힘든 수중 촬영도 몸 사리지 않고 뛰어들면서,
새로 합류한 배우들까지 오지랖 넓게 챙기던 두 사람.

지독한 폭염에도, 한파에도 현장에 끝까지 남아서 동료들을 지켜 주고는
했다던 다정한 '서쪽산신' 그녀.

악당인데, 모두의 귀여움을 한몸에 받았던 무영.

애드립 연구를 불타게 해 오는 신주와 이번에 전혀 다른 얼굴을 보여 준
은호까지.

그들을 만난 건 행운이었다.

그리고 〈구미호뎐〉의 숨은 주인공인 강신효 감독님.

액션 판타지 더하기 시대극이라는 극악의 환경에서, 기필코 대본의
200%를 구현해 주신 감독님께 진심으로 존경과 찬사를 전한다.

〈구미호뎐〉과 〈구미호뎐1938〉을 쓰면서, 작업실 창밖으로 네 번의
봄이 지나갔다.
매년 열이틀 정도를 제외하고는 매일 썼다.
창밖으로는 오직 북창동 순두부와 초등학교가 내려다보였다.
사람은 자신이 오랫동안 바라본 것을 닮는다는데.
북창동 순두부를 닮는 것은 사양하고 싶으니, 이왕이면 초등학교
정문에서 말간 얼굴로 아이를 기다리던 저 부모들의 기다림을
닮았음 싶다.

낯선 길을 떠나는 이연에게,
이랑이 무사히 길 찾아 돌아오라며 묶어 준 명주실의 한쪽처럼.
이 이야기의 실타래 끝이 당신들에게 닿길.
그것이 이 난폭한 세계에서 아주 잠시나마 위안이 되길 바라며.

2023   한우리

차례

등장
인물

이 연	_ 이동욱	매화	_ 김주영
류홍주	_ 김소연	난초	_ 나현
이 랑	_ 김 범	국희	_ 강나언
천무영	_ 류경수	죽향	_ 주예림
구신주	_ 황희	장여희	_ 우현진
선우은호	_ 김용지	마적단의 부두목	_ 조달환
복혜자	_ 김수진	탈의파	_ 김정난
유재유	_ 한건유	현의옹	_ 안길강
		가토 류헤이	_ 하도권
		사이토 아키라	_ 임지호

이연 _이동욱

구미호.

'내가 불시착한 그곳이 지옥이라도 상관없었다. 재래식 화장실만
아니라면.' 온수 샤워가 별천지이던 시절. 마주치는 이들은, 머리에 이와
서캐를 바글바글 얹고 다녔고, 가는 곳마다 새까맣게 빈대가 들끓었다.
1938년은 '의외로 결벽증'인 그를 충격적인 위생 실태로 맞이했다.
게다가. 와이파이 없다. 민트초코 아이스크림 없다. 뭣보다, 사랑하는
지아가 곁에 없다. '돌아가야 한다. 내가 살던 그곳으로.' 그런데, 이놈이고
저놈이고 이연의 발목을 잡는다. 그를 죽자고 짝사랑한 여인이. 한때
둘도 없던 벗이. 그리고 잃어버린 동생, 이랑. 다시 만난 이랑에게, 이연은
자신이 미래에서 왔단 사실을 말해 주지 않는다. 그들이 다시 형제가
됐다는 사실도. '계속 미워해라. 마음을 열면 니가 다친다. 다시는…
나를 위해 죽지 마라.' 사실 이연은 식민지 경성의 풍경을 제대로 본 적이
없다. 그 시절, 그는 아편 중독이었으니까. 자신의 흑역사를 대신해,
이연은 시대의 격랑에 분연히 몸을 던진다. 조선의 '마지막 산신'으로서.
총독부의 반격이 만만치 않았지만, 놈들이 간과한 게 하나 있다. '지켜야
할 연인이 없는' 시대의 그는 우리가 아는 것보다 훨씬 무자비하단 것.
바야흐로 사냥의 시간이다.

류홍주 _김소연

柳紅酒 / 묘연각의 주인이자, 전직 서쪽 산신.

경성 최고급 요릿집 묘연각. 이곳엔 이상하게도 '늙지 않는다'는 소문이
도는 여인이 있다고. 절세가인이자 불세출의 예인(藝人)인 그녀를
품어보고자 앓는 사내들만 한 트럭. 그런데… '저와 술을 겨루어
이기신다면 이년을 가지시지요.' 그 가녀린 몸 어디로 술이 들어가는

걸까. 장정 몇이 덤벼도 꺾지 못하는 말술이다. 이름에 술 주(酒)자를 쓰는 것은 우연이 아닐 터. 게다가 아무도 모르지만 그녀, 어마어마한 괴력의 소유자다. 홍주의 정체, 이연과 더불어 한반도를 다스리던 4대 산신 중 하나. 본체는 천연기념물이자 멸종위기 2급 수리부엉이. 야생의 제왕이라 불리는 대형 맹금류가 묘연각에 들어앉은 이유. '아… 지루해. 뭐 재밌는 일 없나?' 산신의 금기란 금기는 다 어기고, 탈의파한테 붙들려 지옥형에 처해진 것도 어디 한두 번이어야지. 주위에는 사람들 바글바글하지만, 친구 하나 없다. '저보다 약한 것들'하고는 친구 따위 안 한다는 신조 때문. 실은, 조금 외로웠을지도 모른다. 그런 그녀의 눈에 돌연 생기가 돈다. '이연?!!!' 먼 옛날, 처음 만난 그 순간부터 이연에게 말했다. '너, 내 거 해라.' 그리고 까였다. 도도하기 짝이 없던 구미호가, 인간 여자 따위에게 푹 빠졌단 풍문을 듣고 진노했는데. 이연이 제 발로 묘연각에 나타났다?!! 한 번 목표한 것은 절대 놓치지 않는 그녀다. 내 것이 아니 된다면 죽일 것이다.

이 랑 _김 범

인간과 구미호 사이에서 태어난 혼종 반인반호.

형과 원수가 되고, 산송장이나 다름없이 산야를 떠돌았다. 누군가, 이랑을 습격했다. 터전 잃은 늑대들이 둔갑한 한 무리의 마적 떼였다. 하필 우울증 걸린 반인반호를 건드린 마적 떼 두목, 단칼에 목이 날아갔음은 물론이다. '모조리 독수리 밥으로 만들어 주마.' 한데, 우두머리를 잃은 그들, 이랑에게 무릎을 꿇고 있다?! 그렇게 이랑은 1930년대를 마적단 두목으로 살았다. 그들이 지나간 자리에는, 시체도 안 남는단 풍문이 돌만큼 냉정한 살인귀가 되어. 그런 이랑 앞에 죽도록 미워하는 형이 나타났다. '죽어!!!' 피 튀기는 일전 끝에, 이연에게 붙들려 이발소와 양품점으로 끌려 다니며 제법 모던보이로 다시 태어난다. 하지만 이랑의

눈에 '곁에 있는 이연'의 정체, 의심스럽기만 한데. 나중에 알게 되지만,
세상에!! 미래에서 왔단다. '미래의 나는 살아 있나? 어떤 꼴로 살아가고
있지?' 왜일까, 형의 눈에 짙은 슬픔이 어룽거린다. 그리고 '이랑의
첫사랑'. 누가 여우 아니랄까 봐 목숨을 내건, 그의 처음이자 마지막
사랑. 하필이면 상대가 '인어'다. '우리 집안에 해산물은 절대 안 된다'고
시어머니 노릇하며 놀려 대는 이연 때문에 미칠 지경. 이랑은 여전히
서툴고 거칠지만 불완전한 그녀의 다리에 보폭을 맞춰 조금 느리게 걷는
법을 배우고, 노래하는 그녀를 위해 피아노를 연주하며, 88개의 건반이
생각보다 많은 화음을 만들어 낸다는 것을 알게 될 것이다.

천무영 _류경수

千無影 / 홍백탈, 전직 북쪽 산신.
'삼도천 수호석'을 훔쳐 과거로 달아난 수수께끼의 홍백탈. 이연을
1938년에 가둬 버린 당사자이기도 하다. 이연과 전면전을 벌여도 밀리지
않는 무공에, 뛰어난 의술 실력, '불'을 다스리는 능력까지, 홍백탈
너머 그의 진짜 정체는?! 전직 '북쪽 산신'. 본체는 백두산 호랑이다.
과거, 4대 산신 중 가장 온화하기로 이름난 것이 북쪽 산신이었다. 살아
숨 쉬는 것이라면, 풀 한 포기도 아끼던 그였다. 하지만 지금, 무영은
변했다. 사람을 잔인하게 이용하고, 필요하면 요괴로 만들고, 이랑을
도륙하기도 한다. 이연을 잡을 수만 있다면. 그를 약하게 만드는 건 오직
하나. '홍주'뿐이다. 무영은 언제나 홍주의 뒷모습을 보고 있었다. 홍주는
늘 이연을 바라보고 있었다. 이연만 바라보았다. 그래도 무영은 둘을
사랑했고, 공평하게 아꼈다. 한때 셋은 '둘도 없는 벗'이었으니까.
그런 그가 이연을 노리는 이유는 뭘까. '친구에서 적'으로. 누구보다 서로를
잘 아는 그들의 피할 수 없는 승부가 기다리고 있다.

구신주 _황희

토종 여우. 이연의 오른팔.

이연과 함께 미래에서 왔다. 타임슬립과 동시에 징용을 당한 것도 모자라,
웬 마적단에게 전 재산을 털린다. 온갖 고초 끝에 경성에 돌아왔지만,
경성은 넓고 이연의 행방은 묘연했다. 냉면집 배달 알바로 근근이
살아가는데, 기분 탓일까. 배달 도중 이연님을 본 것만 같다?! 아내와
똑같이 생긴 인간 여자를 지켜 주며, 그녀의 독립운동을 돕는다.

선우은호 _김용지

선우일보 기자. 정체를 감춘 독립운동가이자 폭발물 전문가.

이름난 재력가의 딸이지만, 하나뿐인 언니가 총독부 관료에게 시집갔다가
목을 맨 후, 광복 의용대 대원이 됐다. 덕분에, 온갖 사건사고의
목격자이자 당사자가 되어 이연 일행과 얽힌다. 한데 '이것들은 뭔데
이렇게 나를 지키려고 난리지?' 은호는 모른다. 자신의 얼굴, 신주의
아내와 놀랄 만큼 닮아 있다는 걸.

복혜자 _김수진

우렁각시. 경성 한복판에 자리한 '오복 양품점'의 주인.

주 고객은 경성의 내로라하는 부호들과 일본인 사모님들이다. 하지만
이곳은 '광복 의용대 경성 제4지부' 비밀 아지트. '명색이 조선 요괴인데,
나라 뺏기고 손가락만 빨고 있을 순 없잖니.' 만주로 가는 군자금
대부분이 우렁각시의 손에서 움직인다.

유재유 _한건유

홍주의 경호원. 그림자처럼 홍주 곁을 지키는 충직하고 과묵한 사내.
본체는 '토종 진돗개'로, 천연기념물 53호라는 사실에 은근히 자부심을
갖고 있다. 홍주의 안전을 제외하고는 그 어떤 관심도 없다.

매화 _김주영

묘연각의 기생.
어린 시절, 길에서 동냥을 하다 홍주에게 거둬졌다. 홍주를 무조건적으로
믿고 따르며, 묘연각의 안살림을 책임지고 있다.

난초 _나현

묘연각의 기생.
'젊고, 잘생기고, 비싼 문화주택 가진' 남자가 이상형이다. 가야금 타는
솜씨가 일품. 머리는 좀 나쁘지만, 여리고 정이 많다.

국희 _강나언

묘연각의 기생.
아들만 다섯인 집안 막내딸로 태어나 피죽도 제대로 못 먹고 자랐다.
식탐이 심해서 손님상에서 자주 안주를 훔쳐 먹는다.

죽향 _주예림

묘연각의 기생.
아버지에게 버림받은 어린 소녀. 뜻밖에, 천재적인 두뇌로 하나를
가르치면 열을 아는 수재다.

장여희 _우현진

인어.
낮에는 오복 양품점 직원, 밤에는 클럽 파라다이스의 이름 없는 가수로
투잡을 뛰는 생활력 만렙 인어 아가씨. 그녀는 경성이 좋았다. 구락부의
반짝이는 불빛. 자신의 노래를 들어주는 사람들. 뭣보다 '구경거리가
될 건지, 가수가 될 건지 둘 중 하나만 해.' 차갑게 말하며 그녀 인생에
뛰어든 이랑을 만났으니까.

마적단의 부두목 _조달환

마적단의 실체는 인간으로 둔갑한 늑대무리들로 이랑에게 잘못 걸린
두목이 목숨을 잃자 바로 그에게 충성을 맹세 후 오른팔이 되어 함께
물건을 훔치며 살고 있다.

탈의파 _김정난

내세 출입국 관리 사무소 넘버1.
탈의파는 그 어느 때보다 바빴다. '낡은 것, 옛 것'이 가차 없이 버려지던
시대. 부정한 것들을 묻어 둔 땅은 '문화주택' 건설 붐으로 파헤쳐 졌고,

잊혀 가는 토착신들은 분노를 감추지 않았다. 들끓는 이승을 통제하느라 눈코 뜰 새 없는 와중에 가끔 사무실을 빠져나왔다. 경성에 '극장'이 생겼기 때문이다.

현의옹 _안길강

내세 출입국 관리 사무소 넘버2.
이 무렵, 현의옹은 하늘 같은 마누라에게 처음으로 '개겼다'. 인간사에 함부로 개입하지 말라는 탈의파의 경고에도, 조선의 독립운동을 지원. '그레고리 현'이라는 가명으로 암약한다. 삼도천 문지기로서 헤아릴 수 없는 죽음을 봐 왔지만, 이건 아니다 싶었다. 전쟁에, 고문에, 강제 노역…. 그렇게 함부로 짓밟히라고 태어난 목숨들이 아니었으므로.

가토 류헤이 _하도권

총독부 경무국장.
말 한마디로, 종로 경찰서장 목을 날릴 수 있는 총독부 최고 권력자 중 하나. 정한론의 기수들을 배출한 조슈 번 출신, 엘리트 관료로만 알려져 있지만. 그의 정체, 노회한 일본 요괴 텐구다.

사이토 아키라 _임지호

총독부 경무국 보안과 요원.
다부진 체격, 사람 속을 꿰뚫어 보는 듯한 눈빛. 사무라이 정신으로 꽉 찬 일본 요괴. 경무국장의 수족으로, 사람 행세를 하며 조선을 탄압하는 데 앞장선다.

형제

1938

I

#1   들판 (낮)

1938년 일제 강점기 경성.

밧줄에 꽁꽁 묶인 사내 하나, 들판에 무방비하게 앉아 있다.

가물가물한 그의 시선으로, 차가운 인상의 일본군 장교 보인다.

'착착착' 일사불란한 군홧발 소리. 일본군이 사내를 포위하듯 에워싼다.

장교가 고압적으로 묻는다. (이하, 일본군 대사는 전부 일본어)

장교   네놈이구나. 경성역에 폭탄을 던진 조선인. 어느 조직이냐?

남자   (멀뚱멀뚱)

장교   (이마에 총 들이대며) 군사령관이 죽었어!!

분위기 살벌한 가운데, 어디선가 들리는 요란한 음악 소리?!

장교, 움찔한다.

그런데, 포위된 사내가 묶인 손을 이리저리 움직여 꺼내 든 물건, 뜻밖에도 '최신형 스마트폰'이다!

'어우, 이놈의 징글징글한 알람' 구시렁대며 알람 끄는 남자 얼굴 보인다.

'이연'이다! 일본군이 놀란 얼굴로 옆의 군인에게.

일본군1	봤어? 성냥갑 만한 상자에서 노래가 나왔어!
장교	그것이 무엇이냐?
이연	(핸드폰만 만지작만지작)
장교	(분노로) 대답해!!

'학교 다녀오겠습니다.' 스마트폰 번역기에서 흘러나온 일본어다.

일본군, 동요한다. '상자가 말을 하네!' '안에 사람이 들었나?' 웅성웅성.

이연	아, 이거 아닌데.

다시 번역기 터치한다. 이번에는 '이 주변에 맛집은 어디입니까?'

'에라이!' 이연이 때려치우고 자리에서 벌떡 일어난다. 묶인 밧줄 '툭툭' 끊어진다.

장교	(총 고쳐 잡으며) 움직이지 마!
이연	아까부터 뭐라고 씨불이는 거야? 나 가방끈 짧아서 수능도

안 봤거든?

그러다 자기 주머니를 뒤지기 시작한다. '삼도천 수호석'이 안 보인다.

이연   니들 내 물건 못 봤니? 쬐끄만 돌덩이 같이 생긴 건데… 되게 중요한 거거든?
장교   (위협적으로) 움직이지 말라 했다!

신경도 안 쓰고 안주머니 뒤적인다. 장교 눈에는 당장 총을 꺼낼 모양새.
안주머니에서 막 이연이 손을 꺼낸다. 그 순간 '탕!!' 이연의 가슴 쏴 버린다!
그런데 왜일까, 총 맞은 놈이 두 다리 멀쩡하게 서서.

이연   구멍 났어. 당일치기라 옷도 한 벌밖에 안 갖고 왔는데!

당황한 장교, 몇 발을 더 쏜다. 여전히 타격감 없다.
이연이 좌우로 고개 '뚝뚝' 꺾으며 장교 쏘아본다. 열 받았다.

장교   (!!!!) 너… 넌 누구냐?!
이연   조선말로 해라.
장교   (유창하지 않은 조선말로) 누구야 너?
이연   나? (눈빛 매섭게 바뀌어서) 조선의 구미호.

하자마자, 번개 같은 몸짓으로 권총 빼앗고 장교 쏴 버린다!
장교 이마에 구멍 난다!
'훅-' 멋지게 총구를 부는 이연 얼굴에서 스틸!

프로필 자막 이연. 인간을 사랑한 구미호
     전직 백두대간 산신
     좋아하는 것: 민트초코 아이스크림
     싫어하는 것: 치과

장교 시체 '스르르' 넘어간다. 일본군 일제히 소총을 든다! 이
연에게 총알 빗발친다!
최소한의 움직임으로 총알 '쏙쏙' 피하며, 일본군 손을 쏴 맞
추는 이연!
이내 이연의 총알 떨어진다! 맨몸으로 날듯이 달려든다!
순식간에 소대 하나가 박살나기 시작한다!
일본군1만 남았다! 겁에 질려 뒷걸음질 치는데, 여유 넘치던
이연의 얼굴 험악해진다.
놈의 뒤로 '뭔가'를 봤다.

이연   총 좀 줘 봐. (우악스럽게 총 빼앗는) 아, 줘 보라고! (일본군 어깨와 머
     리 틈으로 총 겨누고) 가만히 있어. 숨도 쉬지 마.

     목표는 저쪽 나무 아래, 유유히 지포라이터를 켜고 있는 '저
     놈'이다.

구미호뎐 제1화 형제, 1938
1938

모자에 가려진 남자의 얼굴은 보이지 않는다.
남자가 막 불을 붙인 순간, 이연의 총알이 정확히 담배를 날려 버린다!

이연   담배 끊어! 이 어린놈의 새끼야!!

잔뜩 독기 어린 표정으로 모자 벗어 던지는 그 얼굴, 놀랍게도 '죽은 이랑'이다!

이연   (일본군에게 뿌듯하게) 내가 쟤 형이거든. 담배 몸에 안 좋잖아?
         (가슴 툭 치며) 맞지?
일본군1   (뭔 소린지 몰라도 정신없이 끄덕끄덕)
이연   (히죽거리다 굳는) 뭐야 저거?!

보면, 이랑이 '89식 척탄통(일본군의 휴대용 박격포)' 겨누고 있다.
이연이 '설마…' 하는데, '펑!' 하는 폭발음! 진짜 쐈다!
정통으로 맞고, 그 충격으로 날아가다시피 하는 이연!
이를 갈며 몸을 일으킨다! 그 눈앞에는 양손에 권총을 쥔 이랑!

이랑   형, 아직도 안 죽었어?

태연히, 이연한테 총을 난사하는 이랑 모습에서 스틸!

프로필 자막   이랑. (이연 화살표로 연결하고) 얘 이복동생

(이랑 원숏으로 이동) 인간과 구미호 사이에서 태어난 반쪽 구미호

좋아하는 것: 우리 형

싫어하는 것: 우리 형

자막   2020년에 형 살리고 사망

이연이 이랑의 총 한 자루 뺏어 든다. 서로를 향해 정면으로 총 겨누고 서서!

이연   네가 신고했냐?

이랑   응. '경성역 폭파 사건 범인이 내 형이요.'

이연   내가 어딜 봐서?!!

이랑   네 존재 자체가 폭탄이잖아. 얼굴만 봐도 속 터져 죽을 거 같아.

이연   우리 랑이는 일제 강점기에도 변함없이 개새끼였구나.

이랑   가정 교육이 개판이라 그래.

동시에 쏜다! 피하고 쏘고 구르고, 가차 없는 총격전 벌어진다! 그 위로.

이연(N)   당황스럽다고? 이해한다. 지금 내 심정이 딱 그 심정이니까. 내가 왜 '일제 강점기 조선'에서 짝퉁 웨스턴 무비를 찍고 있는지.

총알 떨어졌다! 이번에는 육탄전이다!

구미호뎐
1938   제1화 형제, 1938

이연한테 가격 당한 이랑 품에서 담배가 '우수수' 떨어진다!

이연(N) 게다가 죽은 내 동생은 왜 헤비스모커가 돼서 경성을 누비고 있나?!

둘이 주거니 받거니 패고 맞고 하더니, 이랑이 뒤춤에서 도끼 꺼낸다!
이연도 질세라 손을 펼치면 장검 쥐어진다!
둘 사이에 흐르는 팽팽한 긴장감!

이연(N) 원래 형제 사이란 누아르에 가까운 법이지만 우리 집안이 이렇게 콩가루가 된 데에는, 보다 복잡한 사연이 있다.

서로를 향해 죽어라 달려드는 두 사람 모습에서!!
블랙 화면에.

자막 2020년

플래시백 구미호뎐
지아를 품에 안고, 더없이 환한 얼굴의 이연.

이연(N) 나는 '인간을 사랑한 구미호'다. 그로 인해… 꽤 많은 걸 잃었다.

2화 34씬 다투는 형제
'고작 인간 여자 하나 때문에, 산신의 지위를 버리고! 산을 등지고! 그리고!'
'그래. 너를 버렸다.'

이연(N)　　긴 세월, 원수나 다름없던 우리였지만.

9화 27씬 몰려드는 아귀와 싸우는 형제.
'난 한 번도 너를 버린 적이 없어! 그러니까! 꼭 살아남아라!'
11화 47씬 사장 해치운 후, 어깨동무하는.

이연(N)　　함께 사선을 넘으며 뜨겁게 화해했고, 다시 형제가 됐다.

15화 이무기와 함께 삼도천에서 죽어 가는 이연. 울부짖는 이랑과 지아.
16화 이연과 지아 재회.

이연(N)　　2020년에 나는 한 번 죽었었다. 되살아난 나는, 그토록 소원하던 '인간'이 됐지만. 내 동생, 이랑은 자기 목숨을 바쳐 나를 살리고 내 곁을 영영 떠나 버렸다.

16화 이랑의 마지막 유언.
'되게 오랫동안 너 괴롭혔는데, 사과는 안 할래.
그래도, 할 수 있으면 꼭 다시 만나자. (눈물 핑 돌아서) 형.'

구미호뎐
1938　　제1화 형제, 1938

#2   내세 출입국 관리 사무소 (낮)

이연이 다짜고짜 버럭 한다.

이연   이랑이 왜 환생을 못 해?!

책상에서 신경질적으로 고개를 드는 노파.

자막   탈의파 – 이승과 저승의 경계 '삼도천'을 다스리는 신

탈의파   저승법이 그래, 법이.
이연   걔 나 살리자고 죽었어!
탈의파   걔가 너 하나 살리고, 사람을 몇이나 죽였는지 몰라서 묻냐?
이연   (잠시 고민하다) '내 양육권' 넘겨줄게, 이랑 살려 내.
탈의파   네 양육권? 1600살이나 먹은 놈 기저귀 갈 일 있냐?
이연   할멈이 시키는 대로… 다 한다고.
탈의파   (눈 반짝) 네가 드디어 심보를 고쳐먹었구나.

기다렸단 듯 노파가 손 펼치면, 그 손에 '작은 두루마리' 생긴
다. 계약서다.

탈의파   제일 실적 좋은 네가 은퇴하면서 내 고생이 이만저만 아니었다.
이연   (계약서 읽는) '이연은 이랑 환생을 조건으로, 이승을 어지럽히
            는 요물들을 단죄하여 그 은혜를 갚는다.'
탈의파   사인해.

| 이연 | 잠깐만. 밑에 글씨는 폰트가 왜 이래? |

인서트

계약서 하단에 유독 작은 글씨로 '구미호로서, 기간은 탈의파가 명할 때까지.'

이연(E)	구미호로서 기간은 탈의파가 명할 때까지. 무기 계약이야?!
탈의파	(들켰다!!)
이연	요새 보험 약관도 이렇게 소비자 뒤통수치면 벌 받아.
탈의파	넌 노안이 전혀 안 왔구나?
이연	구미호 오케이. 근데 불멸은 싫어. 무기 계약도 안 돼. 와이프랑 같은 날 죽게 해 줘. 그게 내 유일한 조건이야.
탈의파	여우는 죽을 때까지 한 번 맺은 짝을 저버리지 않는다더니. 네 순애보는 여전하구나.

노파 손짓하면 계약서 하단 내용 바뀐다. 폰트도 커졌다. '구미호로서, 기간은 아내의 수명이 다하는 날까지.' 이연이 서명한다.

플래시백 구미호던

16화 엔딩 이연, 눈 색깔 변하면.

| 자막 | 회상 끝 |

구미호던
1938
제1화 형제, 1938

이연(N)   이야기는 해피엔딩으로 끝날 것 같았다. 그런데….

#3   내세 출입국 관리 사무소 / 외경 (밤)
          붉은 달 어둠으로 뒤덮인다. '월식'이다.
          사무소 외경 보인다.

자막   삼도천 내세 출입국 관리 사무소

          '홍백탈'을 쓰고, 사무소 지붕에 오르는 검은 그림자 보인다.

이연(N)   '월식' 때문이었을까. 아니면… 월식을 틈타 찾아온 '초대받
          지 않은 손님' 탓이었을까.

          지붕에 동물 모양의 작은 석상.
          그 석상을 중심으로, 신비한 빛이 사무소 전체를 감싸듯 하고
          있다. 결계다.
          '홍백탈'이 석상에 손을 대자, 손이 불타는 것 같다.
          비져 나오는 신음 참으며, 무시무시한 힘으로 석상 떼어 낸
          다. 결계 사라진다.

이연(N)   이승과 저승의 경계 '삼도천'에 변고가 생긴 이날을 기점으
          로 나와, 내가 속한 세상이 전부 뒤틀리기 시작했다.

#4   아이스크림 가게 (밤)

이연이 단골 가게에서 주문 중이다. 직원이 익숙하게 아이스크림 퍼 담으며.

직원   민트초코 맞으시죠? 포장이세요?

이연   오늘은 드시고 갈라고요. 스푼 2개.

직원   (2개 꽂아 주며 상냥하게) 아내 분이랑 같이 드시나보다.

싱긋 웃으며 고개 끄덕인다.
컵 받아서 자리에 앉았다. 지아를 기다리고 있는데, 나타난 건 현의옹이다.

현의옹   연아! 큰일 났다!!

이연   (놀란 기색도 없이) 어쩐 일이세요?

현의옹이 헐레벌떡 다가오면.

자막   현의옹 - 삼도천 넘버2

현의옹   세상에! 웬 놈이 홍백탈을 뒤집어쓰고 와서는 삼도천 수호석을 훔쳐 갔지 뭐니!

이연   (아이스크림을 '냠') 그게 뭔데요?

현의옹   우리 지붕에 있던 석상 말이다! 이승과 저승의 경계를 지키려고 염라대왕께서 직접 만든 물건인데!

구미호뎐
1938   제1화 형제, 1938

이연	그렇게 중요한 걸 왜 금고에 안 두고, 지붕에 두셨대?
현의옹	그 수호석이 곧 삼도천 결계니까!
이연	(그제야 심상찮은) 결계요?! 그럼 삼도천은 지금?
현의옹	잡신들 막 몰려들고 있어, 막!
이연	가시죠! (전화 걸며 급히 나가는) 자기야 난데, 여기 오지 마!

빈자리에 아이스크림만 남았다. 한동안 못 먹게 될 줄은 꿈에
도 모른 채.

#5 내세 출입국 관리 사무소 (밤)
    '댕-' 삼도천 벽시계가 저녁 8시 가리키는 둔탁한 소리.

이연	수호석만 찾아오면 된다는 거지? 어디로 튀었어, 그 도둑놈?
탈의파	(전에 없이 초조한 얼굴로) 하필…. (캐비닛 가리킨다)
이연	이거 열면 바로 '지옥'이잖아. (캐비닛 툭툭) 화탕지옥? 아니면 한빙지옥?
탈의파	지옥이 아니고…. (하는데)

'쾅!!' 무기를 든 잡신들 들이닥친다! 현의옹이 막아 보지만
역부족이다!

잡신1	오랜만이네 탈의파! 삼도천에서 너무 오래 해 먹었지?!
탈의파	(선물 소중히 건네며) 구미호 제대하는 날 주려고 했는데.

이연	(열어 보면 손목시계다) 시계?
탈의파	장차, 눈 멀고 귀 먹은 시간이 올 게다! 그때마다 이 시계를 들여다봐라! 네가 '빌린 시간'임을 잊지 마!
이연	(시계 찬 손목 보여 주며) 옛썰!
탈의파	가라! '인시(寅時) 전까지' 수호석 찾아서 돌아와!
이연	인시면 새벽 5시? 해뜨기 전이네.

잡신1이 무기를 휘두르며 노파에게 닿기 직전이다!
할멈이 한쪽 손을 올려 허공을 비틀 듯 한다! 잡신의 목 그대로 꺾인다!
곧바로 다른 놈들이 전열 가다듬는다! 시간이 없다!

이연	돌아오는 길은?
탈의파	같은 캐비닛!

그 사이 잡신 하나, 이연을 노리고 덤벼든다! 현의옹이 막는다!

탈의파	가!!
이연	다녀올게! (찡긋하고 캐비닛으로 몸 던진다)

할멈이 두 손 들어 올린다! 허공 휘젓는 손길에 잡신 반이 날아간다!
곧바로 신주가 뛰어 들어온다! '이연님은요?!' 현의옹이 캐비닛 손짓한다!

구미호뎐
1938

제1화 형제, 1938

신주도 몸을 날린다! 동시에 캐비닛 문 굳게 닫힌다!

#6   경성 거리 (낮)

햇살 쨍하다. 이연이 부신 눈을 뜬다.
어디선가 들려오는 1930년대 풍 노래.
다소 당혹스런 이연의 시선으로 경성 풍경 보인다.

자막   D-16시간

노래 흘러나오는 악기점 앞에 이난영 앨범 붙어 있고.
모던하게 차려입은 사람들 오간다.

이연   (뭔가 심상찮음을 직감했다) 분위기 싸한데? (누군가 신문을 버리고 간다. 얼른 주워서 보면) 지금이 소화 13년. (계산하고) 1938년… 일제 강점기?! 나 환장하겠네!

믿기지 않는 표정으로 주위를 두리번거리고 있자니, '이연님!!' 반갑게 부르는 소리.
오복(五福) 양품점에서 고개 '쏙' 내미는 것, 아는 얼굴이다.

이연   우렁각시?!
우렁각시   어쩐 일이셔요? 경성엔 통 안 오시더니.
이연   (??) 내가?

우렁각시	작년에 신주 데리고 군산 내려가셨잖아요. 거기서 뭐 하세요?
이연	(둘러대는) 내가 뭐 군산에 횟집 차렸겠니? 일하러 갔겠지. (손목시계 보며) 지금 몇 시니?
우렁각시	(가게 안의 벽시계 확인하고) 1시 10분이요.
이연	(손목시계 똑같이 1시 10분이다) 와, 이 치밀한 할망구 '시차'까지 맞춰 놓은 거 봐.
우렁각시	시차요? (하다, 이연 뒤쪽에서 뭔가를 봤다) 어?? 누가 탈을 쓰고 이쪽을 빤히 보고 있어요.

이연이 돌아보면, 건물 지붕으로 날듯이 뛰어오르는 모습!
'홍백탈'이다!!
곧바로 놈을 쫓는다! 무서운 속도로 쫓고 쫓기는 두 사람!
한순간, 이연이 길을 가로질러 가서, 지붕 뛰어넘는 놈을 덮친다!
정면으로 부딪쳐서 '쾅!', 서로 한 방씩 날리고!!

이연	('이만한 힘을 가진 놈이 있었나.') 너 누구야?

표정도 안 보이는 얼굴로 가만히 이연을 보다가, 다시 뛰는 홍백탈!
놓칠세라 이연이 그 뒤를 쫓는다!

#7   경성역 (낮)

구미호뎐
1938   제1화 형제, 1938

'마적단 부두목'이 건들건들 사과 깨물며 먹잇감 찾고 있다. 역으로 향하는 남자 승객과 부딪친다. '미안합니다.' 하고, 스쳐 가는 부두목.

스치기만 했는데, 승객의 가방, 모자, 벨트까지 털렸다. 바지 '쑥' 내려간다. 바지춤 붙들고 '도둑! 도둑이야!!' 부두목은 그새 보이지 않는다.

한쪽에서는 세련된 차림에, 레이스로 얼굴 가린 여인이 중년 남성과 인사 나눈다. 장차 알게 되지만 '선우은호'다.

기차 타러 가듯, 자연스레 짐 가방 건네받는 은호. '폭탄'이 든 가방이다.

그 주위로, 은밀한 눈짓 주고받는 사람들은 은호네 조직원.

조선군 사령관이 호위 대동하고 모습 드러낸다. 그리 접근하는 은호.

동시에 이연, 홍백탈을 쫓아 경성역에 나타난다! 사령관 쪽으로 뛰고 있다!

이연이 홍백탈 뒤춤을 낚아채는 순간, 은호가 사령관 향해 사제 폭탄 던진다!

'쿠쿵!!' 폭발음! 그 바람에 이연과 홍백탈, 한데 나뒹군다!

놈의 품에서 '수호석' 굴러 떨어진다. '반짝-' 빛을 발하는 수호석. 이연이 재빨리 손을 뻗는다.

그런데 순식간에 수호석 낚아채서 튀는 것, 마적단 부두목이다. '저놈은 또 뭐야?!!' 이연이 뒤를 쫓는데.

은호네 조직원들 모여 든다! 태극기 흔들며 일제히 '대한 독립 만세!!'

그 아수라장 속에서, 선우은호가 이연의 곁을 스쳐 간다!

레이스로 가렸지만 저 얼굴?! '기유리?!' 하자마자, 인파에 떠밀린다!

사방에 무지막지한 총탄 날아든다! 은호도 형사들에게 쫓기며 멀어진다!

일본군 제압하며, 마적단 부두목을 쫓는 이연!

조금 떨어진 곳에서, 홍백탈이 이연을 바라보다 '스윽' 자취를 감춘다!

#8   **경성 거리 외곽부터 들판 (낮)**

마적단 부두목, 말을 타고 도망간나! 한 무리의 마적난이 그 뒤를 따른다!

이연이 날듯이 뛰어올라 한 놈 잡아 끌어내리고, 말과 윈체스터 라이플 뺏는다!

이내 말 위에서 벌어진 총격전!

오발 없는 정확한 솜씨로 마적단 쏘아 맞힌다! 한 놈씩 굴러 떨어진다!

놈들, 총을 맞고도 부상을 당할 뿐 죽지 않는다. 이연이 '니들… 사람 아니구나?'

그 사이 물건을 가진 부두목, 저만치 멀어진다.

#9   **마적단 거처 / 앞 (낮)**

놈이 애타게 '두목!!'을 부르며 어딘가로 숨어든다. 이연도 말을 세운다.

서늘한 얼굴로 검을 들고, 놈의 뒤를 밟는다.

이연   감히 내 물건에 손을 대?

달려가서 그 뒷덜미에 검을 휘두르는 순간, 맞부딪치는 날카로운 금속음! 누군가 두 자루 도끼로 검을 막았다!

동시에 한 대씩 치면서, 그 반동으로 튕겨 난다!

쫓기던 자가 '두목!!' 하고 반긴다. 그런데 이연도, 두목도 동시에 얼어붙었다!

마적단 두목이라는 사내, 다름 아닌 이랑이다!

이연   (믿기지 않는) 랑아!

이랑   (생각지도 못한 곳에서 형을 마주쳤다. 흠칫) 이연?

이연   (북받쳐) 살아 있구나… 이 시대에 넌… 이렇게 살아 있어.

이랑   (살기등등해서) 죽어!!

도끼 들고 달려든다. 이연도 망설임 없이 동생을 향해 뛴다.

이랑이 막 도끼를 치켜든 찰나, 이연이 검을 내던지고 동생을 끌어안는다.

이연   다행이다!

이랑   !!!

이연	심장도 뛰고, 살아 숨 쉬고 있어. 살아 있어, 내 동생!
이랑	꺼져 새끼야!

눈물겨운 재회도 잠시, 이랑이 매섭게 이연을 밀어 버린다!

이랑	어디서 아편이라도 물다 왔냐?

하면서, 이연을 공격하는데!
군더더기 없는 몸짓으로 제압하고, 그 목에 도끼 들이대는
이연!

이랑	!!!!!
이연	미안. 우리한테 시간이 별로 없어, 랑아. (부두목에게) 물건 가져와.

부두목, 어쩔 수 없이 수호석 건넨다.

#10   **골목 (낮)**
사복형사들, 총질을 하며 선우은호 쫓는다! 정신없이 쫓기다
골목으로 뛰어든다!
조선인 형사 정대승(이하 정 형사)의 손짓에, 사복형사들 양쪽
으로 갈라진다.
은호가 코너를 돌자, 팔자 좋게 병나발 불며 이쪽으로 향하는

사내 보인다. '무영'이다.

무영의 뒤에 형사들 나타난다. 이대로라면 무영이 위험하다.

사복형사가 총을 쏜다.

'안 돼!' 은호가 무영을 밀어내고, 대신 어깨에 총 빗맞는다!

은호 쓰러지며, 쨍그랑 술병 깨지는 소리!

무영   아… 내 맥주!

형사들 달려든다. 총 맞은 은호를 잔인하게 걷어차는 등 한다. 그 와중에 깨진 맥주병만 아깝게 만지작대는 무영. 이미 취한 듯 얼굴 불콰하다.

은호는 의식을 잃었다. 정 형사가 골목 입구에서 '끌고 가.' 지시한다.

형사들 우악스럽게 은호 붙잡는다. 그런데 불쑥 앞을 가로막는 무영.

무영   이건 좀 곤란한데? 이 여자 데려가면 내 술값은 누구한테 받으라고? 네가 줄 거야?

정 형사   그건 또 뭐야?

형사1   그냥 주정뱅입니다.

사복형사들, 무영을 밀어내고 은호 끌고 가는데, 무영이 끈질기게 바짓가랑이 잡는다.

무영	내 술값 물어내고 가라 이놈들아.
형사1	이 미친놈이!
정 형사	그놈도 같이 잡아 와.

무영에게 모진 매질 쏟아진다.
바보처럼 웅크리고 앉아 무기력하게 얻어맞으며, 혼잣말 중
얼거리는 무영.

무영	(머리 싸매고, 작은 소리로) 불. 불조심하세요. 불.
형사1	('퍽-' 걷어차고) 뭐라고 구시렁거리는 거야?
무영	(고개 들면, 눈빛 차갑게 돌변해서) '불조심'하라고.

하자마자, 형사들 몸에서 불꽃이 '확' 솟아오른다!
고통스러운 신음으로 몸부림치는 형사들! 정 형사, 경악해서
뒷걸음질 친다!
혼자 남은 무영, 등 뒤의 비명소리를 즐기듯 광기 어린 미소
를 짓는다!

#11	**시골 (낮)**

그 시각 신주는 '어우 나 멀미했어.' 정신 차려 보니 웬 목가
적인 풍경이다. 풀 뜯는 염소들 보이고.
'이연님? 이연님!!' 불러도 돌아오는 건, 화답하듯 우는 염소
울음뿐.

구미호뎐
1938

제1화 형제, 1938

곧바로 이연에게 전화 건다. 핸드폰에 <서비스 불가능 지역
입니다> 표시.
핸드폰 높이 쳐들고 안테나 뜨길 기다리며.

신주   깡촌인가? (한가로이 심호흡) 공기 좋다. 서울 아파트 월세 주고
이런 데 내려와 살까 봐.

가도 가도 풀밭이다. 마을은커녕, 집 한 채 보이지 않고, 핸드
폰은 계속 불통이다.

신주   어떻게 지나가는 사람 하나가 없냐.

트럭 한 대 흙먼지 '폴폴' 일으키며 다가온다. 히치하이킹 시
도한다.
트럭 멈춰 선다. 신주에게는 안 보이지만, 안에 허름한 차림
의 장정들 여럿이다.
군복 입은 자들이 뭔가 속삭이더니 트럭으로 안내한다.
기쁘게 트럭 오르는 신주 모습에서.

프로필 자막   **구신주. 토종 여우. 이연의 오른팔**
          특기: '동물의 말'을 알아듣는 재주

신주를 태운 트럭 출발한다. 신주는 모르지만 징용 트럭이다.

#12   마적단 거처 / 안 (낮)

이랑이 꽁꽁 묶인 채 으르렁댄다. 이연이 랑이 머리 만지며.

이연   (짠하게) 대가리 꼬라지가 이게 다 뭐야.

이랑   손대지 마. 죽여 버린다!

이연   네가 마적단 두목이라니… 30년대 내내 이러고 산 거야?

이랑   그래. 훔치고 뺏고 죽이고. 뭐 어때? 지 형제 칼로 쑤시고 멀쩡히 사는 놈도 있는데.

인서트 플래시백   구미호뎐

4화 15씬, 9화 20씬 이연이 고통스레 이랑을 찌르던 장면 짧게 스쳐 간다.

이연   오해야. 죽이려고 찌른 게 아니라 살리려고 찔렀어. 너 무수히 사람 죽이고, 지옥 가는 것만은 막으려고 그랬다.

이랑   내가 그 말을 믿을 거 같니?

이연   (경험상 안다. 쓸쓸하게) 아니. 넌 안 믿지. 안 믿었어.

이랑   (의심스럽게 보면)

이연   나 때문이다. 나도 사랑하는 사람을 잃고, 널 돌아볼 마음의 여유가 없었어.

이랑   너 지금 되게 역겨운 거 알지?

이연   (아프게 웃으며) 알아. 그래도 이 말은 꼭 해 주고 싶었어. 형이, 되게 미안했다.

구미호뎐
1938   제1화 형제, 1938

이랑의 눈빛 흔들린다. 한결 누그러진 얼굴로.

이랑   풀어 줘. (망설이는 이연에게) 나 지금 네 개소리 믿으려고 노력
        하는 중이잖아.

잠시 고민하다 이랑 풀어 준다.
바로 덤벼들 줄 알았는데, 묶였던 손 털며 주머니에서 담배
꺼낸다.

이연   너 담배 피우니?! (입에 물자마자 확 뺏는) 담배는 안 돼!
이랑   왜 이래?! (짜증스레 또 무는데)
이연   (또 뺏는) 끊어. 몸에 좋지도 않은 걸 뭐 하러 피워 대?
이랑   (부글부글) 하아… (참고, 퉁명스럽게) 그럼 술이나 한잔 하든가.
이연   (시계를 본다. 오후 2시경이다) 그래. 조금만 더 같이 있자.

아까 이연에게 총 맞은 부하들, 여기저기 절뚝거리며 술상 내
온다.

부두목   (나가려다 이랑에게 작게) 괜찮으신 거죠, 두목?
이랑   내 피붙이야.
부두목   어쩐지! 진짜 세시더라!! (하고, 이연 정수리 냄새를 킁킁 맡는다)
이연   (짜증스레 돌아보며) 얘넨 뭐니? 사람 아니던데.
이랑   늑대 무리.
부두목   원래 우리 두목 따로 있었는데요. 이랑님한테 모가지 따여 가

지고 저희가….

이연   갈아탔구나?

부두목   (히죽) 근데 지금 두목이 더 좋아요.

이연   랑이가 잘해 주니?

부두목   아뇨. 그래도 우리 마적단 들어오려고 줄선 놈들이 한보따리 예요.

이연   왜?

부두목   훔친 물건을 항상 똑같이 나눠 주시거든요.

이연   (픽 웃는) 얘가 생긴 건 살벌한데 자원 봉사가 취미야.

이랑   쓸데없는 소리 말고 나가.

부두목, 물러간다. 이랑이 잔에 술을 채운다.

이랑   (잔 건네는) 받아.

이연   딱 한 잔만 마실게.

이랑   네가 찾던 그 물건은 뭐야?

이연   (수호석 들고) 이 시대에 있으면 안 되는 물건. 제자리로 보내 야 돼.

이랑   (수호석을 흘끔)

이연   넌 절대 모를 거다. 내가 이런 장면을 얼마나 많이 상상했는 지. 얼마나 그리워했는지.

이랑   마셔.

잔 부딪치고 동시에 '쭉' 들이킨다.

구미호뎐
1938
    제1화 형제, 1938

이연	너한테 할 말 진짜 많았는데. 지금은 그냥 네가 눈앞에 숨 쉬고 있는 것만 봐도 나는 좋다? (말 없는 이랑에게) 뭐라고 말 좀 해 봐.
이랑	(시선 피하는데)
이연	오늘 지나면 한동안 나 못 볼 수도 있어. 그러니까 하고 싶은 얘기 다해. 네 목소리 듣고 싶다.
이랑	(애매한 미소만)
이연	(뭔가 이상한) 너 입에 뭐야? (다가가서) 입에 뭐 물고 있는데?

이랑의 양볼을 '꽉' 쥐고 힘을 준다.
이랑 입 벌어지며 '주르륵' 흘러나오는 것, '삼키지 않은 술'이다!

| 이연 | (술병을 보고, '뭐 탔구나.') 아 나, 이 새끼!!! |

하자마자, 이연의 시야 흔들린다! 이랑의 얼굴 흐릿해지면서 의식 잃는다!

| #13 | **징용 트럭 (낮)**
트럭에는 무장한 일본 군인 하나 지키고 앉아 있고, 나이대 다양한 남자들이 타고 있다.
얻어맞았는지, 이마에 피 흘리는 중년 남자도 보인다. 신주가 넉살 좋게. |

신주	촬영차죠? 보조 출연? 저도 알바 몇 번 했거든요.
중년남	(뭔 소릴까 한심하게 보면)
신주	감정 잡고 계시는구나. 프로페셔널. 근데 이거 어디 가는 차예요?
10대 소년	광산 캐러 가는 도락꾸(트럭)죠.
신주	광산? 군함도 같은 거 찍나 보다.
중년남	광산은 절대 아냐. (일본군 흘긋) 돈 벌게 해 준다고 데려가서 소식 끊긴 놈들 한 둘인 줄 아냐?
10대 소년	이마는 왜 그래요?
중년남	맞았어. 집에 간다고 했다가.
신주	출연자한테 폭력이라뇨? 신고하세요! 인권위도 있고, 아니면 국민청원이라도 해서!
일본군	(개머리판으로 신주를 퍽 갈기며, 일본어로) 조용히 해!!

#14   무영의 아지트 (낮)
단출한 살림살이에 술병만 잔뜩 쌓인 방.
선우은호가 눈을 뜬다. 총상 욱신거린다. 다친 어깨에 깔끔하게 붕대 감겨 있다.
밖에서 인기척 들린다. 나가 보면, 툇마루에 둔 술병 집어 드는 무영과 눈 마주친다.

무영	(무심한 투로) 일어났네? (하고, 술을 벌컥)
은호	(조심스럽게) 누구세요?

구미호뎐
1938   제1화 형제, 1938

무영	그쪽한테 받을 술값 있는 분이요. 물어내시오. 내 맥주.
은호	(기억났다) 아… (품을 뒤적) 지금은 제가 돈이 없고, 갚아 드릴게요. (손 내밀며) 선우은호라고 합니다. 선우일보 기자예요.
무영	(안 잡는) 기자란 사람이, 벌건 대낮에 무장한 형사들한테 쫓겨 다니오? 뭣보다 당신한테 화약 냄새 나.
은호	(긴장했다가, 미소로) 다음부턴 화약 냄새 나는 여자, 함부로 구해 주지 마세요. (하고) 마셔도 돼요?

무영이 혀를 차며 술병 건넨다. 은호가 벌컥벌컥 마시고.

은호	(술병 돌려주며) 성함이? (무영, 망설이는데) 빚 갚을 남자 이름은 알아야 될 거 아닙니까.
무영	무영. 천무영이오.
은호	의원이세요? (어깨 가리키며) 총상 치료한 솜씨가 보통이 아닌데.
무영	그냥 흉내나 내는 거지. 다친 사람 술값이나 뜯어 볼까 하고.
은호	기자 노릇하면서 사기꾼 많이 봤는데, 선생은 그쪽 아녜요.
무영	(재밌다는 듯) 난 어느 쪽이요?
은호	(눈을 빤히) 되게 선량하거나. 아니면… 사기꾼 같은 잡범들하고 비교도 안 되게 위험한 사람?
무영	(서늘하게 웃으면)
은호	전자든 후자든 상관없어요. 나한텐 생명의 은인이니까. (나갈 채비하며) 혹시 술값 빚진 김에 옷 한 벌 빚져도 될까요?

#15   들판 (낮)
             재잘대는 참새 소리에 이연이 눈을 뜬다. 화창한 하늘 보인다.
             마적단 거처도, 이랑도 흔적 없이 사라지고 없다.
             화들짝 놀라서 몸 일으키는데, 자신이 밧줄에 묶여 있다.
             묶인 손 이리저리 움직여서 손목시계 본다. 오후 5시다. '세
             시간이나 잤어?'
             게다가 눈앞에는 무장한 일본군!
             프롤로그 씬 요약해서 보인다.

자막   간주 점프

             마지막 이랑과 대결로 이어지면.

이연(N)   여기서부터가, 바로 여러분이 처음에 본 그 장면이다. 얘는
             모른다. '미래의 우리가 화해했다는 것'을.

             각각 칼과 도끼 들고, 서로를 향해 죽어라 달려든다!
             이번에는 이연도 봐주지 않는다! 팽팽한 접전!
             그런데 결정적 순간! 충분히 막을 수 있는 공격에 몸을 내줘
             버리는 이연!
             이랑의 도끼가 몸을 파고든다! 이랑이 되레 경악해서!

이랑   피할 수 있었지?

이연   (끄덕)

구미호뎐   제1화 형제, 1938
1938

이랑	왜 안 피했어?!
이연	(담담한 진심으로) 이래야 믿을 거 같아서. 미안하다는 내 얘기.
이랑	!!!!
이연	이제 우리 한 번씩 공평하게 서로를 벤 거다? 그러니까 이제 나 원망하느라 아까운 세월 보내지 말고, 마적단 같은 거 때려치우고, 조금만… 조금만 더 행복하게 살아 주라.
이랑	(안 믿는) 왜 꼭 죽는 놈처럼 말하는데? 너 이 정도로 안 죽잖아?!
이연	안 죽어. 근데 형 가야 돼.
이랑	어딜?
이연	(미소로, 머리 툭툭 쓰다듬는) 잘 살아 바보야. 나 보란 듯이.

하고, 돌아서 간다. 이랑이 망연히 그 모습 보고 서 있다.
이연도 울컥해서 걸음 재촉하는데.

이랑	야! 이 나쁜 놈아! 너 하고 싶은 말만 실컷 하고 가냐?!
이연	(가슴 아프지만, 돌아보지 않는다)
이랑	왜 네 멋대로 나타나서 착한 척 하고, 왜 멋대로 버리고 가냐고!
이연	(그 말에) 내가 널 왜 버려!!

하며, 돌아보는데! 누군가 기적도 없이 이랑 뒤에 와 있다!
'랑아!!!' 외치기 무섭게 두툼한 장검이, 뒤에서 이랑 가슴을 뚫고 들어온다!
울컥 피를 토해 내는 이랑!
이랑이 쓰러지면서 범인 모습 드러난다! '홍백탈'이다!!

미친 듯이 그리 뛰는 이연! 이랑 끌어안고 사색이 된다!
그 사이 홍백탈은 여유 있게 자리를 뜬다! 그 뒤에 대고!

이연   너! 내 말 똑똑히 들어! (뒷모습으로 멈춰 서면) 여우는 은혜도 갚
           고, 원수도 갚는다. 반드시!

           어깨 으쓱해 보이고 사라지는 홍백탈!
           '랑아 죽지마. 제발.' 애타는 이연에게, 이랑이 '쿨럭쿨럭' 피
           를 쏟으며 말하길!

이랑   묘연각… 묘연각으로.

           시간 경과되면, 이랑 둘러메고 걷기 시작하는 이연.

이연(N)   그날, 나는 눈치 챘어야 했다. 누군가, 나를 과거에 가두려 하
           고 있다는 것을. 이 임무는 '처음부터' 그렇게 기획된 거라는
           사실을 말이다.

           그 위로.

자막   D-11시간

#16   거리 (낮)

*구미호뎐
1938*   제1화 형제, 1938

선우은호가 무영에게 빌린 허름한 한복 차림으로 거리 나선다. 형사들이 검문 중이다. 긴장한 은호, 자연스럽게 방향을 튼다. 그런데 돌아서자마자 하얗게 질린다.

'너, 아까 그년 맞지?' 기다렸다는 듯 머리채 틀어쥐는 것, '정형사'다!

#17   종로 경찰서 (낮)

은호가 취조를 당하고 있다.

은호	(꿋꿋하게) 사람 잘못 보셨어요.
정 형사	(장갑 낀 주먹으로 얼굴을 '퍽!' 치고) 내 눈썰미는 아무도 못 속여. 경찰한테 불 지른 놈은 누구야? 한 패야?
은호	몰라요. (하자마자, 또 주먹 날아든다!) 저 신분 확실한 사람이에요!
정 형사	(픽 웃으며 고문 도구 꺼내는) 중요한 건 네가 아니고, '종로서 정대승' 내가 누구냐는 거지.
은호	(파랗게 질려서) 정…대승?!!
정 형사	(칼 들고) 내가 너희 같은 것들 어떻게 다룬다던?
은호	(떨며) 온 몸의 힘줄을 끊어 놓는다고.
정 형사	고문 잘 한다고 훈장까지 받은 놈이다. 내가.
은호	(공포로) 살려 주세요. 저 진짜 아녜요.
정 형사	야 이년아. 내가 네년 어깨에 총상 있다는데, 죽은 우리 부모를 건다.

형사가 겁탈이라도 하듯 은호 눕혀 놓고, 옷고름 풀기 시작한다!

은호   안 돼요. 제발… 이러면 후회하실 거예요.

정 형사   (저항하는 은호 갈기고) 미친년.

그런데 형사가 막 은호의 어깨 젖히려는 순간, 누군가 고문실 문을 연다.
깔끔한 정장 차림의 40대 남자가 수행(아키라)을 데리고 들어선다.

정 형사   (신경질적으로) 누구야?!

아키라   가토 류헤이. 조선 총독부 경무국장이시다.

형사가 바짝 군기 들어서 경례한다.
쳐다보지도 않고 의자 끌어다 앉는 경무국장. (이하, 둘의 대화는 일본어)

경무국장   뭐 하는 건가?

정 형사   폭탄 사건 용의자 취조 중입니다.

경무국장   이 자는?

정 형사   선우일보 기자라는데, 배후를 밝히겠습니다.

경무국장   (어이없단 듯) 그 여자가 선우일보야.

정 형사   예?

구미호뎐 1938   제1화 형제, 1938

경무국장	아버지가 선우일보 사장 타와라 쇼. 어머니는 일본인 귀족.
정 형사	타와라 쇼? (경악해서) 경성… 최고 갑부 선우찬?!

국장이 눈짓하면, 아키라가 은호를 묶은 밧줄 단칼에 끊어
낸다.

경무국장	그 댁 따님 타와라 긴코다. (겉옷 벗어 덮어 주며) 참고로 내 처제고.
정 형사	(분위기 파악됐다. 무릎 꿇고 조선말로) 잘못했습니다, 아가씨! 제가 정신이 나갔나 봅니다! (거듭 조아리며) 용서하십쇼!
은호	(다정히 일으키는) 일어나세요.
정 형사	(감격해서) 제 불찰을 이해해 주시는 겁니까?
은호	이해하죠. 근데… 어쩌나? 제가 빚은 또 칼같이 갚는 성격이라. (싸늘한 일본어로 형부에게) 힘줄, 끊어 주세요. 음… 오른쪽 다리.

아키라가 정 형사의 칼 집어 들고 다가온다! 고문실 밖에서
들리는 비명 소리!

#18   묘연각 / 외경 (밤)
풍악 소리 흘러나오는 묘연각(妙緣閣) 현판 보인다.

#19   묘연각 / 뜰 (밤)
화려하게 치장한 기생들 바삐 오간다.

이연이 축 늘어진 이랑을 방으로 옮기고 있다.
'코 옆에 점' 있는 양복 차림 노인, 헐레벌떡 들어오다 이연과
부딪친다.
그 품에서 뭉텅이 지폐 쏟아져 나온다. '실례했소!' 지폐 주워
황급히 사라진다.

#20   묘연각 / 형제의 거처 (밤)
이랑이 의식 없이 누워 있다. 총 맞고, 도끼에 찔리고, 이연도
엉망이다.
자신의 피 대충 닦아 내며, 초조하게 이랑 상태를 살핀다.

이연(E)   생각해야 돼. 랑이가 왜 여기 오자고 했는지.

그러고 있는데 '실례합니다.' 하는 소리. 기생 매화가 갈아입
을 옷 들고 왔다.

매화   (걱정스레) 괜찮으세요? 의원이라도 불러 드릴까요?
이연   여기 뭐하는 데니?
매화   명월관이랑 더불어 경성 최고 요릿집이에요.
이연   그게 다야?
매화   (무슨 뜻일까) 네??

그런 매화 뒤로 이연이 '뭔가'를 봤다. 곧바로 매화가 준 옷을

걸쳐 입고 방 나서며.

이연   애(이랑) 좀 지켜봐 줄래?

#21   묘연각 / 뜰 (밤)
       '젊은이' 하나가 묘연각 나서고 있다. '어이!' 이연이 어깨 붙
       든다. 남자, 돌아본다.
       그런데 '그 옷차림, 코 옆에 커다란 점' 아까 부딪친 노인과
       똑같다?!

이연   너, 좀 전에 그 영감 맞지?
남자   !!!!

#22   묘연각 / 정자 (밤)
       묘연각 후원으로 연결된 숲.
       커다란 정자에서 먹고 마시는 남녀 노인들 보인다.
       풍성한 상차림. 노인들 얼굴에 근심, 걱정이라고는 없어 보
       인다.
       그 한가운데, 깨끗한 얼굴의 '미소년'이 머리 하얀 중년 남자
       와 마주 앉아 있다.
       옆에는 중년 남자의 딸(장차 매난국죽의 막내 죽향).
       잔뜩 긴장한 남자가, 나무통에 손을 넣고, 구슬 하나 뽑는다.

미소년에게 건네면.

미소년　(구슬에 새겨진 글자 보여 주는) '가족'이군요.
중년남　(확인하듯) 딸자식 바치면, 더 살 수 있는 거지?!

'아부지…' 딸이 두려운 듯 아비를 본다. 미소년이 남자를 만류한다.

미소년　오래 사는 게, 자식과 맞바꿀 만큼 가치 있는 일일까요?
중년남　(잠깐 흔들리나 싶더니, 딸 떠미는) 데려가!
미소년　그게 그대의 선택이군요. (하고, 서글픈 눈빛으로 손바닥 펼친다)

남자가 뽑은 구슬, 신비로운 빛을 발하며 그의 몸에 가 닿는다!
그러자 하얗게 센 머리 흑발로 변하더니, 순식간에 젊어진다?!
남자 도망치듯 자리를 뜬다! '아부지! 아부지!' 울며 매달리는
딸을 뿌리치고.

미소년　(딸에게) 울지 마라. 세속의 연이 끊어진 것뿐. (따뜻하게 눈물 닦아
주며) 이제 다시는 눈물지을 일 없을 게다.

그 모습 지켜보던 이연, 거침없이 정자로 올라선다.

이연　누구냐 너?
동방삭　사람들은 이리 부르더군요. (사이) '삼천갑자 동방삭'이라고.

구미호뎐
1938

제1화 형제, 1938

이연	동방삭? 동양 설화에서 수명이 제일 긴 놈?! 그래서 랑이가… 마침 잘 됐다. 수명 좀 빌리자.
동방삭	인간이 아닌 자가 어찌 수명을 탐하십니까.
이연	동생이 죽어 가고 있거든.
동방삭	모든 것은, 피고 지는 때가 있는 법이지요. 부러 수명을 늘리면 화를 입게 마련입니다.
이연	(뽑기 통 툭툭) 이런 걸로 야바위나 하는 놈이 할 소린 아닌 거 같은데?
동방삭	아시잖습니까. 요괴와의 거래엔 대가가 필요하단 걸.
이연	그래서 이런 룰을 만들었다?
동방삭	목숨을 쉽게 탐하지 말란 뜻입니다.
이연	취지는 좋은데 어쩌냐? 난 대체로, 룰을 내가 만드는 편이거든.

이연이 어느새 동방삭의 목에 검을 겨누고 있다!

이연	(서늘하게) 내 동생 살려. 당장.
동방삭	(담담히) 베십시오.
이연	?!!
동방삭	저를 베면 수명을 가질 수 있어요.

반신반의하던 이연, 이내 힘껏 칼 휘두른다! 그런데!
'쨍!!' 하는 소리와 함께 검이 튕겨 나간다?! 손이 저릴 정도다!

이연	뭐야 이건?!!

동방삭   보다시피 마음대로 죽지도 못하는 몸이외다.

#23   묘연각 / 형제의 방 (밤)
       그 시각, 의식 없던 이랑이 눈을 번쩍 뜬다.
       자리에 앉아서 보면, 몸에는 상처 하나 없이 깨끗하다. 털고 일
       어난다.
       기생 매화가 깨끗한 수건과 물 받은 세숫대야 갖고 방문을
       연다.

이랑   누구야 너? 이연은 어디 가고? (무시하고 방에 들어서는 매화에게)
       내 말 안 들려?!

       위협적으로 앞을 가로막는데, '어찌된 일일까.' 매화가 이랑
       몸을 '쑥' 통과한다?!
       '에취!' 재채기하는 매화!
       이랑이 돌아보면, 죽은 듯 자리에 누워 있는 '자신의 모습'!!
       혼만 빠져나왔다!

이랑   (경악해서) 설마, 나 죽은 거야?

       매화가 걱정스런 얼굴로 이랑 숨소리에 귀 기울인다. 미세하
       지만, 숨 쉬고 있다.
       가슴 쓸어내리고, 대야에 수건 적신다.

구미호뎐
1938   제1화 형제, 1938

'야. 야.' 매화 불러본다. 반응 없다. 귀에 대고 '야!!' 소리 지른다. 그래도 무반응.

세숫대야 발로 걷어찬다. 소용없다.

몸속으로 다시 들어가려고 애써 보지만, 그마저도 불가능. 눈앞이 캄캄해진다.

이랑   어떻게 이런 일이… (서둘러) 이연을 찾아야 돼!

하지만 문을 열 수가 없다. 잡히지 않는 문짝과 씨름한다.

이내 방문 밖에서 보이는 앵글에 '이랑 얼굴만' 밖으로 '쏙' 나온다.

데굴데굴 눈 굴려 밖을 살피더니, 이어 몸 전체가 나왔다.

'이연!!' 정신없이 형을 찾아다니는 이랑!

#24   묘연각 / 정자 (밤)

이연이 동방삭을 마주하고 앉았다. 의심스레 구슬 든 통을 보며.

이연   그러니까 지금 나보고 '뽑기'를 해라?

동방삭   뽑은 걸 가져오시면, 제 수명과 맞바꾸는 겁니다.

이연   여기 뭐 들었는데?

동방삭   누군가에겐 목숨만큼 값진 것들이지요. 돈, 명예, 가족, 행운, 그리고 '우투리의 검'

이연	우투리? 아기장수의 칼은 왜?

자막	우투리 - 아기장수 전설의 주인공

동방삭	유일하게 나를 벨 수 있는 물건이니까.
이연	혹시 죽을 셈이냐?!
동방삭	제게 남은 건 고독뿐이에요. 수천 년을 살면서 나를 아끼고, 내가 아끼던 모든 게 먼지처럼 사라지고.
이연	(쓸쓸해 보이는 그 얼굴 빤히 보다가) 하자.

이연이 신중하게 통에 손을 넣는다. 그런데 세월아 네월아 뒤
적뒤적 대기만.

동방삭	(보다 못해) 언제까지 하실 겁니까.
이연	내가 뽑기 운이 영 꽝이라.

마침내 이연이 구슬을 뽑았다. 걱정 반 기대 반으로 넘겨주면.

동방삭	(보여 주는) 우투리의 검.
이연	(테이블 '쾅!' 내리치며) 젠장!! 다른 건 안 되겠니? 내가 아는데, 이 시대에 그 물건 '최악의 장소'에 있거든?
동방삭	기회는 한 번입니다. 원치 않으면 포기하셔도 돼요.
이연	(머리 싸매다가) 검만 가져오면, 확실히 내 동생 살리는 거지?
동방삭	(끄덕) 물론이에요.

구미호뎐
1938

제1화 형제, 1938

이연	(일어서며) 가져올게. 그전에 동생 죽으면 썩어 버린다, 너.

화면 넓어지면, 약간 의외란 얼굴로 그 모습 지켜보고 있는
이랑의 영혼.

#25   **묘연각 / 형제의 방 (밤)**
이연이 서둘러 나갈 채비한다. 이랑이 눈앞에서 계속 말을 건다.

이랑	야, 안 들려? 나 여기 있어. (얼굴에 손 흔들며) 네 눈앞에 있다고!!

앞을 가로막는다. 하지만 이연도 이랑을 통과하면서 '에취!'
재채기한다. 어쩌면 이게 방법일지도 모른다.
알아 챌 때까지 이연 몸을 왔다 갔다. 연거푸 재채기하는 이연.

이연	왜 이러지? 혹시…. (하고, 주위 둘러본다)
이랑	(기대감으로) 그래!!
이연	(코를 쓱) 나 비염인가?
이랑	야 이 멍충아!!

답답한 마음에 이연을 팬다. 아무짝에도 소용이 없다. 미칠
거 같은 이랑인데.
이연이 의식 없이 누워 있는 이랑 옆에 앉아.

이연	꼬맹이 때도 아주 툭하면 앓아 눕더니. 넌 인마, 내 속 뒤집어 놓으려고 태어났냐?
이랑	나쁜 새끼. 죽어 가는 동생한테 한다는 소리가….
이연	내가 올 때까지만 버텨 주라. (머리 쓰다듬는) 형은 너 절대 포기 안 해.

하고, 결연히 방을 나서는 이연. '진심일까.' 이랑이 가만히 입술을 깨문다.

#26   묘연각 / 뜰 (밤)
이연이 기생 매화에게 '뭔가 귀띔'하고, 빠르게 묘연각 나선다. 이랑이 그 뒤를 쫓는다. 그런데 보이지 않는 벽에 부딪혀 안으로 튕겨진다.
다시 시도해 본다. 역시 뭔가에 막힌 듯 대문을 넘어가지 못한다.

#27   묘연각 / 앞 (밤)
이연이 초조하게 시계를 본다. 저녁 7시 40분이다.

이연(N)	시간 내로 랑이를 구할 수 있을까.

걸음을 서두른다. 그 위로 '째깍째깍' 불안한 초침 소리.

구미호뎐
1938   제1화 형제, 1938

#28   아편굴 (밤)
       연기 자욱한 군산의 아편굴.

자막   군산

       헝클어진 자태로 앉아 있는 사내의 뒷모습. 뿌연 연기 모락모
       락 피어오른다.

이연(N) 문제는, 이 시대에 우투리의 검을 가진 놈이….

       사내, 돌아본다. 과하게 풀어헤친 앞섶, 초점 없는 눈동자, 그
       런데 그 얼굴!!
       다름 아닌, 1938년의 이연(이하, 이연38)이다!

이연(N) 하필 '나'라는 거다.

       '아음아 넌 어디 있니? 왜 환생을 못 해?!!' 절규하는 그 눈에
       눈물 그렁그렁.
       숨어서 지켜보던 이연이 '꼴사납게 왜 저래?' 눈살 찌푸린다.
       그때 '이연님! 잡았습니다!' 의기양양한 목소리.
       이 시대의 신주가 밧줄에 묶인 남녀 데리고 나타났다. 이연이

잽싸게 몸을 숨긴다.

이연38이 자리에서 벌떡 일어선다.

약에 취해 비틀거리는 양쪽 허리춤에 '두 개의 칼' 보인다.

하나는 이연의 검이요, 다른 하나는 우투리의 검.

이연38	이놈! 둔갑한 너구리들! (칼 겨누며) 니들 죄를 알렸다?
너구리 남	(억울) 죄라니요?
이연38	네 마누라 이름!! (여자에게) 뭐야?
너구리 여	(짜증스레) 배아음이요.
이연38	아음! 아음!!! 누가 그 이름 함부로 쓰래?!
신주38	(옆에서) 비명에 가신 '이연님 첫사랑' 존함이에요.
너구리 여	(기막혀) 아, 우리가 그걸 어떻게 알아요?!
너구리 남	개명할게요! (여자에게) 이연님하고 아웅다웅 할 일 뭐 있어?
이연38	너 방금 뭐라고 했어? 아음다음?!

'억울합니다요!!' 읍소하는 너구리 남에게 드롭킥 날린다! 쥐
어 패기 시작하면!

조금 떨어진 곳에서, 현재의 이연이 민망한 듯 고개를 돌린다.

이연(N)	누구나 방황하는 시절이 있다. 내 흑역사는 정확히 이때였다.

실컷 두들겨 맞고, 너구리 부부 물러난다.

이연38이 담뱃대 문다. 연기 안 올라온다. 신경질적으로 집
어던지며.

구미호뎐
1938   제1화 형제, 1938

이연38	떨어졌잖아!
신주38	이연님, 아편 좀 끊으세요. 이거 중독이에요.
이연38	(매섭게) 야!!! (신주 움찔하면) 이거라도 안 하면, 자꾸 눈물이 나는 걸 어떡해. (하며, 베개에 얼굴 묻는다.)
신주38	(안쓰러워 토닥토닥) 좀 주무세요. 제가 얼른 가서 구해 올게요.

신주 밖으로 사라진다.

숨어 있던 이연이 조심스레 자신에게 접근한다. 이연38, 그새 잠들었다.

하필 우투리의 검을 깔고 잔다. 조심스레 손 뻗는다.

뒤척일 때마다 깜짝깜짝. 몇 번의 위기 끝에 겨우 이연38, 돌아누웠다.

숨도 못 쉬고 우투리의 검 뽑아낸다. 성공이다!

'휴우….' 그제야 고개를 들면.

이연38, 눈 말똥말똥 뜨고 자신을 마주 보고 있다?! 그대로 얼음이 되는데!

이연38	(얼굴 들이밀고, 게슴츠레한 눈으로) 이런 데 거울이 있었나?

이연이 거울인 척 흉내 내기 시작한다.

갸웃하는 고갯짓부터 손, 발 들어 올리는 모양새까지. 식은땀 '주룩' 난다.

다행히 이연38이 흥미를 잃고, 대자로 뻗어서 다시 잠든다.

까치발로 그곳을 빠져나오는 이연!!

#29   아편굴 / 앞 (밤)

이연이 한숨 돌린다. 그 순간, 보쌈이라도 하듯 이불보 '확' 씌워진다! '죽어라! 이 아편쟁이 구미호!' 사방에서 매서운 방망이질 쏟아진다!
'누구야?!' '원수 갚으러 왔다 이놈아!'
이연이 성가신 듯 이불보 벗어 던진다!
보면, 아까 얻어터진 부부를 비롯해 건장한 남자들 한 무리! 살기등등하다!

이연   뭔데 니들?

남자1   (새카만 얼굴 들이대며) 너한테 벼락 맞은 놈이다!!

남자2   (다리에 붕대 감긴) 생긴 게 마음에 안 든다고 다리를 부러뜨려야?

이연   (진심이라곤 1도 안 보이는 투로) 진심으로 사과한다. 됐지? 내가 지금 좀 바쁘거든? (하고, 가는데)

남자1   (몸을 날려 다리 붙잡고) 가긴 어딜 가?!

남자2   (덤비는) 오늘 너 죽고 나 죽자!

하며, 수없이 두들겨 팬다! 이내 얻어터진 놈들 죄다 꽁지를 뺀다!

이연   어우 피곤해. 성질 좀 죽이고 살걸.

손 '탁탁' 털며 돌아서는데. '이연님?!' 1938년의 신주와 딱 마주쳤다.

구미호뎐
1938   제1화 형제, 1938

#30   묘연각 / 정자 (밤)

그 사이, 이랑의 혼이 정자를 다시 찾았다. 뭔가를 보고 '흠칫'!
아까의 노인들이 죽향을 눕혀 놓고, 팔다리 '꽉' 붙잡고 있다!
입도 틀어막았다!
발버둥 치는 죽향!! 헤실헤실 웃던 노인들 얼굴, 무서울 만치
무표정하다!

동방삭(E)   지금 뭣들 하시는 겁니까?!

일갈하며 정자로 뛰어오르는 동방삭. 이랑이 그 뒤를 밟는다.
노인들 당황한다. 입 틀어막은 손 놓으면, 죽향이 울컥 밭은
기침 한다.

동방삭   (걱정스레) 보세요. 이러다 질식이라도 하면, 제 소중한 '먹이'
          가 날아가 버리잖아요.
이랑   뭐?

하는 순간, 죽향을 향해 입을 '하아아아' 벌리는 동방삭!
죽향의 입에서 하얀 연기 빨려 나온다! 순식간에 노파가 되
어 쓰러지는 죽향!!
찰나, 동방삭의 몸을 감싼 단단한 '등껍질' 짧게 드러났다 사

라진다!

동방삭이 식사를 끝낸 듯 '쩝' 입맛을 다신다!

이 모든 것을 바로 옆에서 지켜본 이랑! 경악해서 뒷걸음질 치며!

이랑   수명을 나눠 주는 놈이 아니라 빨아먹는 놈이었어?! 이연한 테 알려야 돼!

그 순간! 동방삭이 고개를 돌려 이랑을 똑바로 바라본다!! 눈 마주쳤다!

이랑   (반신반의해서) 설마 내가 보여?!
동방삭   거기 있구나?
이랑   !!!!!

동방삭이 손을 뻗는다! 그런데 닿을 듯 말 듯 아슬아슬하게 눈앞을 스쳐 간다!
가만히 귀 기울이는 동방삭!

이랑(E)   보이는 게 아냐. 소리를 듣는 놈이다.

동방삭이 허공을 더듬는 사이, 이랑이 겨우 반대쪽으로 몸을 피한다!

구미호뎐 1938   제1화 형제, 1938

동방삭	놓쳐 버렸네.
이랑	(가슴 쓸어내리면)
동방삭	(섬뜩하게 돌아보며 노인들에게) 그놈 몸. '몸'을 가져오세요.

노인들, 일제히 정자를 빠져나간다! 사색이 되는 이랑!!

#31   **아편굴 / 앞 (밤)**

신주38과 마주친 이연, 애써 태연한 척 한다.

신주38	어디 가세요?
이연	잠깐 볼 일 있어서.
신주38	모셔다 드릴게요.
이연	아냐 아냐, 따라오지 마. (경보로 멀어지며) 혼자 있고 싶어서 그래.

의아한 얼굴로 돌아보며 아편굴로 향하는 신주.
아편굴에서 '또 하나의 이연' 발견하고 '이연님! 일어나 보세요!!'
호들갑 떠는 신주 목소리 들린다!

#32   **골목 (밤)**

이연이 무시무시한 속도로 뛴다! 아편굴에서 꽤 멀어졌다!
그런데 천둥이 몰려오는 소리! 익숙한 9개의 붉은 꼬리!

이글거리는 눈으로, 검을 들고 서 있는 것, '1938년의 이연' 자신이다!

이연   (미치겠다) 천둥은 좀 오버 아니니?

이연38   감히, 이 몸으로 둔갑을 해? 게다가 그거 내 물건이잖아.

이연   (훔친 칼 감추며) 엄밀히 말하면 네 물건이 내 물건인데.

이연38   닥쳐!! (눈 색깔 변해서) 지금까지 내 물건에 손대고 살아남은 놈은 없어.

이연   알지. 아는데 내가 지금 바쁘다고!! (하며, 선공을 날린다!!)

빠져나갈 방법은 정면 승부뿐!
한 대 맞은 이연38, 꼬리 집어넣고 무서운 기세로 공격해 온다!
자기 자신과 죽자 사자 싸우게 된 이연! 이내 이연이 위기에 몰린다! 놈이 이연의 숨통을 조여 오는 찰나, 이연이 눈앞에 '핸드폰' 들이댄다!
핸드폰 속에서 환하게 웃고 있는 것, '지아'다!

이연38   (!!!!) 아음?

이연   아음이 다시 태어났어.

이연38   어디… 어디야?!!

이연   (급하게 둘러대는) 만주?

이연38   (핸드폰 사진 쓸어내리며, 벅차게) 내가 갈게, 아음.

그 순간 '퍽!' 뒤통수 가격한다! 이연38, '스르르' 쓰러진다!

구미호뎐
1938   제1화 형제, 1938

이연이 시계를 본다. '째깍째깍' 효과음.

자막   D-4시간 50분

이연(E)   랑이는 무사할까? 제발….

#33   묘연각 / 형제의 방 (밤)
노인들 잔뜩 모여 든다! 이랑이 그 뒤를 쫓아왔다!
막으려고 애써 보지만, 물리적인 힘이 전혀 통하지 않는다!
이랑이 누워 있던 방문, 거칠게 열린다! 그런데 이랑의 몸이
없다?!!

이랑   (당황해서) 내 몸!! 몸이 어디 갔지?!

뒤늦게 나타난 동방삭이 서늘한 얼굴로 지시하길.

동방삭   찾아내세요. 반드시.

'놈들보다 먼저 찾아야 한다!' 이랑이 묘연각을 뒤지기 시작
한다!

#34   묘연각 / 매난국죽의 방 (밤)

같은 시각, 매화, 난초, 국희가 이랑의 몸을 옮기느라 진땀을
빼고 있다.
눕히고, 이불 뒤집어씌우기 무섭게 '계시는가?' 동방삭 일당
이다!
매화가 밖으로 나간다. 동방삭과 노인들이 방 에워쌌다.

매화   어인 일이십니까.

동방삭   누굴 좀 찾고 있는데. 이 방 하나 남았거든.

매화   기생들 처소예요. 돌아가 주세요. (하는데)

동방삭   (문 붙잡고) 어쩌지? 난 뒤져야겠는데?

매화   (고민하다) 괜찮으시겠어요, 저희 사장님 불러도?

그 소리에, 마지못해 손을 뗀다. 차갑게 매화 노려보며 노인
들에게.

동방삭   샅샅이 뒤지세요. 놈은 틀림없이 묘연각 안에 있어요.

일당 사라지면, 매화가 안도의 한숨 내쉰다. 매화를 따라 방
으로 향하는 이랑.
국희가 '갔어?' 속삭이면, 매화가 끄덕한다.

이랑   (보고) 내 몸이 왜 여기….

난초   (걱정스레) 언니, 이래도 돼?

매화   손님이 부탁한 일이야. 사장님이 허락하셨고.

구미호뎐
1938   제1화 형제, 1938

플래시백

이연이 묘연각 나서기 직전이다. 매화에게 은밀히.

이연   자정이 넘어도 내가 안 돌아오면, 내 동생 방 좀 옮겨 줄래?
매화   어찌 그러시는지?
이연   내가 원체 남을 잘 못 믿는 편이라.

형의 뜻을 알게 된 이랑이 '독한 놈.' 하고, '픽' 웃는다.
그런데 그 순간! 기생들 방문 활짝 열린다!

동방삭   (이랑 몸 내려다보며, 싱긋) 내 이럴 줄 알았지.
이랑   !!!!!!!

#35   **묘연각 / 앞 (밤)**

이연이 묘연각으로 뛰어 들어온다.

자막   D-1시간

#36   **묘연각 / 매난국죽의 방 (낮)**

곧바로 기생들 방으로 향한다. 방에는 매화뿐.
이랑의 혼이 지켜보는 가운데, 이랑의 생사부터 확인하고.

이연	별일 없었니?
이랑	있었어!
매화	아무 일도… 없었어요.
이랑	(매화에게) 사실대로 말해!!
이연	(안 들린다) 고맙다.

하고 방을 나서면, 매화가 눈 질끈 감는다. 이연을 속였다.
병풍 뒤에서 난초와 국희의 목에 칼을 겨누고 선 노인들 때
문이다.

#37   **묘연각 / 모처 (밤)**

이연이 빠르게 정자로 향한다. 노파가 된 죽향이 툇마루에 앉
아 있다. 이연은 죽향을 못 알아보고 스쳐 간다. '속지 마! 속
으면 안 돼!' 이랑이 쫓아가며 외쳐 보지만, 소용없다.
'젠장! 젠장!!' 답답한 듯 돌부리 걷어차는 이랑. 그런데 허공
만 발에 차이는 순간!
죽향이 돌멩이 날아올까 반사적으로 몸을 피한다?!
죽향에게 다가간다. 이리저리 움직인다. 그 시선, 이랑의 움
직임을 고스란히 따라온다.

이랑	너, 나 보이지?
죽향	(끄덕)
이랑	(흥분해서) 보여?! 진짜 보인다고?!

구미호뎐
1938   제1화 형제, 1938

죽향	아저씨 귀신이에요?
이랑	왜 너만 보이지?
죽향	우리 할머니 무당이에요.
이랑	!!!

#38   내세 출입국 관리 사무소 (밤)
시간이 다르게 흐르는 이곳은 아직 밤이다.

자막   현재

'쾅쾅' 밖에서 부서져라 문 두드리는 소리. 현의옹이 온몸으로 문을 막고 서 있다.
근심 어린 얼굴로 노파 나타나면.

현의옹	연이는?!
탈의파	아직이야! 시간 다 돼 가는데!
현의옹	어디서 뭘 하고 있는 거야!
탈의파(E)	(먼 곳을 보며) 서둘러라. 서둘러야 해. 연아!!

밖에서 문 두드리는 소리 커진다. 금방이라도 밀고 들어올 듯!

탈의파	(다 쓸어버릴 생각으로) 문 열어.

결연한 얼굴로 문 열어젖히는 부부 모습에서!

#39   **묘연각 / 정자 (밤)**
이연이 동방삭을 찾아왔다. 동방삭이 교자상 앞에 앉아 기다
리고 있다.

동방삭   검은?
이연   (상에 툭 올려놓는) 여기.
동방삭   (반색하며) 계약은 성립됐습니다.

하고, 검에 손을 뻗는데 '잠깐!' 하며 그 손을 밟는 이연!

동방삭   ?!!
이연   너 밑장 뺐지?
동방삭   ('무슨 소릴까.') 밑장이라뇨?
이연   (통 가리키며) 내 뽑기 말이야. 손장난 쳤잖아.
동방삭   그럴리가요.
이연   (피식)

플래시백
이연이 통에 손을 넣고, 한참을 뒤적거리던 장면이다.
'뽑기 운이 영 꽝이라…' 하면서 '음각된 글자' 더듬는 이연
의 손 보인다.

구미호뎐
1938   제1화 형제, 1938

이연(E)	구슬은 모두 마흔 네 개. 근데 내 건 하나도 안 빼고 전부 '우투리의 검'이 적혀 있더라?

동방삭의 얼굴 일그러진다.

이연	내가 핫바지로 보이냐?
동방삭	(본색 드러내는) 알면서, 검은 왜 구해 왔니?
이연	(검 들어 보이며, 여유 있게) 너랑 같은 이유지.
동방삭	나를 벨 수 있는 유일한 물건이니까?
이연	죽고 싶단 거 거짓말이지? 넌 이 검을 없애고 싶었던 거야.
동방삭	(태연히) 인간들 수명을 훔쳐서 영원히 살아왔거든.
이연	(‼) 젊어진 인간들은 뭐야?
동방삭	간단한 눈속임이지. 사흘이면 원래대로 늙어. 그때가 되면 난 여기 없고.
이연	이 개새끼.
동방삭	(칼날 어루만지며) 그래도 넌 나를 못 베.
이연	왤까?
동방삭	동생이 인질로 잡혀 있거든.

인서트

기생들의 방. 노인들이 '이랑의 몸'에 붙어 있다! 돌덩이 치켜 들고!

이번에는 이연의 얼굴 일그러진다.

이연(E)   어떡하지? (흘끔 시계를 보고) 시간이 없어. 지금 이놈을 베고, 이 시대 캐비닛으로 뛰어들지 않으면….

'째깍째깍' 초침 소리 커진다.

자막   D-25분

더는 물러설 수 없다.

이연   어디, 누가 먼저 죽나 볼까?

눈부신 속도로 검 휘둘러, 동방삭의 몸을 가른다! 그런데! '쨍!' 하는 소리와 함께, 또 다시 튕겨 나오는 칼날!!

이연   뭐가 잘못된 거지?!
동방삭   (매섭게 반격하며) 괜히 너보다 오래 산 게 아냐.

동방삭이 이연을 무자비하게 몰아붙인다! 이연의 공격은 먹히지 않는다!
이연이 핀치에 몰린다!
그때 노파가 된 죽향이 정자로 뛰어온다!

죽향   '십장생' 중 하나야! 장수 거북이!!!
이연   (안 믿는) 노인네들 이놈이랑 한 팬 거 내가 모를 줄 아냐?

구미호뎐
1938   제1화 형제, 1938

죽향	나 '이랑'이야! 이놈 몸을 빌린 거라고!
이연	말 같잖은 소리하고 있네.
죽향	(어떻게 믿게 하나 빠르게 생각하고) '스스로를 구하려고 하지 않는 놈한테, 구원 같은 건 없다.'

플래시백 　구미호뎐 8화 17씬

이연과 어린 이랑이 처음 만나던 순간이다. '뭐로 살든 간에 잊지 마라, 꼬맹아. 스스로를 구하려고 하지 않는 놈한테, 구원 같은 건 없단다.'

'이랑 맞구나.' 깨닫는 이연! 동시에 동방삭이 이연에게 달려든다!

이연	(피하지 않고) 거북아 거북아 머리를 내어라. 내놓지 않으면 잡아서 구워먹으리.

'구지가(龜旨歌)' 왼다! 동방삭 얼어붙는다!
이연이 노래 반복하자, 그 몸에 서서히 드러나는 '거북'의 형상!
죽향(이랑)도 노래 합세한다!
마침내 온몸이 두툼한 껍질로 쌓인 그의 '진짜 모습' 보인다!
이연이 드러난 목덜미 겨냥해 '우투리의 검' 휘두른다!
동방삭이 외마디 비명 지른다! 이번에는 먹혀 들어갔다!
동방삭 쓰러지면, 그 몸에서 수백 개의 구슬이 빛을 발하며 쏟아져 나온다!

이연이 죽향(이랑)을 보며 '씩' 웃는다!
동시에 제한 시간 끝나 버린다!

자막   D-00:00

#40   몽타주
노인들이 막 이랑을 죽이려는 찰나, 이랑의 몸에 구슬의 신비
로운 빛 와 닿는다.
이랑이 눈을 '번쩍' 뜬다. 노인들 날려 버린다.
죽향의 몸에도 구슬 날아든다. 원래 나이로 돌아온다.
이랑 공격하던 노인들도, 아이들로 변해 있다.
애타게 이연을 기다리던 탈의파, 캐비닛 앞에서 '털썩' 허물
어진다.

#41   묘연각 / 정자 (밤)
'지아가 기다릴 텐데…' 이연이 막막한 얼굴로 1938년의 하
늘 올려다본다. 과거에 갇혀 버렸다.
그런 이연에게 '깨어난 이랑'이 찾아온다.
동생의 어깨 '툭' 친다. 말없이 서로를 마주 보는 형제.
형을 보는 이랑의 눈빛도 아주 조금은 달라져 있다.
멀리서 모든 것을 지켜본 홍주의 심복 '재유'가 빠르게 몸을
감춘다.

구미호뎐
1938   제1화 형제, 1938

#42   묘연각 / 홍주의 방 (밤)

값비싼 골동품과 모피, 구두, 보석 가득한 방.
거울 앞에서 한복 차림의 여인이 재유에게 보고를 받고 있다.
옆에서 기생들이 옷매무새와 머리 다듬어 준다.

홍주   동방삭이 죽어? 아깝다. 꽤 짭짤한 돈벌이였는데.

하며 돌아보는 그녀, 묘연각의 주인 '홍주'다.
홍주가 손짓하면 기생들 나간다.

홍주   그나저나 이연은 아직도 잘 생겼니?
재유   (희미한 미소만)
홍주   내가 개랑 함 해 보려고, 벼르고 벼른 세월이 수백 년이야. 무슨 말인지 알아?
재유   알아들었습니다.
홍주   그럼 '제일 크고 예쁜 걸'로 갖다 줄래? (설레듯 옷 고르고 대보며) 우리 되게 오랜만에 만나는 거거든.

재유가 공손하게 가져와 올리는 것, '집채만 한 대검'이다!
대검을 쥔 홍주가 위험천만하게 웃는다!

#43   열차 (낮)

기적 소리 울리며 달리는 열차 보인다.

1등석에서 이연과 이랑, 달걀 까먹고 있다.

특실에는 들뜬 얼굴로 화장을 고치는 홍주.

그 옆방에 이랑의 마적단 부하들, 무기 들고 대기 중이다.

2등석에는 권총 손질하는 정 형사, 그리고 일본군 한 소대.

화물칸에는 신주가 징용당하는 남자들과 함께 방화 준비 중이다.

이 모든 '문제적 인물들'을 싣고 열차 힘차게 내달린다. 그 위로.

이연(N)　　누군가, 나를 과거에 가둬 버렸다.

　　　　　이연이 창밖을 내다본다. 이제 곧 디널이다.

이연(N)　　하지만 놈은 모른다. '지켜야 할 여인이 없는 시대'에 구미호는 그들이 아는 것보다 무자비하다는 걸.

　　　　　열차가 터널에 진입한다. 터널 속 어둠을 응시하는 이연의 비장한 눈동자에서.

이연(N)　　사냥의 시간이다.

1화 끝

구미호뎐
1938　　제1화 형제, 1938

아름다울

美

#1   천안역 (낮)

우렁찬 열차 기적 소리 들린다.

시모노세키항과 연결된 부산에서 천안, 경성을 거쳐 만주로 향하는 열차.

#2   열차 / 3등석부터 1등석 (낮)

이연과 이랑, 막 출발하는 열차에 뛰어오른다.

남루한 승객과 짐으로 가득한 3등석 지나, 2등석으로 이동한다.

2등석은 대부분 일본 군인. 천안역에서 새로 탑승한 형사들이 좌석 찾고 있다.

그중 총칼을 지팡이처럼 짚고, 한쪽 다리 저는 형사, 종로 경찰서 정대승이다.

'비켜.' 이연이 정 형사를 '툭' 밀고 가 버린다.

넘어지다시피 좌석에 처박힌다. '저 새끼가!!' 하며, 몸을 일으

키는데. 뒤에 오던 이랑, 지팡이 삼은 총칼을 발로 '퍽' 차 버리고 '걸리적거려.'

태연히 1등석으로 넘어가는 형제. 정 형사, 죽일 듯 쫓아가다 뭔가 보고 주춤한다.

1등석에서 경무국장 수하 '아키라'가 책 읽다가 고개 든다. 그의 힘줄 끊은 장본인.

이연과 이랑이 자리에 앉는다. 이랑이 안쪽 창가 자리. 2명씩 마주 앉는 구조.

맞은편에 화려한 차림을 한 미녀(장차 미스 조선), 그리고 강아지 데리고 탄 노부인.

| 이랑 | (노부인과 시선 마주친다. 잡아먹을 듯이) 뭘 봐? |
| 이연 | (쯧쯧) 사회생활 좀 배우자. |

하는데, 뒷좌석에서 담배 연기 넘어온다. 열차에서 담배 피우던 시대다.

| 이연 | (벌떡 일어나) 담배 안 꺼? 대중교통에서 누가 무식하게 담배를 펴? 여기 애(이랑)도 있고, 개도 있고, 야 인마! 싸울래? |
| 이랑 | (승객들 이목 집중된다. 창피하다. 끌어 앉히며) 사회생활 안 배웠냐? |

#3   **열차 / 특실 (낮)**
'하마터면 기차 놓칠 뻔 했네.' 홍주가 새하얀 웨딩드레스 차림으로 나타난다.

매화, 난초, 국희가 꽃다발 한아름 안고 뒤따르고, 악기를 든 기생과 재유 들어선다. 당장 '결혼식'이라도 치를 모양새.

기생들 분주히 방에 꽃 장식을 하고, 홍주의 머리와 화장 고쳐 준다.

거울 들여다보며 설렌 듯 콧노래 부르는 홍주.

홍주의 옆방. 또 다른 특실에는, 깔끔한 옷으로 위장한 '이랑의 마적단 부하들'이다. 특실 주인은 꽁꽁 묶인 채 입에 재갈 물려 있다. 놀란 눈만 '데굴데굴'.

부두목이 조용히 테이블에 모래시계 엎어 놓는다.

부하들 일사불란하게 무기 꺼내 들고 대기한다. 금방이라도 사고칠 분위기.

#4   열차 / 화물칸 (낮)
        신주와 1화의 트럭 남들 비롯, 남자들 여럿 화물칸에 웅크리고 있다.
        10대 소년이 신주 옆에 '딱' 붙어 있다. 잠긴 문 앞에 무장한 일본군.

신주   이연님은 대체 어디 계시는 거야. 나만 이 시대에 남겨 놓고 혼자 집에 간 건 아니겠지. (일본군에게 가서) 이거 어디로 가는 열찹니까?

일본군1   (무성의하게) 만주.

신주	만주 어디요?
일본군1	가모 부대다. 앉아!!
신주	가모 부대? (갸웃) 어디서 들어봤는데….
노인	관동군 급수 부대. 군에다 물 공급하는 지원 부대지.
10대 소년	위험한 데는 아니네요? 살았다.
신주	가모 부대… 가모 가모… (하다가, 퍼뜩) 만주 731부대!!

#5   달리는 열차 / 외경 (낮)

#6   열차 / 1등석 (낮)
          이연이 삶은 달걀 껍데기 까고 있다. 이랑은 온통 노부인의
          '강아지'에 시선.

노부인	(옆자리 미녀에게) 참말로 곱다. 혹시 영화배우요?
미녀	곧 될 거예요. 선우일보사에서 여는 미스 조선 선발 대회 나 가거든요.
노부인	그것이 뭣이오?
미녀	(자랑스레) 조선 최고 미인을 뽑는 자리랍니다.

          이연이 깨끗하게 깐 달걀을 이랑에게 건네준다.

이랑	(싸늘) 너나 먹어.

구미호뎐
1938   제2화 아름다울 美

이연	(입에 쏙 밀어 넣고) 말을 안 들어. 달걀 좋아하면서.

'컥-' 어쩔 수 없이 씹는다. 이연이 복잡한 얼굴로 창밖을 본다.

#7   플래시백 내세 출입국 관리 사무소 (낮)
       1938년의 사무소 풍경 보인다. 오늘 아침, 이연은 탈의파를
       만났더랬다.

탈의파	(삐딱하게) 그러니까 '미래의 내가' 널 여기로 보냈다? 넌 임무를 완수했는데, 예정된 시간보다 한~~참 지각을 했고?
이연	동생이 죽어 가고 있었어.
탈의파	네가 선택한 거 아니냐. 돌아갈지, 여기 남아 동생을 살릴지.
이연	(절박하게) 보내 줘. 나를 기다리는 사람이 있어.
탈의파	(캐비닛 가리키며) 열어 보든가?
이연	(이연이 넘어온 것과 같은 문인데, 열면 그냥 캐비닛이다. 절망으로) 집에 갈 방법이 진짜 없어?!
탈의파	(뜸들이다가) 방법이 뭐 아주 없진 않은데.
이연	뭔데?!!
탈의파	심부름 하나 해라. 그럼 말해 줄게. (기차표 주며) 아침에 부산에서 출발한 열차에 '만파식적'이 실렸다.

#8   열차 / 1등석 (낮)

다시 현재의 열차 안. 이랑이 목소리 낮춰 묻는다.

이랑 만파식적이 왜놈들 손에 들어갔다고?

이연 (끄덕) 심지어 탈의파가 봉인해 둔 물건이야.

이랑 (!!) 그 봉인을 깼대? 예사 놈들이 아니란 거네!

이연 제대로 연주하면, 산 하나를 쓸어버릴 수 있는 물건이야. (시계 확인하며) 경성까지 앞으로 1시간. 내려서 흩어지기 전에 잡아야 돼.

이랑 (승객들 훑는) 그게 지금 우리랑 같은 칸에 있는데, 누군진 모른다?

대각선 방향에서 아키라가 고개를 든다. 눈 마주친다. 대수롭지 않게 책 읽는다.
형제는 모르지만, 그가 '만파식적' 운반자다.

이연 보니까 1등석에 일본인은 7명이야. (일어서는) 한 놈씩 족쳐 봐야지.

이랑 기다려.

이연 왜??

이랑 (창밖을 보며 의미심장한 미소로) 곧 '굴다리'가 나오거든.

#9 열차 / 화물칸 (낮)
   신주와 장정들, 은밀히 머리를 맞대고 있다.

중년 남	살아 돌아온 사람이 없다고?! 그 731부대에서?
신주	저 좀 도와주세요! (겉옷 벗으며) 여기서 나가야 돼!
노인	말도 안 돼! 저런 놈 얘기 믿고 목숨들 걸 거야?
10대 소년	저 갈래요! 엄마가 많이 아프거든요.

10대 소년도 옷가지 내놓는다. 몇 명이 더 소지품 보태며.
'나도 갈라요! 만주서 객귀 되긴 싫소!' '암, 죽어도 고향 땅에
서 죽어야지!'
중년 남이 자기 '성냥' 건네준다.

노인	(신주 손목 잡고) 미쳤어! 그러다 전부 타 죽어!
신주	저 문만 열면 돼요. 문만… (떨리는 손으로 불 켜고) 제발….

#10   **열차 / 마적단 특실 (낮)**
모래시계의 모래 거의 다 떨어졌다. 이제 곧 터널이란 뜻이다.
'가자!' 부두목 지시하면 마적단 일제히 방을 나선다.

#11   **열차 / 홍주의 특실 (낮)**
홍주가 우아하게 위스키 홀짝이고 있다.
재유가 창밖을 보고 '굴다립니다.' 기다렸다는 듯 방을 나서
는 홍주.

#12   **열차 / 1등석 (낮)**

이연이 뭔가 찜찜한 표정으로 터널을 주시하고 있다. 이랑은
태연하다.

열차가 터널로 들어선다. 객실 캄캄해진다.

이연이 '이거 누구 손이야? 어딜 만져!!'

이내 객실에서 외마디 비명 소리와 '거기 누구요?!' '사람 살
려!' 하는 외침들!

#13   **열차 / 화물칸 (낮)**

'불이야!' 10대 소년이 호들갑을 떤다!

터널 어둠 속에서, 소지품 불타고 있다! 일본군1이 급히 잠긴
문을 딴다!

문 앞에 숨어 있던 신주가 놈의 목을 조르며 '지금이요!!'

중년 남이 일본군2를 덮친다!

동시에 사람들, 옷 덮고 발로 밟아 불끄기 시작한다!

#14   **열차 / 1등석 (낮)**

터널 벗어났다. 이연이 흥분해서 '누가 나 더듬었어!! 여기(상
체) 여기(하체) 막!'

맞은편 미녀가 허전한 자기 목 만지며 '도둑!! 도둑이야!!' 보
석 목걸이 없어졌다!

노부인의 모자, 가방, 개도 사라졌다! 심지어 윗도리까지 털

린 승객도!

곳곳에서 '내 돈! 내 지갑! 내 다이아반지!' 1등석 털렸다!

아키라의 얼굴도 구겨진다! '만파식적'을 잃어버린 모양! 정
신없이 1등석 나선다!

이연	(작게) 설마 니네 애들이야?!
이랑	(뻔뻔) 만파식적 필요하다며?
이연	(황당해서) 하….
이랑	내 목숨 살린 보답이야. 여우는 은혜를 갚는 법이잖아?

#15	**열차 / 식당 칸 (낮)**
	홍주가 가벼운 발걸음으로 식당 칸 지나고 있다.
	방금 훔친 나무상자 열어 본다. 작은 피리, '만파식적'이다. 마
	적단 쫓아온다.

부두목	(홍주 어깨 붙잡고) 너 뭐하는 년이야?!'
홍주	나? 이쁜데 싸움 잘하는 년.

하더니, 번개 같은 발길질로 부두목을 날려 버린다!

무기를 든 마적단 '우르르' 달려든다!

깃털 같은 몸놀림으로 마적단 때려눕히기 시작하는 홍주!

재유가 호위하러 나타난다! 홍주가 '끼어들지 마. 나 몸 풀어
야 돼.'

#16	열차 / 2등석 (낮)

정 형사가 권총을 닦고 있다. 옆에서 부하가 땅콩 까먹으며 투덜거린다.

형사1	우리가 왜 보안과 직원 경호나 하고 있어야 됩니까? 혼자 1등석에서 뻗대기는.
정 형사	경무국장 수족인 놈이야. 두고 봐. 내 다리 이 꼴로 만든 년이랑, 같이 묻어 버릴 테니까.
형사2	(1등석에서 급히 달려와서) 1등석이 털렸답니다!
정 형사	뭐?!
형사3	(곧바로 뒤에서) 화물칸에서 폭동입니다!
정 형사	열차 봉쇄해. (총 장전하며) 지금부터 여기서 아무도 못 내린다. (형사들에게) 니들은 앞으로 (군인들에게) 니들은 나 따라와.

#17	열차 / 화물칸부터 3등석 (낮)

신주가 10대 소년의 손을 '꼭' 잡고 화물칸 빠져나온다!
중년 남과 장정들, 일본군에게 뺏은 총 들고 뒤를 따른다!

#18	열차 / 마적단 특실 (낮)

이연과 이랑, 마적단 머물던 특실에 와 있다.
돈과 보석, 옷, 모자, 강아지는 물론 남자 속옷까지, 도난품 전부 여기 있다.

구미호뎐
1938   제2화 아름다울 美

이연	폭탄 테러범도 모자라서 강도 누명까지 쓰게 생겼네. 아이고 머리야.
이랑	(태연히) 골라 봐.
이연	개는 왜 훔친 거야? (집어던지며) 이 더러운 속옷은 뭐고?
이랑	(슬쩍슬쩍 개 쓰다듬으면서) 우리 애들이 원래 손댔다 하면 뼈도 못 추릴 정도로 털거든.
이연	자랑스럽게 말하지 마!

#19 열차 / 식당 칸 (낮)

마적단 모조리 쓰러졌다. 재유가 손수건 건네면, 얼굴에 튄 핏 방울 닦는 홍주.
그때! 누군가 소리 없이 홍주를 기습하고 물건 낚아챈다! 아 키라다!

홍주	(한 대 맞았다. 피를 퉤 뱉고) 나 쳤어? 나 오늘 세상에서 젤 예뻐야 되는 날인데.
아키라	(싸늘하게) 물건은 대일본 제국의 것이다.
홍주	아닌데? 홍주 건데?

홍주가 살벌한 기세로 아키라 덮친다! 아키라의 실력도 만만 치 않다!

홍주	(싱긋) 제법이네? 너 사람 아니구나?

아키라   사람으로 살아가는 요물이 조선에만 있는 건 아니거든.

둘이 격투를 벌이는 사이, 일본 형사들 몰려온다! 재유가 그들을 상대한다!
홍주가 아키라에게서 상자 뺏었다. 어린아이처럼 '내 거야!'
마지막으로 온 힘을 다해 덤벼드는 아키라를 열차 밖으로 집어던져 버린다!

#20   **열차 / 마적단 특실 (낮)**
'뒤에 뭔 일 났나?' 요란한 소리에 이연, 창밖으로 얼굴 내밀고 뒤쪽을 본다.
아무것도 안 보인다. (아키라는 반대쪽으로 던져졌다) 이연이 고개 '쏙' 집어넣으면.

#21   **열차 / 3등석 (낮)**
이번에는 신주가 3등석 창문에서 앞쪽 내다본다. 이연과 아슬아슬 엇갈렸다.
그런데! 창문에서 고개 집어넣자마자 '탕!!' 총탄 날아든다! 다리에 스쳤다!
정 형사와 일본군이다! 3등석 승객들 비명 지른다!
신주가 기다시피 좌석 밑으로 숨어든다! 도망친 노인이 '맞소! 저놈이 주동자요!!'

중년 남이 보초에게 뺏은 총으로 저항해 보지만 역부족이다! 신주, 다리 피 닦으며 '피다. 피… 총 싫어. 무서워. 이연님.' 정신 줄 살짝 났다.

노인이 이번에는 '중년 남과 소년' 가리킨다! 두 사람 매섭게 구타당한다!

10대 소년이 신주 눈앞으로 쓰러진다! 소년의 머리에 총을 겨누는 정 형사!

'탕!' 정 형사가 총을 쏜 그 순간, 신주가 '안 돼.' 하며 놈의 손목 잡고 방향 틀어 버린다!

총알은 열차 천장에 박힌다! 번개처럼 달려들어 정 형사와 일본군 쓰러트린다!

일본군, 주춤한다! 신주의 눈빛, 미친놈처럼 형형하게 바뀌어 있다!

신주   (고개 뚝뚝 꺾으며 나직하게) 오랜만에 '지리산 미친 여우' 등장.

#22   열차 / 마적단 특실 (낮)
             이연이 도난품 전부 뒤져 봐도 피리는 안 보인다.

이연   만파식적은 없는데?

             그러고 있는데, 부두목 나타난다. 얻어터져서 얼굴이 엉망이다.

부두목	두목! 피리 뺏겼어요!
이연, 이랑	(벌떡 일어나서) 어떤 놈이야?!
홍주(E)	(옆방에서 간드러지는 여자 목소리) 나야.
이연, 이랑	??

#23   열차 / 홍주의 특실 (낮)

이연과 이랑이 비장한 얼굴로 홍주의 방 앞에 서 있다. 아직 상대가 누군지 모른다.

이연이 '벌컥' 문을 연다.

그런데 '축하합니다!' 하는 소리와 함께 시야를 가리는 한아름 꽃다발?!

이랑	뭐야 이것들은?

이랑이 꽃다발 치우면 그 뒤에 고운 '면사포'로 얼굴 가린 여인!

홍주	(공주 같은 말투로) 오랜만이야, 여우?
이연	설마… 설마!! (면사포 걷어 보고 경악) 류홍주! 네놈이 왜 여기?!!
홍주	(바짝 다가와서) 보고 싶었어. 아직도 그 인간 여자 못 잊었니?
이연	내 허벅지에서 손 떼.
홍주	(허벅지 더듬던 손 새침하게 거두며) 여전히 조신하네.
이랑	(이연에게) 아군이야, 적군이야?
홍주	(이연한테만 예쁜 말투, 서늘하게) 네 형수 될 분이다.

이랑	형수?
홍주	이제 그만 튕기고 나랑 살자. (만파식적 든 상자 열어 보이며) 우리 혼인 선물. 이거 찾으러 왔다며?

환하게 웃는 그 얼굴에서 스틸.

프로필 자막	류홍주. 전직 '서쪽 산신'
	본체: 야생의 제왕 수리부엉이

이연	(물건 챙기고) 이건 고맙게 받을게. (달래듯) 근데 혼인은 안 돼.
홍주	(천진난만하게) 왜 안 돼?
이연	결혼이란 건 '당사자 동의'가 있어야 될 뿐 아니라, 나는 벌써….

'철썩-' 말이 채 끝나기도 전에 홍주가 이연의 뺨을 친다!

홍주	네가 뭔데 날 거절해? (톤 높아지는) 오늘을 위해 드레스도 사고, 머리도 하고, 꽃도 이렇게. 하… 근데 날 (발 동동) 망신시켰어!
이연	(피리 상자 슬쩍 건네주고) 랑아 피해라.
이랑	(어깨를 툭툭) 여자 문제는 스스로 해결해. (하고, 잽싸게 빠진다)
홍주	(재유에게) 내 '혼인 예물' 찾아와. 그리고 (이연에게) 너 나와.

#24	열차 / 모처 (낮)
	이연과 홍주, 위태롭게 마주 보고 있다.

홍주	왜 나만 안 주는 거야?
이연	주긴 뭘 줘?!
홍주	한 번 줄 수도 있잖아!!!
이연	(본능적으로 옷깃 여미는) 나 임자 있는 몸이야.
홍주	(주먹으로 창문 '와장창!' 깨트리며) 그 임자 죽었어! 내가 알아!
이연	홍주야, 우리 이성적으로 얘기하자. 명색이 '전직 산신'인데 인간들한테 이렇게 피해를 주면 돼, 안 돼?
홍주	(씩씩거리다 겨우 가라앉는) 안 돼.
이연	그렇지.
홍주	나도 이성적으로 말할게.
이연	(듣던 중 반가운 소리다) 그래, 그래.
홍주	너, 내 거 해라.
이연	(속 터져) 아니, 그 얘기는 아까 끝났잖아.
홍주	오늘만… 두 번이나 나 깐 거야? (부들부들 떠는 그 손에 어느새 '대 검' 들려 있다!)
이연	미치겠네, 진짜!!

죽어도 말이 안 통하는 상대다. 홍주가 달려든다! 이연도 검을 잡는다!

#25   **열차 / 모처 (낮)**
재유가 만파식적 가진 이랑을 급습한다! 상자 날아간다!
열 받은 이랑이 '넌 또 뭐냐?' '토종 진돗갭니다만.'

둘의 육탄전 벌어진다! 재유의 실력도 제법이다!
둘이 싸우는 사이 일본 형사 하나, 상자 낚아챈다!
갖고 돌아서자마자, 마적단 부두목이 멱살을 잡는다!
형사들 가세하면서 총격전 벌어진다!
날아드는 총탄 사이로 아까 훔친 노부인의 강아지 뛰어든다!
'개는 안 돼!' 이랑이 몸을 날려 강아지 구한다!

#26   열차 / 위 (낮)

이연과 홍주, 열차 지붕에서 검을 겨루고 있다! 아슬아슬하게
뛰고 넘어지고!
홍주가 이연 위에 올라타서 목에 칼을 꽂아 넣으려 한다!
필사적으로 버티는 이연!

#27   열차 / 모처 (낮)

이랑이 창문으로 고개를 빼고 위를 올려다본다! 이연의 위기다!
휘파람으로 마적단 부른다!
형을 도와주나 싶었는데, '만파식적'만 챙겨서 열차에서 뛰어
내린다?!
마적단도 이랑의 뒤를 따른다!

#28   열차 / 위 (낮)

'저 배은망덕한 놈!' 이연이 열차 지붕에 누운 채, 멀어지는 이랑을 보고 있다.

홍주가 칼을 쥔 손에 힘을 준다!

찰나, 이연이 홍주를 열차 밖으로 날려 버린다! 기차에서 멀리 떨어졌다! 열차 위에서 얄밉게 손 흔드는 이연.

잠시 그 모습 노려보던 홍주, 무서운 속도로 달린다! 열차 따라잡기 시작한다!

이연의 눈 커진다.

홍주가 열차 꽁무니 잡았다! 올라탈 줄 알았는데, '으득' 힘을 준다!

이연이 '어? 어?' 하는 사이에 열차 멈춘다!

#29   **열차 / 3등석 (낮)**
10대 소년이 '열차 섰어요!' 외친다.

신주가 '지금이 기회입니다!!' 징용되던 장정들 이끌고 열차를 탈출한다.

#30   **열차 / 안팎 (낮)**
이연의 눈에, 이글이글해서 열차에 오르는 홍주 보인다! 이쪽으로 오고 있다!

'젠장!!' 이연이 오만상 쓰는데, 어디선가 요란한 말발굽 소리.
보면, 이랑과 마적단이 말을 타고 달려온다.

구미호뎐
1938   제2화 아름다울 美

| 이랑 | 야, 탈래? |

이연이 날듯이 말에 올라탄다. 나란히 말을 타고 기차에서 멀어지기 시작한다.
기차 사이에 두고, 신주는 '반대 방향'으로 뛰고 있다.

이랑	저 여자 뭐야? 힘으로 기차 세운 거야?
이연	4대 산신 중에 힘으론 쟤가 톱이야. (홍주 돌아보며 몸서리) 다시는 마주치지 말자.
홍주	(분한 얼굴로 보다 섬뜩하게 웃는) 조만간 또 만나게 될 거다. 이연.

| #31 | 선우은호의 집 (낮) |

경성 최고 부자의 저택. 은호가 화사한 차림으로 나타난다.
아빠와 경무국장이 식탁에 앉아 있다. 국장을 보고 살짝 안색 굳는 은호.

| 국장 | (다정하게 아침 인사) 오하요. |
| 은호 | (억지 미소로) 오셨어요, 형부? |

기모노 단정히 입은 엄마가 간장게장 올리고, 자리에 앉는다.
(이하, 조선말로)

| 아빠 | 어제 경찰서 붙들려 갔다며? |

엄마	(놀라서) 우리 긴코가요?!
은호	(대수롭지 않은 척) 나보고 폭탄 사건 용의자라나 뭐라나.
엄마	기가 막혀! 네가 어느 집 딸인지 알고! 감히!
국장	긴코 아녜요. (도발하듯) 용의자는 '왼쪽 어깨에 총상'이 있거든요.
아빠	어깨 좀 보자.
엄마	(만류하듯) 여보!

아빠가 은호 옷을 움켜쥔다! 은호가 저항해 보지만 이내 왼쪽 어깨 드러난다!
경무국장의 눈빛 번뜩인다! '들켰구나…' 눈 질끈 감는 은호!
그런데….

| 엄마 | 것 봐요. 총상은 무슨! |

어찌 된 일인지 다친 어깨 깨끗하다. 상처조차 없다.

은호(E)	총상이 사라졌어! 어떻게?!
아빠	밥 먹자. (게걸스레 먹으며) 이 나라는 절대 독립 못 해. 행여 만세 같은 거 부르면 알지? 내 자식이라도 쏴 버릴 거다.
은호	(가만히 이를 악무는데)
국장	(싱긋) 제가 괜한 얘길 해서 아침부터 소란을 피웠네요.
엄마	(편드는) 우리 사위가 걱정돼서 그랬겠지.

은호가 차가운 눈길로 형부를 쏘아본다.

구미호뎐 1938   제2화 아름다울 美

그 시선 피하지 않는 국장.

#32   숲 (낮)
       홀로 된 신주가 숲길을 걷고 있다.
       얼마나 걸었을까, 지치고 굶주렸다. 배에서는 연신 '꼬르륵'
       소리.
       '이게 무슨 냄새지?' 어디선가 고소한 냄새, 후각을 자극한다.
       냄새 따라가 보면, 한 무리의 남자들이 모닥불에 고기 구워
       먹고 있다.
       신주는 모르지만 '이랑의 마적단 부하들'이다. 다들 홍주한테
       맞은 흔적이 역력하다.

신주   저기요. 혹시 실례가 안 된다면…. (꼬르륵)
부두목   많이 굶었나 보네. (큼직한 고깃덩이 건네며) 이리 오슈.
신주   (감동) 이 시대는 아직 사람 사는 정이 있네요. (정신없이 먹다가,
         조심스레) 근데, 뭐하는 분들이신지?
부두목   말하자면, 빈부 차이 없는 공평 정대한 세상을 꿈꾸는 놈들
         이지!
신주(E) (짠해서) '거지들'이구나. 자기들도 어려운데 이렇게….
부두목   아야 술 갖고 오너라. 이것도 인연인데 한잔 합시다.

       마적단 부하가 신주 술잔 가득 채워 온다. 신주가 한 모금 입
       에 대면.

부두목	비우고 줘야지.
신주	(어쩔 수 없이 원샷 한다. 잔 건네는데… '왜일까.' 눈앞이 핑 돈다) 어??
부두목	(어깨를 툭) 좋은 일 했다 생각하쇼.

하자마자, 신주 고꾸라진다! 이연과 같은 수법으로 당했다!

#33   **내세 출입국 관리 사무소 / 안팎 (낮)**
현의옹이 사무소 앞에서 애지중지 승용차를 닦고 있다. 이연이 찾아왔다.

이연	차 뽑으셨네요?
현의옹	(뿌듯) 죽어라 월급 모아서 샀어. (목소리 낮춰서) 너 미래에서 온 연이라며? 혹시 말이야….
이연	(하자마자) 아뇨. 어르신은 이혼 못 하세요. (하고, 안으로 들어간다)

기다리던 탈의파가 손 내민다. 이연이 피리 상자 건넨다.
노파가 피리 확인하자마자.

이연	나 집에 갈 방법.
탈의파	시간을 넘나드는 문은 '월식 날' 하루만 개방된다.
이연	월식이 언젠데?
탈의파	지금부터 29일 후.
이연	한 달?! 나 빨리 가야 돼. 와이프가 걱정한다고.

구미호뎐
1938   제2화 아름다울 美

탈의파	걱정 마라. 네가 온 미래와 여기 시간은 다르게 흐르니까. 여기 한 달 있어도, 거긴 고작 몇 시간밖에 안 지나거든.
이연	그나마 좋은 소식이네.
탈의파	수호석은?
이연	(꺼내 보이며) 여기.
탈의파	절대 잃어버리지 마. 그거 없으면 너 영영 집에 못 간다.
이연	(수호석 소중히 쥐고) '홍백탈' 걔 누구야? 그놈이 수호석 훔치고, 내 동생 걸레짝 만들었어.
탈의파	내가 우려하는 게 '그자'다. 내 눈이 닿지 않는 곳에서, 뭔 일이 벌어지고 있어.
이연	할멈 천리안에도 안 뵈는 게 다 있어? (자신 있게) 내가 잡아 주지 그놈. 돈 줘. 이왕이면 차도.

노파가 흘기며 서랍에서 돈 꺼낸다. 돈 세는데, 이연이 지폐 다발 통째로 낚아챈다.

#34   무영의 아지트 (낮)
        무영이 마당에서 목관에 망치질 중이다. 은호가 바리바리 술 사 들고 나타난다.

은호	웬 관이에요? 누가 죽었나?
무영	아니. 누구 죽이려고.
은호	(경계하며) 무영 씨 정체가 뭐예요? 어떻게 총상이 이틀 만에

사라져?

무영 (담담하게) 북쪽 숲을 다스리는 산신이었지. 한때는.

은호 (웃는) 재밌는 양반이네. (술병 밀어 주며) 자, 나 신세 갚은 거예요.

무영 그러게. (빤히) 이제 우리 사이에 빚 없네. (관 가리키며) 누워 봐요.

은호 나??!

무영 (의미심장하게) 길이 좀 재려고.

은호 생명의 은인이 원하시는데 뭐…. (하며, 관에 눕는다)

뒷짐 진 손에 망치를 들고, 차갑게 은호 내려다보는 무영. 섬
뜩한 긴장감 흐른다!

은호 (까맣게 모르고) 기분 되게 묘하다.

무영 어떤 기분이오?

은호 유언이라도 남겨야 될 거 같은 기분?

무영 남겨 보시오. 이게 '마지막'이라고 생각하고.

은호 음… 한 살 위로 언니가 있었어요. 매국노 아빠에, 속물 같은
엄마 밑에서 하나뿐인 내 편이었는데. 자살했어. 나 대신, 총
독부 경무국장한테 시집갔다가. (울컥) 언니가 보고 싶어.

무영 (그 말에, 표정 달라지는) 나도 형이 있었어. 아주 지겹게 날 업고
다니면서 애 취급을 해댔지. 그 등이 되게 따뜻했던 거 같기
도 한데… 형 얼굴이 기억이 잘 안 나. 이제.

은호 (몸을 세워 앉으며) 그쪽도 과거형이네? 돌아가셨어요?

무영 제일 친한 친구 손에 죽었소.

은호 복수했어요?

무영	(단호히) 복수할 거요. 놈이 아끼는 모든 것을 다 뺏을 때까지.
은호	(관에서 나와 미소로) 우린 목표가 똑같네.

무영이 '픽' 웃는다. 은호는 모르지만, 그녀는 방금 죽을 뻔 했다.

#35　숲 (밤)

신주가 '끔벅끔벅' 눈을 뜬다. 보면, 자신이 거적때기 같은 옷을 입고 있다.
주위에 모닥불 꺼져 있고, 마적단 보이지 않는다. 어째 몸이 허전하다.
몸 여기저기 뒤지며 '내 옷! 내 결혼반지! 내 한정판 스니커즈!'

#36　들판 (밤)

마적단 부두목이 신주의 스니커즈 신고, 제자리 뛰기 중이다.
고무신, 짚신과 달리 착화감 예술이다. '발이 아주 날아갈 거 같구먼!'

#37　냉면 가게 / 앞 (밤)

자동차 한 대, 난폭하게 냉면 가게 앞에 선다. 당시로서는 '귀한 자동차'에 시선 집중.
이연, 이랑을 태우고 왔다. 현의옹이 애지중지 하던 그 차다.

#38   냉면 가게 (밤)

이연과 이랑이 냉면 먹고 있다. 손님은 둘뿐. 언제나처럼 동생에게 달걀을 양보한다.

이랑   (의심스레) 뭔데?

이연   형은 원래 달걀 안 좋아해.

이랑   그 나이에 편식이냐? 한심한 놈. (하고, 홀랑 달걀 먹는다)

이연   (그 모습 애잔하게 보고 있자니, 조금 전 탈의파 얘기 떠오른다.)

플래시백

이연이 막 내세 출입국 관리 사무소 나서기 직전이다. 노파에게 확인하듯.

이연   만약에 말이야. 과거가 바뀌면 미래도 달라지나? 랑이가 살아난다거나….

탈의파   뭘 해도, 네가 돌아갈 현실은 바뀌지 않는다. 넌 이 시대를 스쳐 가는 나그네일 뿐. 존재하지만, 여기 속하지 않지.

이연   나그네라… 그럼 랑이랑 나 사이에 남은 시간이 겨우 한 달뿐이네.

다시 현재의 냉면 가게.

이연   앞으로 한 달만 나랑 같이 있자.

이랑   (냉큼) 싫은데?

구미호뎐
1938   제2화 아름다울 美

이연	아, 생각이란 걸 좀 하고 말해.
이랑	백 번 생각해도 싫어. 네가 누군지 알고. (하고, 자리 뜨는데)
이연	(쫓아가서 붙잡고) 뭔 소리야?
이랑	(하자마자, 이연의 목에 도끼 들이대고) 아무리 봐도 '내가 아는 이연'이 아닌 거 같단 말이지. 너 누구야?
이연	다 죽어 가던 너 살린 게, 네 눈엔 누구로 보이니?!
이랑	다시 물을게. (훔친 이연 핸드폰 꺼내 보이며) 너 '누구'냐고.
이연	!!!!
이랑	마적단 노릇하면서 바다 건너 온 물건도 숱하게 봤는데, 이런 건 본 적이 없어. (목을 겨눈 단도에 힘을 주고) 왤까?

둘 사이에 흐르는 긴장감!
잠시 고민하던 이연, 핸드폰 낚아채서 전원을 켠다. '뭘 하려는 걸까?' 보면!

이연	한 달만 나랑 같이 있으면 핸드폰 너 줄게.
이랑	핸드폰?

대답 대신 동영상 재생한다. 방금 '핸드폰 너 줄게.' 하던 장면 찍혀 있다.

이랑	(기함하는) 네가 왜 여기 들어 있어?!!
이연	이게 다가 아냐. (플래시 팍 터뜨려서 이랑 찍는) 사진도 찍고, (터치하면 노래 나온다) 노래도 들을 수 있어. 이 시대에 하나밖에 없

는 보물이야. 할래 말래?

이랑   (망설이듯 보면)

이연   참고로 '내가 누구인지' 그 답도 이 속에 들어 있어. 선택은 네
       몫이야.

냉면 값 '툭' 던지고 나가 버린다. 이랑의 눈빛 잠시 흔들린다.
이내 형을 쫓아간다.

#39   조선 총독부 (밤)
       경무국장이 아키라에게 보고를 받고 있다.
       기차 2등석에 있던 부하 둘이 부동자세로 아키라 뒤에 서 있
       다. (이하, 대화는 일본어)

국장   (차분한 어조로) 만파식적을 뺏겼어? 조선 요괴한테?

아키라   (고개 숙이고) 1등급 그 이상의 요괴였습니다.

국장   (차갑게) 내가, 변명을 허락했니?

국장의 눈동자가 돌연 '붉게' 변한다!
곧바로! 무시무시한 힘으로 수하1의 머리를 벽에 찧어 버린다!
'히익!!' 뒷걸음질 치는 수하2를 눕혀 놓고 '쾅!!' 한쪽 발로 밟
는다! 둘 다 즉사했다!

국장   (아키라에게 다가가) 어째서 조선의 요괴에게 패했느냐.

구미호뎐   제2화 아름다울 美
1938

| 아키라 | (각오한 듯 무릎을 꿇고) 패한 자에겐 죽음뿐. 죽여 주십시오. |

국장이 손도 대지 않고, 한쪽 주먹 움켜쥐자, 아키라의 숨이 '턱' 막혀 온다!
호흡 곤란으로 컥컥거리며 몸부림치는 아키라! 국장이 태연히 먼 곳을 보며!

| 국장 | 조선 땅을 샅샅이 뒤져서 만파식적에 버금가는 '신물'들을 찾아와. 그것이 본토의 요괴인 네가, 이 땅에 온 이유다. |

| 자막 | 신물(神物) - 신이 만든 물건 |

아키라가 '쿵!' 옆으로 넘어간다! 그제야 주먹 쥔 손을 풀어 준다!
거친 숨을 몰아쉬는 아키라! 국장의 '붉은 눈' 클로즈업된다!
국장 또한 요괴다!

| #40 | **오복 양품점 (밤)** |

남녀 정장과 모자, 화장품, 양산, 고급 양과자 등을 파는 우렁각시네 잡화점.
새 옷 입은 이랑이 거울 앞에 서 있다. 그새 머리도 예쁘게 잘랐다.

이연	(우렁각시에게) 더 화사한 거 없나? 애 쿨톤이잖아.
우렁각시	뭔 톤이요?
이연	더 쨍한 거 찾아보라고.
우렁각시	예예.
이랑	(볼멘소리로) 이발소에 양품점에, 이게 다 뭔데?
이연	마적단이라고 광고할 일 있냐? 스타일 바꾸니까 얼마나 이뻐?

우렁각시가 넥타이 포함된 옷 가져온다. 이랑이 성가신 듯 탈의실 들어간다.

우렁각시	이연님도 한 벌 하세요.
이연	(냉큼 옷 골라 들고) 옷값은 전부 탈의파 할멈한테 달아 놔.

이연이 탈의실로 사라지면, 우렁각시가 장부를 쓰러 간다.
이랑이 옷 갈아입고 나왔다. 넥타이 목에 두르고 두리번거리는데 형이 없다.
'알바생 여희(인어)'가 손을 뻗으며.

여희	매 드릴게요.
이랑	(방어적으로) 내 몸에 손 대지마.
여희	(해맑게) 매는 법 알려 드릴게요. 폭이 넓은 쪽을 고리 안으로. 네… 그걸 폭이 가는 쪽 아래로 교차 시켜요 위가 아니고 아래.

시키는 대로 따라해 보지만 매듭, 엉망이 된다. 여희가 '킥-'

구미호뎐
1938   제2화 아름다울 美

귀엽게 웃는다.

이랑   (젠장) 네가 해.

능숙하게 넥타이를 매기 시작하는 여희.
숨 막힐 듯 가까운 거리다. 이랑이 슬쩍 고개를 돌린다.

여희   됐다. (이랑 세워 놓고 거울 보며) 잘 어울려요. 여기다 딱 하나만
더하면, 완벽할 거 같은데.
이랑   ??
여희   미소. (얼굴 마주 보고, 사심 없는 태도로) 좀 웃어 봐요.
이랑   (어색해서 고개를 홱) 원래 잘 안 웃어.

#41   경성 거리 (밤)
이연과 이랑, 멋진 모던보이가 되어 걷고 있다.
반대편에서 신주가 거리를 헤매고 있다. 어디서 주웠는지 구
멍 난 고무신 차림.
나무 막대기를 지팡이 삼아 걷는데, 10전짜리 동전 하나 떨
어져 있다. 냉큼 줍는다.
꼬맹이들이 '거지다!' 손가락질 한다. 발끈해서 '나 거지 아니
거든?!'
이연이 문득 걸음을 멈춘다.

이랑	왜?
이연	신주 목소리 들린 거 같아서.

이연이 귀를 기울인다. 때마침 요란하게 전차 지나간다.
길 하나 사이에 두고, 꼬마들한테 항변하는 신주 목소리 전차
소리에 묻혀 버린다.

| 이연 | (다시 걸으며 툴툴) 얘는 어디서 뭐 하고 다니는 거야? |

#42	냉면 가게 / 안팎 (밤)

신주가 10전짜리 동전 손에 들고, 이연이 먹고 간 냉면 가게
앞에 서 있다.
'냉면 10전'이라는 글자에 갈등한다. 현재 전 재산이다.
'중머리 모집'이라고 붙은 공고에 눈이 간다. 주인아저씨에게
가서.

신주	배달원 뽑으세요?
주인	자전거 탈 줄 아나?
신주	두 손 놓고도 타죠.
주인	(미덥지 않게 훑으며) 배달하려면 힘이 좋아야 되는데.

곧장 가게에 놓인 쌀 포대를 한아름 짊어진다. 주인, 반색한다.

#43   묘연각 (밤)

이연과 이랑, 묘연각으로 돌아왔다. 대문이 닫혀 있다.

이랑   잠겼는데?

이연   (뒷짐 지고) 이리 오너라!! 게 아무도 없느냐?

기다렸다는 듯 문 활짝 열린다. 이연의 입 '떡' 벌어진다.

홍주   (사랑스럽게) 왔어, 자기?

고운 한복으로 갈아입고 그들을 맞이하는 것, '홍주'다!!
그대로 유턴하는 이연 뒷덜미를 '콱' 잡고!

홍주   (말투 확 바뀌는) 좋은 말 할 때 들어와라.

#44   묘연각 / 홍주의 방 (밤)

이연이 홍주와 독대 중이다. 홍주를 자극하지 않으려 애쓰며.

이연   네가 묘연각 주인이구나. (뭘 생각이다) 덕분에 잘 쉬다 간다.

홍주   (어깨 꽉 눌러 앉히고) 아까는 내가 좀 심했던 거 같아. 널 만나서
너무 기쁜 나머지 이성을 잃었지 뭐야.

이연   (억지웃음) 친구끼리 치고받고 할 수도 있지.

홍주   여기 계속 묵어도 돼.

이연	난 괜찮아.
홍주	(은은한 미소로) 묵어. 나 미치는 꼴 보기 싫으면.
이연	나도 그러고 싶은데… 내가 약간 호텔 체질이라.
홍주	(아쉬운 듯) 그럼 가.
이연	(반색) 그래도 되겠어?
홍주	그 호텔 부숴 버리지 뭐.
이연	(그러고도 남을 놈이다) 여기 묵을게.
홍주	정말? 내가 진짜 잘해 줄게.
이연	잘해 주지 마. 다른 손님들하고 똑같이 대해 줘. 그게 내 조건이야.
홍주	(새끼손가락 내밀며) 약속.

이연이 마지못해 새끼손가락 건다. 그 틈을 놓치지 않고 잡은 손등 핥는 홍주.

이연	야 이 미친!!!
홍주	도장.

잠시 후, 툴툴거리며 홍주 방을 나서는 이연.
이연이 사라지자마자 재유가 홍주 앞에 모습 드러낸다. 홍주 표정 '싹' 바뀌어 있다.

홍주	지금부터 일거수일투족을 감시해.
재유	저자를 어떻게 하실 겁니까?

구미호뎐
1938   제2화 아름다울 美

홍주　　　　　재유야. 내가 한 번 찍은 먹잇감을 놓친 적 있더냐? (살벌한 얼굴로) 가질 거야. 죽여서 박제로 만들어 놓는 한이 있어도.

#45　　　　　묘연각 / 형제의 방 (밤)
밤이 깊었다. 이랑은 형에게서 등 돌리고 잠들었다. 이불을 반쯤 걷어찼다.
이연이 그 이불 꼭꼭 덮어 주고, 자는 모습 새삼스럽게 바라본다.

#46　　　　　몽타주 (밤)
이연이 대청마루에 앉아 달을 올려다본다. 하루아침에 과거로 던져져 버렸다.
'무사히 돌아갈 수 있을까.' 막막하고 조금은 두렵다.
핸드폰 웨딩 사진 속 지아를 본다. 주문이라도 외듯 '꼭 돌아갈게.'
재유가 그런 이연을 지켜보고 있다.
방에서는, 자는 줄 알았던 이랑이 뜬눈으로 뒤척이고 있다.
다정하지만 분명 어딘가 낯선 이연 때문에, 마음 복잡한 이랑이다.
불 꺼진 냉면 가게에는, 신주가 눈물을 훔치며 서럽게 쪽잠을 청하고 있다.

#47   묘연각 / 형제의 방 (낮)

다음 날 아침. 형제가 상다리 부러져라 아침 먹고 있다. 난초
와 국희가 시중든다.

이연   니네 사장이 그렇게 대단한 인물이야?!

국희   신문 안 보세요? 경성 기생들 중에 우리 사장님만한 갑부 없어
       요. '기미(쌀 투기), 금광, 사채' 손대는 것마다 다 대박 났잖아요.

이랑   (눈이 반짝. 작게) 털까?

이연   (눈으로 욕하고) 그래 비결이 뭐래니?

난초   이 경성 바닥의 모든 정보가 묘연각, 정확히는 우리 사장님
       통해서 들고 난다고 보심 돼요.

이연   (곰곰) 홍주가 정보통이라….

#48   묘연각 / 뜰 (낮)

홍주가 외출 채비를 하고 나왔다. 앞에 매화가 죽향을 데리고
서 있다.

홍주   네 애비가 지 오래 살자고 팔아먹었단 게 너구나?

죽향   (고개 숙이고) 팔아먹은 건 아니고요. 아버지도 사정이 있으셔
       서….

홍주   (말 자르며) 내다 버리든가 팔아 버려. 가난하면서 착하기까지
       한 애들 난 그렇게 밥맛이더라. 세상이 뭔 꽃동산인 줄 알아.

매화   잘 가르쳐서 허드렛일이라도 시킬게요.

구미호뎐
1938   제2화 아름다울 美

홍주	잡일할 애들 널렸어.
죽향	(떨리는 목소리로) 안 그럴게요! 바보같이 착한 척 안 할게요! 아 버질 용서 못 하면… 제가 죽을 거 같아서 그랬어요.
홍주	(그제야 좀 누그러져서) 쉽게 용서하지 마. 그럼 세상이, 너한텐 용서받을 짓만 골라서 하게 되거든.

그러고 있는데, 이연이 홍주를 찾았다.

이연	아침부터 또 누구 괴롭히고 있니? (알아보고 반갑게) 어, 너구나?
죽향	(고개만 꾸벅)
홍주	네 이름은 이제 '죽향'이다. (매화에게) 가 봐.
이연	(애교 있게) 잘 잤어?
홍주	그 되도 않는 애교는 뭐야?
이연	누구 좀 찾아 줘라. 홍백탈 쓰고, 사흘 전에 경성에 나타난 놈 인데….
홍주	(흔쾌히) 그러지 뭐.
이연	진짜?!
홍주	조건이 있어. 오늘 경성에서 중요한 행사가 열리거든?
이연	??

#49	행사장 (낮)
	<반도의 대표 미인 미쓰 조선 선발 대회 - 선우일보사> 현수 막 붙어 있다.

나이 많은 심사 위원들 '주룩' 앉아 있고.
중간에 이연이 체크무늬 망토(탐정 의상) 입고, 연필 돌리고 있다.
선우은호 등장한다. 인사하는 다른 위원들과는 구면이다. 이
연 옆자리 앉으면.

이연   (작게) 기유리!! 네가 왜 이 시대에 있니?! 신주 따라왔어?
은호   (??) 사람 잘못 보셨어요.
이연   아니라고? 경성역에서 나 봤지?
은호   (잡아떼는) 전 초면인데요.

옆에서 '기자님, 오랜만이야. 아버님 건강하시지?' 인사한다.
이연 눈앞에 구미호뎐 기유리의 얼굴 짧게 스쳐 간다.

이연   사람 얼굴 컨트롤C 컨트롤V로 막 찍어 내는구면. 심~하게 닮
           았어.
은호   누구시죠? 거기 묘연각 류 사장 자린데.
이연   나 류홍주 대타. 홍주 금광 찾으러 갔어.

곧바로 행사 시작된다. 매난국죽도 행사장 일각에서 구경 중
이다.

사회자   오래 기다리셨죠? 소개합니다! 조선 최고 미인이 될 주인공
           들입니다!

구미호뎐
1938   제2화 아름다울 美

팡파르 소리와 함께 장막 올라간다. 한 무리의 미인들 단상에 서 있다.
1막은 아름다운 한복 차림. 아마추어 공연(스윙 댄스) 선보인다.
날카로운 얼굴로 무대 주시하는 이연.

인서트 플래시백　묘연각 / 뜰
아까 홍주와의 대화, 여기서 계속된다.

이연　　미스 조선?

홍주　　대회 준비하던 기생 하나가, 잠든 손님방에 난입해서 정사를 벌였어. 도중에 한쪽 팔을 물어뜯고 행방불명.

이연　　(!!) 손님은?

홍주　　겨우 목숨은 붙었는데, 왼팔 내놔라 난리지.

이연　　어디서 들어본 레퍼토린데?

홍주　　이상 식욕과 색욕.

이연　　설마… '삼충?!'

자막　　삼충 - 도교에서 '욕망'을 좌우한다는 벌레

이연　　삼충을 부릴 정도면 예사 놈이 아닌데?

홍주　　누군지 알아내. 그럼 네 부탁 들어줄게.

다시 현재의 행사장. 대회, 계속되고 있다.

사회자	참가 번호 7번. 미인의 고장이죠. 평양에서 온 22살 송은실 양. 은실 양은, 평소 슈베르트 음악을 즐겨 듣는다네요. 8번 최영숙 양은 백화점 마네킹 걸을 하며 미인으로 소문났죠. 장래 희망은 영화배우. '홍도야 우지 마라'를 네 번이나 봤답니다. 9번은 문학소녀네요. 정지용 씨 작품을 제일 좋아하는 19살 최성희 양.

이연 옆으로, 머리 벗겨지고 배 나온 남자 셋이 오만하게 심사평 쑥덕인다.

남자1	잘 생겼는데 복스럽지가 않네.
남자2	관상에서는 귀가 제일 중요하다지 않습니까.
남자3	(연필로 각도 재는 척) 쇄골이 수평에서 좀 벗어났지요.
이연	(낙서하다가) 아주 주접들 떨고 앉았네.
은호	(흘끔)
사회자	참가 번호 20번. 부산에서 열차 타고 달려온 양영애 양. 존경하는 인물은 신사임당.

'이야!!' 20번 등장에 심사 위원석 분위기 달라진다.

이연	저 여자 어디서 봤는데….

기차 맞은편 자리의 그 여자다. 이내 다시 심드렁해진다. 점수 적어야 할 종잇장, 낙서로 빼곡하다.

구미호뎐
1938   제2화 아름다울 美

은호	(인상을 팍) 점수는?!
이연	한우 등급 매기는 것도 아니고. 난 빼 줘.

#50　　　행사장 / 앞 (낮)
행사장 앞에 구경꾼 몰려 있다. 구두닦이 소년이 달려 나와 소식 전한다.

소년	부산 아가씨가 제일로 예쁘대요!!

'부산?! 아이고 나는 평양 찍었는데!' '나는 경성! 채권은 날려 먹었구먼!' '결과 아직 안 나왔어!' 웅성대는 소리.
그런데 구경꾼들 맨 뒤쪽에 서 있는 것, 무영이다. 나무로 된 '관'을 들고 있다.
마치 누군가의 비극을 예고하듯.

#51　　　행사장 (낮)
선우은호가 단상에 올라 시상을 준비하고 있다.

은호	선우일보사에서 주최한 제1회 반도 대표 미인 선발 대회. 영예의 미스 조선은 기권하신 한 분 빼고, 심사 위원 전원 일치로 (뜸 들이다) 부산 양영애 양입니다!!
미스 조선	(감격) 어머나!!!

은호	(왕관 씌워 주며) 축하해요. 미스 조선 1등은 앞으로 화신백화점 후원을 받게 됩니다.
미스 조선	정말 정말 감사합니다. 여기 나오는 거 반대했지만 우리 가족들과 이 기쁨을 나누고 싶고요. (거칠게 숨 몰아쉬며) 왜 이렇게 덥지?
은호	네??
미스 조선	죄송해요. 헤어싸롱 최승자 원장님께 감사하다는 말씀 드리고 싶고… (하다 말고, 초점 잃은 눈으로) 옷 벗어도 돼요? 몸이 너무 뜨거워서.
이연	(내내 무심하다 고개를 든다. 석연찮게 주시하면)
은호	(당황해서) 다 같이 사진 한 장만 찍을게요.

은호가 카메라 든다. 1등을 중심으로 포즈 잡는다.
'하나, 둘' 하면서 카메라로 보면, 미스 조선의 눈이 벌겋게 충혈돼 있다. 이연이 뭔가 예감하고 자리에서 일어난다!
은호가 '셋'을 외치는 순간, 그녀의 아래턱 '찍' 벌어진다! 옆자리 참가자 물어뜯는다!
카메라 렌즈에 피가 '팍' 튄다! 비명 소리 난무한다! 곧바로 은호를 덮쳐 온다!
이연이 미스 조선을 가격하고, 아슬아슬하게 은호를 구한다! 곧장 미스 조선을 쫓지만, 행사장 아수라장 되면서 그녀를 놓친다!

#52   행사장 / 앞 (낮)

구미호뎐
1938   제2화 아름다울 美

미스 조선이 벌써 구경꾼을 물어뜯었다! 혼비백산 달아나는 사람들! 이성을 잃은 그녀 앞에, 미동도 없이 서 있는 무영이 보인다! 무영에게 내달린다! 기다렸단 듯 관을 활짝 여는 무영! 그녀를 가두자마자 관짝 닫힌다!

잠시 후, 이연이 밖으로 달려 나온다! 미스 조선의 모습이 보이지 않는다!

#53   행사장 / 일각 (낮)

이연이 은호와 얘기 중이다. 은호는 충격 받은 얼굴로 심장을 부여잡고 있다.

이연   미스 조선이랑 묘연각 기생 말고, 또 있다고?

은호   소문을 들었어요. 경성의 내로라하는 미인들이 '야차'같이 변했다고.

자막   야차 - 사람을 잡아먹는 귀신

이연   미인들만 타깃으로 삼았다? 그렇다면 범인은 틀림없이….

은호   (기대감으로) 틀림없이?

이연   못생긴 놈이야.

은호   그걸 지금 추리랍시고 진짜 탐정 맞아요?!

이연   내 코스튬(탐정 의상) 안 보이니? 참고로 널 '구해 준' 분이기도 해.

은호   (그건 그렇다) 궁금한 게 뭔데요?

이연	그 야차들 연결 고리.
은호	다들 같은 미용실을 방문한 적이 있어요. '최승자 헤어싸롱'
이연	(듣자마자 일어선다)
은호	접근이 쉽진 않을 거예요. 기자란 거 알고 문도 안 열어 주더라고요.

#54   **최승자 헤어싸롱 / 앞 (낮)**

이연과 이랑, 문제의 미용실 앞에서 실랑이하고 있다. 이연도 옷 갈아입었다.

이랑	아 싫다고!!!
이연	(달래는) 둔갑은 랑이 네가 잘하잖니?
이랑	인간 여자론 절대 둔갑 못 해, 안 해! (하고, 확 가려는데)
이연	(막아서며) 야! 이 사건 해결하면, 너 찌른 놈 잡을 수 있어.
이랑	(그제야 관심을 보이는) 홍백탈?
이연	그놈 정보랑 바꾸기로 했단 말이다.
이랑	복수할 거야?
이연	우리가 누구니? 여우는 은혜도 갚고, 빚도 제대로 갚는다.
이랑	좋아. 대신 손님으로 갈래.
이연	남자 손님 안 받아.
이랑	(뒤춤의 도끼 꺼내 들고) 당당하게 범인 나오라고 해.
이연	너라면 기어 나오겠니?
이랑	여자로 변하기 싫은데… (하다가, 반짝) 너, 저거 하면 되겠다!

구미호뎐
1938   제2화 아름다울 美

이랑이 가리키는 곳, 미용실 외벽에 '종업원 구함' 붙어 있다.
혼자 자리 뜨려는 이랑의 옷깃 '꽉' 붙드는 이연.

#55   최승자 헤어싸롱 (낮)
       유학파 출신 원장이 운영하는 신식 미용실.
       유행하는 단발머리에 선글라스 올린 원장이 파마 시술하며.

원장   남자 종업원이 웬 말이야? 돌려보내!
직원1   (당장이라도 끌고 가려는 기세로) 아, 일단 보시라니까요.
원장   얘가 정신머리가 빠졌나?!

       하는 수 없이 직접 간다. 칸막이 걷어 젖히며 짜증 섞인 목소
       리로.

원장   우리는 남자 안 뽑는다고!

       하다 말고, 눈 휘둥그레진다. 미용 기구 손에서 '툭' 떨어진다.
       보면, 이연과 이랑이 한 폭의 그림처럼 앉아서 커피 마시고
       있다.

원장   (혼잣말) 뭐지? 구라파 미인도에나 나올 법한 저 미남들은?!
이연   (젠틀하게 미용 기구 주워 주고) 남잔 사절이라니 유감이군요.
원장   (이연, 이랑 나가는데) 잠깐!

이연, 이랑	(돌아보면)
원장	하… 합격!

잠시 후, 이연이 직원1에게 교육을 받고 있다. 벽면에 '샴프 3원' 붙어 있다.
파마머리에 세련된 스타일의 직원1이 온갖 예쁜 척.

이연	(벽면 가리키며) 샴푸가 최고 인기 시술이라고? 머리 감는 거?
직원1	(끄덕) 가격은 비싸도, 대부분 손님이 샴푸만 하러 오시거든요.
이연	(혼잣말로) 집에서 감지 굳이.
직원1	(빗 들고) 일단 2~30분 정도 충분히 빗질을 해 줘요 그 다음에….
이연	샴푸 짜서 대가리 주무르면 되지? 손빨래하듯이 빡빡.
직원1	(콧소리) 박력 있어.
이연	(그런 직원1을 날카롭게 훑는다. 미용실의 모두가 용의자다.)

이랑은 손님 접대로 일하게 됐다.
미용실 식사, 음료를 맡은 직원2에게 커피 타는 법을 배우는 중이다.
직원2는 앞치마 두른 촌스럽고, 투박한 아주머니. 사람 눈도 잘 못 마주친다.

이랑	지금 나보고 커피를 타라는 거야?
직원2	이쪽이 깡통 커피예요. 저건 쌍화차, 둥굴레차, 녹차.
원장	(고개 쑥 들이밀고) 나 미스타 리가 타 주는 커피 한 잔 먹어 보자.

구미호던
1938   제2화 아름다울 美

이랑	(폭발할 것 같지만, 참고) 2대 2대 2?
원장	굿! (직원에게 싸늘하게) 아줌마, 거울 깨진 것 좀 **빠릿빠릿**하게 치워! 방금도 손님 발 찔렸잖아! 생긴 대로 굼떠 가지고.
직원2	(모기 목소리로) 죄송합니다.
원장	개업하고 거울 몇 개를 해 먹은 거야? (의심) 아줌마 아냐 진짜?

쩔쩔 매면서 아니라고 고개 내젓는 직원. 이랑이 곁눈질로 예의주시하고 있다.

#56   무영의 아지트 (낮)

은호가 툇마루에 걸터앉아 있다. 무영이 성가신 투로.

무영	하아… 여기가 그쪽 안방이요?
은호	'삼충'이란 벌레 알아요? 경성제대 의사들도 모른데.
무영	(!!) 누가 그런 소릴?
은호	자칭 탐정이란 양반이요. 이름이 이연이랬나?
무영	(그 이름에 살짝 굳었다가) 삼충이란 건, 머릿속에 들어앉아 사람을 조종하는 벌레요.
은호	뭘 조종하는데요?
무영	생리적인 욕망. 먹고 싶고, 관계하고 싶고.
은호	(몸서리) 막 옮고 그러는 건 아니죠? 제발 아니라고 해 줘.
무영	성체는 옮지 않소. 몸속에서 알이 부화하면 삼충의 숙주가 되지.
은호	알이 어떻게 몸에 들어가지?

무영	먹거나, 마시거나, 피부에 바르거나.

괜히 가려운 기분이다. 심각하게 듣고 있는데, 안에서 '쿵!' 하는 둔탁한 소리 들린다.

은호	(깜짝 놀라서) 누구 있어요? (하며, 문고리 잡는데)
무영	(자연스럽게 막는) 손님이요.

은호가 슬그머니 문고리 잡은 손 놓으면, 방 안쪽의 풍경 보인다.
방에 '목관' 하나 놓여 있고. 안에서 '쿵쿵!' 일정한 간격으로 문 두드리는 소리.
그리고 관 밖으로 살짝 삐져나와 있는 옷자락 '미스 조선'이다!
까맣게 모르고 문 앞에 앉아 있는 은호 모습, 위태롭게 보인다!

#57	최승자 헤어싸롱 / 앞 (낮)

신주가 미용실에 냉면 배달 왔다. 미용실 문 열자마자 원장이 호통을 친다.

원장	야! 여기가 어딘 줄 알고 막 들어와?!
신주	(쫓겨나면서) 냉면 시키셨잖아요.
원장	앞에 놓고 가! 여기 교양 있는 헤어싸롱이야!
신주	(냉면 내려놓으며 구시렁) 냉면도 딱 한 그릇 시켜 놓고.

원장(E)   (안에서) 아줌마! 냉면 갖고 와!

#58   최승자 헤어싸롱 (낮 → 밤)
       같은 시각, 이연이 손님 맞을 준비를 하고 있다. 보면, 거울이
       살짝 깨져 있다.

이연   (만지며) 거울에 금이 갔네?

       원장이 첫 샴푸 손님 데려온다. 쪽머리에 비녀를 꽂은 한복 할
       머니다.

원장   귀~~한 댁 사모님이니까 잘 부탁해.
이연   샴푸 시술 시작합니다.

       이연이 비녀를 빼고 할머니 머리를 푼다. 엄청나게 긴 머리.
       배운 대로 빗질 시작한다. 그런데 머리에서 뭐가 '우수수' 떨
       어진다. '벌레'다.

이연   (!!) 삼충이냐?! (퍽퍽 밟아 죽이며) 할멈이 숙주였어?! (할머니 위협
       하는) 둔갑한 요괴지?
할머니   ?? (머리 긁으며) 요새 '이'가 하도 끓어서 말이야.
이연   이…요? 머릿니?!! (할머니 머리 들여다본다. 이 맞다. 얼음이 돼서) 사
       모님, 머리 언제 감으셨어요?

할머니	못 해도 석 달에 한 번은 여기 와서 샴-프를 받는다네.
이연	그럼 3개월 전에?!
할머니	너무 잦은가? (걱정스레) 식구들이 목간 자주 하면 복 달아난다고 1년에 두 번씩만 하라는데.

이랑은 오만상을 쓰고 아줌마 손님들에게 차를 나른다.
아줌마1, 2가 차를 받으며 이랑의 몸을 '슬쩍슬쩍' 터치한다.

이랑	손대지 말아 주세요. (이를 악물고) 사모님.
아줌마2	누가? 내가? 어머 얘 좀 봐.
아줌마1	우리 이 동네 20년 토박이야. 우리한테 찍히면 여기서 장사 못 해.
이랑	혹시 도끼에 찍혀 봤어요?
아줌마1	(못 알아듣고) 장가들었나? 이이가 과부야. 8년 수절했는데 어때?
아줌마2	(눈 찡긋)

잠시 후, 이랑이 흥분한 얼굴로 이연과 마주하고 있다. 이연은 넋이 나갔다.

이랑	삼촌! 저 아줌마들! 확실해!
이연	아냐. 너한테 집적대는 거야.
이랑	난 못 하겠어! 인간에 대한 혐오가 더 심해지고 있어!
이연	야. 나 결벽증 있는 놈이야. 어떻게 오는 손님마다 머리에 이랑 비듬을 한 보따리씩 달고 오냐.

구미호뎐
1938

제2화 아름다울 美

이랑	원장 아니면 직원이 범인이라며? 내가 맡은 인간은 그냥 한심한 놈이야.
이연	내 쪽은 그냥 수다쟁이.
이랑	그럼 원장이네. 밟자!
이연	잠깐만.

칸막이 밖에서 할머니 손님 목소리 들린다. '듣자하니 되게 용한 물건이 있다던데?'
내다보면, 원장이 손님 데리고 미용실 안쪽으로 향한다.
이랑에게 넌 여기 있으라는 신호하고, 뒤를 밟는다.

원장	(크림을 들고) 얼굴에 바르면 피부가 서양 인형처럼 희어지고, 머리에 바르면 윤기가 차르르, 몸에 바르면 살도 쏙 빠져요.
할머니	이게 그 이름난 크림인가? 값은?
원장	(귀에 속삭인다. 할머니 눈 커진다) 비싸서 아무한테나 안 권해요.
할머니	하나 주시게!

그날 밤. 미용실 영업 끝났다. 원장과 직원1은 퇴근 준비 중.
이랑이 '건성건성' 바닥을 쓸고, 이연이 이 빠진 거울 닦고 있다.

이연	(??) 여기도 깨졌네?
이랑	멀쩡한 거울이 하나도 없더라.
이연	(곰곰이) 거울이라… 원장님, 거울 싹 한번 새로 하시죠? 명색이 미용실인데 이건 아니지.

원장	(반갑게) 그치?
이연	제가 업자 알아볼게요.
원장	(손 키스 날리며) 굿!!!
이연	(나가는 두 사람 뒷모습 주시하며) 반응이 없어?!

직원2가 한쪽에서 그 모습 지켜보다 음료 가져온다.

직원2	저 대신 뒷정리까지 해 주고 미안해서 어째요. 드세요.
이연	(음료 받으면) 아줌마, 얘(이랑)네 마적단이야?
직원2	네?
이랑	(이연 흘겨보며) 차에 독이라도 탔냐 이 말이야.
직원2	독이라뇨….
이연	먼저 마셔 봐. (마시면, 그제야 마시고) 땡큐. (문 가리키며) 퇴근.

직원2 나가면 이연이 문 잠근다. 아까 원장이 손님 데려간 곳
으로 가서 이랑에게.

이연	손바닥만 한 무슨 크림이래.
이랑	(방을 뒤지며) 크림에 삼충을 풀었단 말이야?
이연	확인해 봐.
이랑	넌 어디가?
이연	마음에 걸리는 게 있어서. 건물 좀 둘러보고 올게.

그때 밖에서 '쾅쾅' 문 두드리는 소리! 놀란 형제, 동시에 숨

죽인다!

이랑   누구지?

이연   일단 숨어.

재빨리 굴러서 몸을 숨기는 두 사람. 이연이 바깥 소리에 귀 기울인다.

#59   **최승자 헤어싸롱 / 앞 (밤)**

밖에서 잠긴 문을 두드리고 있는 것, 신주다.

하필 그 옆으로 '계란! 계란! 싱싱한 계란이 왔어요!!' 계란 장수 지나간다.

신주가 짜증스레 돌아서며 '그릇도 안 내놓고 문을 닫으면 어쩌자는 거야?'

그렇게 또 엇갈리는 신주.

시간 경과되면, 형제가 미용실 나선다. 이랑 손에는 '훔친 크림'이 한 보따리.

이연   확실히 터가 좀 이상해.

이랑   뭐가?

이연   토착신들이 하나도 안 보여.

이랑   신식 건물이잖아. 깃들 곳이 없나 보지.

이연   그거 나 주고, 니네 부하들 시켜서 거울 좀 구해 와라.

이랑	거울?

#60   묘연각 / 매난국죽 방 (밤)

매화가 잠자리 펴고 책 읽는다. 난초는 거울 앞에서 정성껏 화장품 바르고 있다.
신기한 듯 구경하는 죽향에게 선심 쓰듯 말해 준다.

난초	난 세수는 꼭 쌀뜨물로 하고, 코-롱을 발라. 되게 비싼 거다?
죽향	(종지의 기름 가리키며) 이건 뭐예요?
난초	피마자기름. (손에 묻혀 바르며) 속눈썹에 발라서 윤기를 주는 거야.
죽향	(종지의 생미역 가리키며) 이건요?
난초	(오도독 씹으며) 미역. 머리숱 많아지라고.
매화	(상냥히 나무라는) 그런 걸 뭐 하러 가르치니? 죽향이 이제 자.
난초	('치-') 책 같은 게 밥 먹여 주나? 얼굴이 밥 먹여 주지.

국희가 곶감 입에 물고 들어온다.

난초	국희 너 내 코롱 썼지?!
국희	증거 있어?
난초	(줄 그어진 스킨 병 들어 보이며) 나 여기다 줄 그어 놓고 쓰거든?
국희	(난초 머리에 곶감 던지고) 더럽고 치사해서 진짜.
난초	야!!!

매화	니들 그만 좀 싸워. 요샌 손님상에서도 싸운다며.
난초, 국희	(서로 흘겨보고 고개 획 돌린다)
국희	언니, 사랑채에 그 미친 듯이 잘생긴 손님들 뭐야? 둘이 형제라며?
난초	그림의 떡이지 뭐. 형이 (새끼손가락 들고) 우리 사장님 이거잖아.
국희	동생도 죽이던데?
난초	내 촉에 의하면, 여자 한 번도 안아 본 적 없어.
국희	숫총각?!
매화	(죽향의 귀 막고) 사장님 손님들이야. 함부로 말하지 마.

#61   묘연각 / 뜰 (밤)

선우은호가 이연의 연락을 받고 찾아왔다. 이연이 화장품 건넨다.

이연	미용실 원장이 특별 고객들한테 파는 크림이야.
은호	아버지 소유 제약 회사가 있어요. 바로 성분 알아볼게요.
이연	몸조심해라.
은호	(의외다) 오, 내 걱정도 해 주고.
이연	(성가신 듯) 그 얼굴로 다치면 경기 일으킬 놈 하나 있거든.

#62   최승자 헤어싸롱 / 앞 (낮)

다음 날. 이연과 이랑이 '군대 가는 얼굴'로 미용실 앞에 서 있다.

이랑 크림에서 진짜 아무것도 안 나왔어?
이연 안 나왔어.
이랑 미친놈아! 그 짓을 또 하자고?!

하자마자, 안에서 원장이 문 연다. 그런데!
'까아악! 저 총각들이야?' 소문 듣고 찾아온 손님들 한 무더기다.

#63 몽타주 (낮)
이연이 쉴 새 없이 머리를 감긴다. 손님들 줄 서서 대기 중.
직원2가 차를 타면, 이랑이 정신없이 나른다. '차 마시는 입들'
위태롭게 클로즈업.
와중에 미용실 전화에 불이 난다. 원장이 '오늘은 예약 못 받
아요. 꽉 찼어!'

#64 최승자 헤어싸롱 / 앞 (낮)
마적단 부두목이 부하 둘을 데리고, 미용실 안을 훔쳐보고 있
다. 거울 배달 왔다.
커피 나르는 이랑의 모습 보인다. 분노로 몸을 떨며.
'감히 두목한테 차를 나르게 하다니 내 이것들을 당장!!' 무기
꺼낸다.

구미호뎐
1938 제2화 아름다울 美

부두목과 눈 마주친 손님 하나가 비명을 '꽥' 지른다. 이랑이 황급히 나온다.

이랑   (으슥한 곳으로 데려가서) 거울은?

부두목   (갱지에 싼 A4 용지 크기 거울 건네며) 준비했습니다!

이랑   내가 전신 거울 구해 오랬지?

부두목   세 걸음만 뒤로 가면 전신이 싹 보입니다.

이랑   (속 터진다) 어우….

부두목   왜 이런데 잡혀 계신 겁니까? (무기 꺼내는) 얼마나 강한 놈들이기에.

이랑   잡힌 거 아냐. 가 있어 좀!

부두목   저흰 뭐 하고 있을까요? (한쪽 무릎 꿇고) 지령을 내려 주십시오, 두목!

성가셔 죽겠는데, 마침 그 앞으로 인력거꾼 지나간다.

이랑   인력거꾼이라도 하든가.

부두목   옙!!!

#65   묘연각 (낮)
          출타했던 홍주가 돌아왔다. 기다리고 있던 재유에게.

홍주   이연은?

재유	미장원에 잠입했습니다.
홍주	볼만하겠네? 넌 경성 바닥 싸그리 뒤져서 홍백탈이란 놈 찾아와.
재유	이연님을 도우시는 겁니까?
홍주	글쎄? (빙글거리며) 이연을 도울지 그자를 도울지. (지폐 뭉치 들고) 필요하면 돈도 좀 뿌리고.
재유	액수는 얼마나?
홍주	당연히… (산더미 같은 돈 털어 놓는) 내가 원하는 답이 나올 때까지.

#66   최승자 헤어싸롱 / 안팎 (낮)

이랑이 포장된 거울 들고 미용실로 왔다. 그런데 문이 안에서 잠겨 있다?! 안에서 '랑아!!' 부르는 소리!

창문으로 보면, 손님들이 이연 위에 올라타고, 당장이라도 물어뜯을 기세다!

이랑이 창문 부수고 뛰어 들어간다! 도끼 꺼낸다! '죽이면 안돼!' 이연이 만류한다!

'귀찮아 죽겠네.' 이랑이 두들겨 패서 손님들 떼 낸다! 그 틈에 원장 달아난다!

손님들은 질기게도 들러붙는다!

이연과 합세해서 손님들과 직원1까지 전부 묶었다! 묶인 채로 몸부림친다!

| 이랑 | 갑자기 미쳐 날뛴 거야? |

구미호뎐
1938   제2화 아름다울 美

이연	'샴푸'였어. 간밤에 누가 샴푸에다 삼충 알을 풀어 놓은 거야.
이랑	(쓰러진 사람들 툭툭 치며) 원장도, 직원도 아니면 대체 누구야?

하는 순간! 이랑에게 끈적한 액체 날아든다! 카운터 뒤에 숨어 있던 직원2다!
이랑이 포장 거울로 액체 막았다!
동시에 이연, 번개처럼 달려들어 놈을 날려 버린다!

이랑	(열 받은 얼굴로 다가가는) 너냐?
이연	가까이 가지 마. 저래 봬도 토착신이야!

찰나! 이랑에게 미용 가위들 날아든다! 이연이 몸으로 대신 막으며 외친다! '거울!!!'
이랑이 거울 포장 뜯어낸다! 깨진 데 없는 새 거울 드러난다!
직원2가 신음을 내지르며 얼굴 가린다!
열 받은 이랑이 그녀의 옆구리에 도끼 휘두르는데! 이연이 팔목을 잡는다!

이랑	치워.
이연	이놈 혼자 힘으로 저지른 짓이 아냐.
이랑	(마지못해 도끼 치우고, 뒤로 물러난다)
이연	(다가가서) 너, 조왕이지?

자막	조왕신 - 부뚜막을 다스리는 수호신

조왕	나를… 알아? (하며 고개 들면, 거울에 화상으로 일그러진 '진짜 얼굴' 보인다!)
이연	거울이란 거울은 다 깨 놓고, 내가 모를 줄 알았냐? 아궁이에서 불타 죽은 며느리. '최초의 조왕신'이잖아.
조왕	(얼굴 가린다. 이하, 쭉 화상 자국 얼굴) 보지 마.
이연	하… 아무리 애가 짠해도 그렇지, 콤플렉스 덩어리를 수호신으로 앉혀 놓으면 어쩌잔 거야? 삼층은 왜 풀었어?
조왕	난 조용히 살고 있었는데, 사방이 거울로 된 이 미장원을 지었어. 옛날엔 나를 섬긴다고 거울도 숨겨 놓던 것들이.
이연	그래서 예쁜 애들한테 분풀이 했냐?
조왕	부뚜막이랑 아궁이까지 전부 부숴 버렸어. 이제 정화수도 안 올려.

'훌쩍훌쩍' 울기 시작한다. 이연이 옆에 앉아 '이랑 못 듣게' 작은 소리로.

이연	내가 미래를 볼 줄 아는데, 앞으로 80년만 지나도 말이야. 경성에 부뚜막이 남아나질 않아.
조왕	불씨는?!
이연	가스레인지란 기계가 있어.
조왕	밥은 지을 거 아냐?!
이연	즉석밥도 맛있어.
조왕	(그 말에 더 서럽게 우는데)
이연	(할 말하고 일어서서 단호히) 시대는 변하고 있어. 이미 변했고. 니

	들도 선택해야 돼. 조화롭게 사는 법을 찾든가, 사라지든가.
이랑	안 죽여?
이연	원체 보수적인 놈들이야. 토착신들도 적응할 시간이 필요하고.
이랑	(비웃는) 너답지 않게 왜 이래? (이연 밀어 버리고, 조왕 목에 도끼 겨눈다) 삼충은 어디서 났어?
조왕	누가 줬어. 내 영역을 찾으라고….
이랑	누구?
조왕	말하지 말랬어.
이랑	그럼 죽어. (하고, 도끼 휘두르는데!)
조왕	(피하며) 탈! 탈을 쓴 사내였어!!
이연	(!!) 설마….
조왕	홍백탈.

이연과 이랑이 '쿵!' 해서 눈을 마주친다! 그와 동시에!
그녀 몸에서 불길이 '확' 인다! 말릴 새도 없이 불꽃으로 소멸
돼 버리는 조왕!!

이랑	입을 열면 죽게 만들어 놨어.
이연	홍백탈… (먼 곳을 보며) 대체 누구냐.

#67   묘지 (밤)

그날 밤. 무영이 주인 없는 무덤에 기대 술을 마시고 있다.
그 곁에 미스 조선이 든 목관 놓여 있다.

무영	삼충을 견디고 살아남은 건 너 하나뿐이네. (목관 어루만지며) '완전한 야차'로 만들어 주마.

그때! 풀숲을 스치는 인기척! 무영이 검을 든다!
어둠 속에서, 검은 옷에 모자 눌러쓴 자객이 습격해 온다!
거침없이 검을 맞댄다! 양쪽 다 무시무시한 칼솜씨!
한순간, 정면으로 칼 부딪친다! 자객의 모자 날아간다! 무영의 옷깃도 베었다!
동시에, 서로가 누군지 알았다! 둘 다 뒷모습으로 서서.

무영	홍주?!
홍주	홍백탈이… 너였단 말이지? (하고, 씩 웃는다)

그제야 뒤돌아 서로를 마주 본다. 무영이 전에 없이 그리운 눈으로.

무영	하나도 안 변했네?
홍주	네가 왜 홍백탈이야? 응?! 네가 왜 연이를….
무영	홍주야. 난 더 이상 네가 알던 천무영이 아니야. 이연도 마찬가지고.

홍주 눈앞에, 오래 전 '이연과 무영(아역 아닌 성인)'의 모습 스쳐 간다.

무영이 단아한 모습으로 앉아 책을 읽고 있다.

검술을 익히던 이연이 지친 모습으로 무영의 등에 '퍽' 기댄다.

무영이 '야!!', 이연이 눈을 감고 '가만히 좀 있어. 난 네 등 뒤에서만 무방비해질 수 있단 말야.'

그 말에 무영이 웃으며 등을 내준다. 등 맞대고 앉은 둘 사이로 바람이 분다.

조금 떨어진 곳에서, 홍주가 그 모습 지켜보다가, '이대로 시간이 멈춰 버리면 좋겠어… (하늘에 대고 기도하듯) 제발 우리 셋한테 아무것도 뺏어 가지 말아 줘.'

홍주   (그 기억에, 서글퍼 웃는) 역시, 내 소원은 이뤄지는 법이 없다니까.
무영   (벅찬 진심으로) 보고 싶었다.
홍주   (한달음에 달려가 무영을 확 끌어안는다. 울컥해서) 네가 살아 돌아오다니 믿어지지가 않아!

홍주 등을 감싸 안고, 무영의 눈시울도 더불어 뜨거워진다!

#68   **최승자 헤어싸롱 / 앞 (밤)**
미용실에 연기 '모락모락' 피어오른다. 부두목과 부하 둘이 '쑥'을 태우고 있다.

아줌마 손님들, 미용실 앞에서 기침을 토해 낸다. 다들 제정신으로 돌아왔다.

이연과 이랑, 한쪽에서 지켜보다 자리를 뜨며.

이랑	어떻게 알았어? 쑥을 태우면 삼충이 달아난다는 거.
이연	몰랐어. (쑥을 손에 들고) 요건 천연 성분 벌레 퇴치제고. 삼충도 지가 날고 기어봤자 벌레 아닌가 해서.
이랑	(기가 막혀, 쑥 뺏어서 들이대며) 넌 퇴치 안 되냐?
이연	(웃으며) 하늘 같은 형님한테!

#69   경성 거리 (밤)

신주는 그들과 골목 하나 사이에 두고, 배달 중이다. 또 엇갈리나 싶은데.
고단한 얼굴로 '슬픈 최신가요' 흥얼거리기 시작한다.
희미한 노랫소리에 걸음 멈추는 이연. 30년대에 이 노래 아는 놈은 하나뿐이다!
신주가 코너를 돈다. 제자리에 우뚝 멈춘다! 눈앞에 서 있는 것, 이연이다!!

| 신주 | 이연님? (자전거 팽개치고 달려가 안기며) 이연님!! 그동안 어디 있었어? 왜 나 버려뒀어!! |

그러고 있는데, 이랑이 이쪽으로 걸어온다. '이랑님?!!' 신주, 기함한다.

구미호뎐
1938   제2화 아름다울 美

이랑	(싫은 얼굴로) 구신주.
신주	(왈칵 안으려고) 죽도록 보고 싶었어요, 형님!!
이랑	(걷어차고) 어디서 친한 척이야?
신주	(눈물콧물 범벅) 내가 우리 형님을 만나려고 여기 왔구나! 이러려고 개고생을 했어!!
이연	(통곡하는 신주 머리를 툭툭 쓰다듬는다)

셋이 나란히 걷기 시작한다. 그 하늘에 보름달 걸려 있다.
신주가 무음으로 무용담 늘어놓는다. 이랑이 한심한 듯 혀를 찬다.
그런 둘을 따뜻하게 바라보는 이연. 과거로 와서 좋은 일도 생겼다. 아주 오랜만에, 안온한 기분으로 하늘 올려다본다.
이연의 시선으로 보름달 클로즈업된다. 그 보름달에서 화면 넓어지면, 무영이 홍주에게 손을 내민다.
홍주가 고심 끝에 무영이 내민 손 맞잡는다.
각자 다른 목적으로, 마침내 같은 시대에 모인 '세 명의 산신' 가쁘게 교차되면서!

2화 끝

새타니

#1   묘연각 / 뜰 (밤)

묘연각의 밤은, 낮보다 화사하고 분주하다.

누군가 가야금 뜯고 있다. 산조 휘모리장단의 유려한 가락 이어지는 가운데. 바삐 오가는 기생들 사이, 서늘한 얼굴로 손님방으로 향하는 홍주 보인다.

'팅' 가야금 줄 미끄러지는 소리, 위태롭다.

#2   묘연각 / 손님방 (밤)

손님은 일본 군인들이다. 상석의 일본군 대좌가, 난초 입에 총 쑤셔 넣은 모습.

옆에 가야금 나뒹군다. 얻어맞았는지 뺨에는 상처.

헝클어진 모습으로 울음 '꾹' 삼키는 난초다. 그 한쪽으로 겁에 질린 매화와 국희.

홍주   그 아이를 하룻밤 사시겠다고요?

손님	네가 사장이구나. 이년하곤 말이 안 통해서 말이야.
홍주	조선말이 능하시네요.
손님	조선 계집들하고 연애를 많이 했거든. 오늘은 '이거(난초)'랑 할 거고.
홍주	몸 파는 창기가 아닙니다. 예인(藝人)들이지요.
손님	(돈다발 훅훅 뿌리며) 내가 산다고 하면 니들은 예술도 팔고, 몸도 파는 거야.
홍주	팔지 않겠다면요?
손님	이 계집 대가리에 구멍이 나겠지.

분위기 살벌한 가운데, 홍주가 소리 없이 웃더니 이내 저고리 고름을 푼다!

홍주	(저고리 확 벗어 보이며) '저'는 어떠십니까. 그 아이 대신 절 품어 보시는 건.
손님	(눈빛 달라진다. 새하얀 속살 게걸스레 보며) 넌 얼마짜리냐?
홍주	심지어 '공짜'랍니다.
손님	(낄낄) 쉬운 계집이구나. (일본어로) 마저 벗겨 봐라.

옆에 군인들, 홍주의 옷자락에 손을 뻗는다. 가볍게 쳐내며.

홍주	조건이 하나 있습니다.
손님	조건?
홍주	저와 술을 겨루어 이기시면 이년을 마음대로 하십시오.

구미호뎐
1938 제3화 새타니

손님	재밌는 년이네. (피식) 내가 이기면 널 갖고, 이 손목도 가질 것이다.

우악스럽게 난초 손목 잡아채면서, 가야금 줄 하나 뜯겨 나간다. 홍주가 난초를 보면, 동의의 뜻으로 고개 끄덕하는 난초.

홍주	그리 하시지요.
손님	대신, 규칙은 내가 정할 것이다.
홍주	?!!

#3   묘연각 / 형제의 방 (밤)

신선로, 구절판 등 저녁상 거하게 차려졌다. 신주가 걸신들린 양 밥 퍼먹는다.

이연	너도 참 파란만장하다. 그 짧은 시간에 징용에, 취직에, 강도까지?
신주	총 한 자루만 사 주세요.
이연	어쩐 일이냐? 총이라면 벌벌 떠는 애가.
신주	저 독립운동 할 겁니다.
이연	우리는 '우리가 사는 시대'를 지킬 임무를 받고 여기 왔어. 홍백탈을 잡고, 수호석을 가지고 무사히 돌아간다. 그게 임무야.
신주	그래도….
이연	독립운동을 할 거면, 집에 갈 생각 말고 여기 남아서 끝까지

	책임져. 이 시대 인간들, 피 같은 목숨 걸고 하는 일이야.
신주	(살짝 풀이 죽어서) 우리 진짜 돌아갈 수 있는 거죠?
이연	가야지. 여긴 와이파이도 없고, 민트초코도, 우리 지아도 없잖아.
신주	대신 이랑님 있죠.
이연	오자마자 애 죽어 가는 것부터 봤어. 심장이 터질 거 같더라.
신주	살리셨잖아요.
이연	나 없이도 멀쩡하게 살면 좋겠는데. 마적단 두목이나 하고 앉았으니… 저걸 놔두고 발이 떨어지려나 싶다.

밖에서는 이랑이, 방에 들어가려다 자기 얘기에 걸음 멈춘다.

신주(E)	언제 말씀하실 거예요?
이연(E)	뭐라고 해? 한 달 있으면 나 '뿅' 하고 사라진다고?
신주(E)	이랑님도 이별을 받아들일 시간을 줘야죠.

'무슨 뜻일까.' 굳은 얼굴로 그 자리에 못 박혀 선 이랑.

#4	**묘연각 / 뜰 (밤)**
	잠시 후, 이연이 신발 꿰신고 밖으로 나왔다. 두리번거리며 '랑아?'
	다급한 얼굴로 어디론가 몰려가는 묘연각 직원들 보인다.
	'뭘 일 난 걸까.' 그쪽으로 걸음 옮기는 이연.

홍주 앞에 술이 든 술잔 일곱 개 깔려 있다. 맞은편에도 같은 개수의 술잔. 그런데 맞은편에는 손님방에 있던 '일본군 전원'이 앉아 있다?! 손님을 제외한 일곱.

중앙에는 아까의 손님이, 난초 손목을 작두 위에 올려놨다.

술 힝아리 든 매화와 국희, 바짝 긴장했다. 식원들도 걱정스런 얼굴.

'시작해.' 손님이 일본어로 지시하면, 7대1의 대결 시작된다.

홍주와 첫 번째 군인이 술 들이킨다. 홍주가 차례로 술 비우면, 매화와 국희가 곧바로 빈 술잔 채운다.

한 순배 돌았다. 홍주도 일본군도, 아직 흐트러짐 없다.

그렇게 시간 경과되면서, 빈 술항아리 잔뜩 쌓여 간다.

잠시 후, 군인 둘이 정자 아래서 토악질하고 있다. 남은 일본군은 다섯.

홍주가 계속해서 술잔 비운다.

'저러다 죽겠어요!' 지켜보던 죽향이 발 동동 구른다. 기생들도 애가 탄다.

오직 이연만 한가롭게 팔짱 끼고 구경 중이다.

군인 하나가 마시던 술 뿜어낸다.

손님이 '(일본어) 한심한 놈' 하자마자, 다른 놈도 테이블에 고꾸라진다.

그렇게 차례로 일본군 쓰러지고, 이제 마지막 하나 남았다. 이놈도 만만치 않다.

기생들이 다시 술 채우려는데.

홍주	항아리 가져와.

홍주가 항아리째 들이키기 시작한다.
놈도 지지 않고 입을 댄다. 하지만 얼마 못가 '욱─' 헛구역질.
홍주가 술병 '탈탈' 털어 마시고, 정자 밖으로 던져 버린다. 시
원하게 병 깨지면.

홍주	이리들 비실비실해서야, 어디 사내구실은 제대로 하겠습니까.
이연	(픽 웃고 자리를 뜨는) 저게 류홍주지.
손님	(모욕적이다. 얼굴 벌게져서) 천한 기생 년들이 감히….

손님이 분풀이 하듯 칼등으로 난초 얼굴 '퍽' 친다. '악!!' 난초
쓰러진다.
손님, 도망치듯 사라진다.

홍주	(난초의 '끊어진 가야금 줄'을 툭) 이거, 나 줄래?

#6   경성 거리 / 모처 (밤)
밤부엉이 울음소리 스산하게 들린다.
어둠 속에서, 귀가하는 손님 앞에 소리 없이 나타나는 그림자.

손님	누구야 너?!
홍주(E)	가야금 좋아하시죠?

구미호뎐
1938   제3화 새타니

달빛 아래 홍주의 얼굴 드러난다.

섬뜩하게 웃는 그 손에 '가야금 줄' 반짝인다. 움찔하는 손님.

그 목에 번개같이 줄 휘감는 홍주 뒤로 수리부엉이의 '날개' '촥' 펼쳐진다!

순식간에 손님을 들고 날아오르는 홍주! 이내 '쿵!' 소리와 함께 시체 추락한다!

#7	클럽 파라다이스 (밤)

이랑이 위스키 홀짝이며, 이연의 정체 곱씹는다. 저번에 산 '넥타이' 차림이다.

플래시백

1화 9씬 '살아 있구나. 이 시대에 넌 이렇게 살아 있어.'

1화 25씬 '형은 너 절대 포기 안 해.'

2화 38씬 '내가 누구인지 그 답도 이 속에 들어 있어.'

이랑	(곰곰이) 이연이되 이연이 아니다. 그럼 뭐지?

무대에서는 라이브 공연 시작된다. 놀랍도록 아름다운 목소리. 무대 올려다본다.

뜻밖에도 그녀, 우렁각시네 알바생 여희다.

그런데 피아노 위에 걸터앉은 하반신에, 푸르고 유려한 '꼬리'?!

이랑이 혼잣말처럼 '인어?!' 하자마자, 옆 테이블 취객들 큰 소

리로 야유하는 소리. '여기가 클럽이야 서커스단이야?' '가짜
꼬리 유치해서 못 봐주겠다!'
이런 일이 처음 아닌 듯 여희는 담담하게 노래하고 있다.
그러자 한 놈이 '진짠지 아닌지 내가 만져 봐야겠다.' 무대 기
어오르려 하고.
한 놈은 안주 집어던지며 '삼류 쇼 때려치워!!' 그 순간!
'퍽!!' 이랑이 마시던 술병으로 취객의 머리 가격한다!

이랑   (나직한 목소리로) 조용히 좀 해.

취객들 덤벼들자, 도끼 휘두르는 이랑!
거친 몸싸움에 손님과 직원들, 비명을 지르며 자리 피한다!
이내 취객들도 달아난다.
이랑과 무대 위의 여희, 둘만 남아 서로를 마주 본다.

이랑   '진짜 인어'지, 너?
여희   혼혈이야. 아버지가 인간 어부.
이랑   !! (자기와 같은 처지다. 부러 차갑게) 인간 세상에서 뭐 하나?
여희   가수가 되려고.
이랑   가수가 되든 (인어 꼬리 가리키며) 구경거리가 되든, 둘 중 하나만
         해. (하고, 돌아서 가 버린다)

#8   클럽 파라다이스 / 앞 (밤)

구미호뎐
1938   제3화 새타니

여희가 이랑을 쫓아 나왔다. 이랑에게 뛰어가며.

여희	잠깐만!!
이랑	(성가신 듯 돌아보면)
여희	(보석 같은 '비늘' 하나 들어 보이며) 내 비늘이야. 혹시라도 내가 필요하면….
이랑	필요 없어.
여희	(셔츠 윗주머니에 넣어 주고 툭툭) 가져가.
이랑	필요 없다고 했지?

하면서 꺼내려고 보면, 비늘은 빛으로 변해 이랑 몸속으로 사라져 버린다.

| 여희 | 안녕. (수줍은 듯 반대쪽으로 멀어지다) 넥타이 잘 어울려!! |

#9　묘연각 / 앞 (밤)

홍주가 묘연각으로 돌아왔다. 난초가 먹먹한 얼굴로 기다리고 있다가.

난초	왜 그러셨어요. 저 같은 거 때문에.
홍주	난 원래 세상을 딱 두 가지로만 구분하거든. '내편이냐 아니냐.' 목숨 걸고 지키거나, 목숨 걸고 발라 버려.
난초	사장님이 처음이에요. (울컥) 기생들 '사람'처럼 대우해 준 분이.

홍주	아까 울었니?
난초	안 울었어요. 끝까지. 사장님이 그렇게 가르쳤으니까.
홍주	(그제야 씩 웃는) 잘했다.
난초	(눈가 촉촉한 채로 웃으며) 배부르시죠?
홍주	배부르긴. 안주 없이 술만 퍼먹었더니 속이 허하다야.
난초	(홍주 팔짱 끼며) 너비아니 좀 구워 올까요?

홍주와 난초가 안으로 사라지면, 묘연각으로 걸어오는 이랑
보인다.

#10   묘연각 / 형제의 방 (밤)

'얘는 대체 어디서 뭐 하는 거야?' 이연이 초조하게 이랑을 기
다리고 있다.
신주는 구석에서 코 골며 잠들었다. 혼자 아주 편안해 보인다.
밖에서 발소리 들린다. 이연이 얼른 자는 척 이불 뒤집어쓴다.
넥타이만 풀어 던지고 대충 등 돌려 눕는 이랑이다.
이연이 궁금해서 이불 밖으로 눈만 내놓으면.

이랑	(돌아누운 채로 차갑게) 안 자냐?
이연	어디 있었어?
이랑	술 마셨다 왜?
이연	오늘부터 네 통금, 밤 10시다.
이랑	미친놈. (짜증스레 이불 뒤집어쓴다. 진심으로) 나는 너 안 믿어.

그런 동생을 이해하기에 말없이, 아프게 웃는 이연.

얼마 지나지 않아 잠든 이랑 숨소리 들린다. 그제야 '다행이다. 돌아와서.'

#11   암자 (밤)

바람에 흔들리는 '풍경 소리' 스산하다.

인적 없는 암자에는, 승려복에 지팡이 든 해골 한 구, 앉은 채 말라붙어 있다.

누군가 암자를 찾아든다. 무영이다. 해골 승려 지나쳐 곧장 법당 문을 연다.

법당에 부적 잔뜩 붙은 '커다란 장독대' 놓여 있다. 안으로 막 들어서려는데.

'누구냐?' 흠칫해서 보면, 해골 승려의 얼굴에 피와 살이 돌아왔다. 형형한 노스님의 얼굴.

무영   (싱글거리면서도 공손한 투로) 이곳의 '문지기'시군요.

스님   너에게서 피비린내가 난다. 백두산 호랑이의 자손이 어찌 삿된 것을 탐하느냐.

무영   이 몸이 삿된 자라 그러합니다.

스님   돌아가라. 그 항아리 속에 든 건, 오직 원(怨)과 한(恨)뿐이니.

무영   '내 속에 든 것'도 그것과 같습니다.

스님   500년 동안 풀리지 않은 봉인이다.

무영   '오늘' 풀릴 겁니다.

스님 이마가 꿈틀하더니, 지팡이로 땅을 '탕-' 내리친다!

살기를 느끼고 돌아보면, 어느새 한 무리의 승병들이 무영을 에워싸고 있다!

조용히 칼을 뽑는 무영! 달빛 아래 시퍼런 칼날 번쩍인다!

날랜 몸짓으로 승병들을 베기 시작한다!

하지만 베어도, 베어도 되살아나는 승병들!

이내 무영을 완벽하게 포위하고, 일제히 창으로 그 목을 포박한다!

무영	(칼을 버리고, 항복하듯 양손을 쳐든다. 스님에게) 이쯤 하시죠. 집에 누룽지 안쳐 놓고 와서 빨리 가 봐야 되거든요.
스님	(단호하게) 쳐라.
무영	(날카로운 창끝이 무영을 향해 날아든다! 그 순간, 나직이) 불이야.

승병들 몸에 '화르륵' 불꽃 일어난다!

'가여운 것···.' 그 말을 끝으로 스님의 몸에도 불이 붙는다.

그와 동시에 장독대 안에서 맑은 '방울 소리' 들린다.

잠시 후, 무영이 '연분홍색 한복' 입은 여자아이 안고 암자를 벗어나고 있다.

그 어깨에 얼굴을 묻은 소녀, 눈에 안대를 하고 '히히' 소름 끼치게 웃는다.

#12   묘연각 / 앞 (밤)

구미호뎐
1938   제3화 새타니

무영이 소녀를 데리고, 인적 없는 묘연각 앞에 나타난다.

무영   가라. 가서 이연한테 네 '예쁜 눈'을 보여 줘.

소녀   (꼼짝도 않고 서 있다)

무영   (?) 내 말, 알아듣긴 하는 거지?

소녀   (묵묵부답이다)

무영   원하는 게 뭔데?

소녀가 무영의 손에 든 '방울'을 손짓한다. 장독대 안에서 줄 곧 울어 대던 소리.

무영   이거? (건네주며) 소중한 물건인가 보네.

그제야 안대를 푸는 소녀. 아직 소녀의 얼굴은 보이지 않는다.
'그 눈'을 마주치지 않으려고 황급히 고개 돌리는 무영.
묘연각으로 향하는 소녀의 뒷모습 보며.

무영   '새타니'를 부리려면 원하는 걸 줘야 한다더니. 진짠가 보네?

#13   묘연각 (밤)
       모두 잠든 시각, 소리 없이 묘연각 누비는 소녀의 모습 섬뜩
       하기 그지없다.
       '어디야? 어디 있니? 히히…' 이연을 찾고 있다.

이내 형제의 방 앞에서 '찾았다.'

#14   묘연각 / 형제의 방 (밤)

곤히 잠든 이연의 얼굴 클로즈업된다.

화면 넓어지면, 어느새 이연의 배 위에 앉아 있는 소녀.

'나를 봐… 나를 봐.' 이연의 얼굴에 대고 속삭인다.

이연이 '부스스' 눈 뜨며 소녀와 눈 마주친다.

헝클어진 머리카락 사이로, 마치 핏물이 고인 듯 시뻘건 눈동자!

악몽처럼 소녀가 외친다! '왜 그랬어? 왜 약속을 어겼어?'

거칠게 소녀 밀어내고 몸 일으키는 이연!

신주   (자다 깨서) 무슨 일이에요?

이연   방에 누가 있어!!

신주가 얼른 촛불을 켠다. 방 안에는 곤히 잠든 이랑뿐. 침입자는 없다.

신주   아무것도 없는데? 꿈꾸신 거 아녜요?

이연   (방문 열고 밖을 확인한다. 아무도 없다) 분명히 있었다니까!

신주   뭐가요?

이연   뭔진 몰라도 '보면 안 되는 걸' 봐 버린 기분이야.

이연 눈동자에, 일렁이는 촛불 불안하게 비쳐 보인다.

구미호뎐 1938   제3화 새타니

묘연각 / 수돗가 (낮)

다음 날 아침. 신주가 세수하고 얼굴 닦는 중이다. 콧노래까지 흥얼.

그런데 수건에서 얼굴을 떼기 무섭게 '끄아아악!!'

홍주   이게 누구실까?

신주   (경악해서) '주인님'이 왜 여기 계시죠?

홍주   내가 여기 사장이니까?

신주   (도망갈 곳을 찾으며) 어쩐지 (작게) 잠자리가 뒤숭숭하더라니.

홍주   (섬뜩하게 다가오는) 감히, 나한테 도망쳐서 이연 밑으로 기어 들어가?

신주   저 죽이려고 하셨잖아요!

홍주   내 눈에 띄면 어떻게 된다고?

인서트 플래시백   구미호뎐

신주가 자기네 산신을 피해, 이연이 다스리는 산으로 도망친 그날이다.

오만한 태도로 이연이 '내 산에 있는 건 다 내 거야'

(추가 씬) 그런데! 그 맞은편에서 신주를 이글이글 노려보는 것, 다름 아닌 홍주다!

'구신주. 똑똑히 기억해라. 다음에 내 눈에 띄면, 최소한 팔다리는 못 쓰게 될 거다.'

신주   (뒷걸음질) 살려 주세요.

홍주	(여유 있게) 이리 와. 처 맞자.

'제발!!' 손 '싹싹' 비는 신주를 으슥한 구석으로 몰아넣는다.
한복 치마 걷어붙이고 발로 막 밟으려는데. '신주야?' 이연 목
소리다.
'이연님!!' 죽어라 소리치는 신주.
이연이 둘을 발견했다. 어느새 홍주, 온화한 미소로 신주를 끌
어안고 있다.

홍주	반갑다. 신주야.
이연	??

#16   묘연각 / 뜰 (낮)
이연과 이랑, 화창한 정원에서 아침 먹고 있다. 이랑이 젓가
락 내려놓으면.

이연	더 먹어.
이랑	싫어. 배불러.
이연	너 살 좀 쪄야 돼. (팔뚝 만져 보며) 비리비리 해 가지고.
이랑	(짜증) 네가 뭔데 이래라 저래라야?
이연	말 안 들으면….
이랑	어쩔 건데?
이연	(애들 밥 먹이듯 이랑 음식 집어서) 부웅 비행기.

입에 갖다 대자 기겁하는 동생을 보며, 해맑게도 웃는 이연이다.
홍주가 재유 데리고 외출하는 길이다.

홍주	자기야! (손 키스 날리며) 나 나갔다 올게.
이랑	(끌끌) 저것도 병이다.
이연	너 홍백탈 안 찾냐?
홍주	(씩 웃는) 바보.
이연	찾았어 그놈?!
홍주	글쎄? 너 하는 거 봐서 가르쳐 줄 수도 있고.
이연	야!!
홍주	(찡긋하고 나가 버리는) 지금은 내가 좀 바빠서.
이랑	찾았다는 거야 뭐야?
이연	저 속을 누가 알겠니?
이랑	전부터 궁금했는데, 저 미친 여자랑 정확히 무슨 사이냐?

플래시백   어린 시절

이연의 기억 속에 소복소복 눈 내리기 시작한다.
'맹세하자. 우리 무슨 일이 있어도 서로를 지켜 주기로.'
눈밭에 드러누운 어린 홍주가 손을 내민다.
'꼭 산신이 돼서 다시 모이는 거다?!' 옆에 누워 씩씩하게 손
올리는 꼬마는 이연.
홍주가 '야, 천무영!' 부르면 화면 서서히 넓어진다.
옆에서 천진하게 눈 받아먹던 무영이 얼른 손을 얹으며 '약속!'
나란히 누워서 환하게 웃는 그들 사이로, 아름답게 눈발 날린다.

이랑	(생각에 잠긴 이연에게) 아 뭐냐고?!
이연	그냥… (쓸쓸한 미소로) 깨져 버린 맹세 같은 거.

그러고 있는데 매화가 와서 이연에게.

매화	누가 급히 좀 만나 뵙자는데요?
이연	누가?

#17   카페 겸 레스토랑 (낮)
무영이 야외 테라스에서 술 홀짝이고 있다.
홍주가 맞은편에 와 앉으면 '왔어?' 환한 얼굴로 들국화 다발
내민다.

홍주	웬 꽃이야?
무영	네가 제일 좋아하던 꽃이잖아.
홍주	(싫지 않은 얼굴로) 그런 것도 기억하고, 내가 알던 천무영 맞네. 궁금한 게 한 보따리야. 탈의파 할멈이 널 북쪽 산신 자리에서 폐하고, 돌로 만들었단 소문을 들었어.
무영	사실이야.
홍주	할멈은 우리 중에 너를 제일 예뻐했잖아! 대체 왜?!!
무영	(담담히) 그럴 만한 짓을 했어.
홍주	그럼 지금까지 수백 년 동안?
무영	(미소로) 돌이 돼서 갇혀 있었지. 네 생각하면서 버텼다. 우리

고운 홍주, 바라던 대로 일곱이나 되는 동생 부엉이들이랑 오순도순 잘 살고 있겠거니.

홍주　(표정 바뀌는) 넌 모르겠구나? 우리 부모랑 내 동생들, 싹 다 굶어 죽었잖아.

무영　?!!!

홍주　(시니컬 하려고 애쓰며) 집에 갔더니 시체더라고. 나한테 꼭 산신이 돼서 집안 일으키라고 그리 들볶더니. 무능하고 약한 부모가 착하기까지 하면, 지 새끼들도 못 지키는 법이지.

무영　미안하다. 친구가 돼서 옆에 있어 주지도 못하고.

홍주　미안할 건 없고. 하나만 묻자. 너랑 이연, 무슨 일이 있었던 거니? 뭘 어쨌길래 개미 새끼 한 마리 못 죽이던 네가, 걔 동생 배를 갈라?

무영　(태연하게) 내가 느낀 고통을 연이가 똑같이 느꼈으면 해서. 내가 하나뿐인 형을 잃었던 것처럼.

홍주　무슨 소리야?

무영　(대답 대신) 연이가 오고 있어.

홍주가 앉은 방향에서 보면! 이연이 조금 떨어진 곳에서 이쪽으로 오고 있다!

홍주　(목소리 낮추며) 네 정체 비밀이라며?

무영　'확인'해 보고 싶은 게 있어서. (꽃다발 챙겨 주며 일어서는) 가자.

#18   경성 거리 (낮)

햇살이 부시게 쏟아진다. 이연이 약속 장소 찾아 두리번거린다.
저만치 이연 데리러 나온 홍주 보인다. 꽃다발 들고 있다.

이연   누가 급하게 보자더니 너였냐? (고개를 절레) 안 어울리게 꽃다
발은 또 뭐야.

그리 다가간다. 그런데 찰나! 홍주의 모습 명멸하나 싶더니,
시커멓게 변해 버린다?!
주위가 온통 새까만 어둠에 파묻힌다! '뭐지?' 이연이 우뚝
멈춰 선다!

이연   갑자기… 어두워졌어!

손을 펴서 보면, 눈앞에 손조차 보이지 않는다! 어둠 속에서
홍주 목소리 들린다!

홍주   뭐 하는 거야 지금?
이연   (소리 난 쪽으로 고개 돌린다! 어둠을 더듬으며) 어디 있니 홍주야?!

이번에는 '홍주의 시선'이다!
이연이 눈부신 햇살 아래서 허공을 더듬고 있다!
사람 없는 가판대, 비틀거리는 이연 손에 맞아 과일 '우르르'
쏟아진다!

구미호뎐
1938   제3화 새타니

홍주	(뭔가 이상하다) 왜 저래? (하면서, 다가간다)
이연	안 보여… 아무것도.

하얗게 멀어 버린 '이연의 눈동자' 클로즈업된다!
'쿵!!' 하는 홍주의 얼굴에서 화면 넓어지면, 어느새 무영이
홍주 뒤에 서 있다!
그 손에 날카로운 단검 번뜩인다!

이연	(눈 비비며) 눈에 뭐가 들어갔나?

순간, 소리 없이 이연을 덮치는 무영! 칼끝이 정확히 이연의
목을 향하는데!
홍주가 막아 내면서! 무영의 목에 칼 겨눈다!
그 바람에, 무영이 준 들국화가 사방으로 흩어져 버린다!

이연	(인기척 느끼고) 옆에 누구 있어?

이연을 사이에 두고, 팽팽히 대치하는 가운데, 홍주와 무영의
시선 맞부딪친다!

홍주	(보란 듯이) 응. 있어.
무영	!!!
이연	누구?
홍주	(말해 줄까 말까 고민하다가) 꽃장수.

무영이 희미하게 미소 짓더니, 단검을 쥔 손에 힘을 푼다. 홍주도 검을 거둔다.

홍주　　(이연을 부축하며) 가자. 바래다줄게.

무영　　(둘이 걸어가는 뒷모습, 얼음장 같은 눈으로 지켜보며) 넌 여전히 이연을 마음에 품고 있구나. 그때도, 지금도. (반대편으로 걸어가며, 씁쓸하게) 괜히 확인했나?

그 발에, 홍주에게 줬던 들국화 무참히 밟힌다.

#19　　묘연각 / 형제의 방 (낮)
　　　　신주가 이연을 방으로 데려가 눕힌다!
　　　　이랑과 홍주, 경악한 얼굴로 문 앞에서 지켜보는 가운데!

이연　　내 눈! 눈 왜 이래?!

신주　　이연님 심호흡하고, 자, 눈 떠보세요. (손가락 흔드는) 뭐가 보여요?

이연　　안 보여!

신주　　(!!) 눈 깜박깜박 해 보세요! 이물감 같은 게 느껴지는지.

이연　　(깜박거리고) 전혀 없어.

신주　　(이랑에게) 불 좀 주세요. (라이터 건네받고) 동공 반응 확인할게요.

이연 눈앞에서 라이터 불 왔다 갔다 해 본다. 신주의 얼굴 점점 굳어진다.

신주	(애써 차분한 목소리로) 반응이 없네요.
이연	무슨 뜻이야? (대답 없자) 말해!!
신주	시력을… 잃으신 거 같아요.
이연	!!!!!!
이랑	(홍주에게) 너지?
홍주	(멱살 움켜쥐는) 이 어린놈의 여우 새끼가 죽으려고 환장했나?
신주	두 분 다 그만 좀 하세요!!
이연	어젯밤 그 여자애.
신주	네??

인서트 플래시백

간밤, 소녀와 섬뜩하게 눈 마주치던 장면 짧게 스쳐 간다!

이연	그놈이야. '그놈 눈'을 마주치고 시작된 거야!
홍주	!!!

#20 무영의 아지트 (낮)

마당에 앉아 '방울'을 갖고 노는 소녀의 모습 보인다. 안대를
차고 있다.

무영	(무심히 구경하며) 그 방울은 뭐니?
소녀	줬어. 착한 일 했다고.
무영	너 원래 인간이었니?

소녀	(돌아서서 섬뜩하게 옷깃을 쥐고) 내 이름. 이름을 찾아 줘.
무영	(시선 피하는) 이름? 그딴 게 뭐가 중요해? 넌 이렇게 특별한데.
소녀	(안대 벗고, 악마처럼 외치는) 아니야! '구미호'는 알고 있어!!
무영	뭐??

그때 홍주가 굳은 얼굴로 무영을 찾아왔다.

홍주	너 뭐 하자는 거야?!
무영	(다급히 홍주 막아서며) 보지 마! 눈 마주치면 안 돼!!
홍주	저 꼬마는 뭐고?
소녀	(틈을 노려 홍주에게 다가가며) 나는 '새타니'야.
홍주	새타니? (경악해서) 염매 의식이 만들어 낸 괴물….

자막	염매 - 어린이를 장독대에 가둬 굶겨 죽이고, 그 영혼으로 신점을 치는 것

무영	(홍주 눈을 노리는 소녀를 제압하고) 들어가 있어.
소녀	(붉은 눈으로 홍주 쏘아보다, 집 뒤꼍으로 사라진다)
홍주	너 미쳤구나? 저런 저주받은 괴물을 세상에 풀어 놨어!
무영	(태연히) 연이는? 괴로워하니? 어둠 속에서 몸부림치고 있어?
홍주	(믿기지 않는 듯) 네가 원하는 게 이런 거니?
무영	맹세를 어긴 건 이연이야. 벌을 받아야지.
홍주	맹세? (피식) 죽어도 서로를 지키자고 셋이 맹세해 놓고. 한 놈은, 인간 여자한테 반해서 산신 자리도 내팽개쳐. 다른 한 놈은, 뭔 짓을 했길래, 부모처럼 길러 준 탈의파 손에 돌이 돼 버

렸대. 내 옆엔… 아무도 없었어. 난 니들이 필요했는데.

무영   (달래듯) 홍주야.

홍주   이제 겨우… 겨우 우리 셋이 다시 모였는데… 뭐 이 따위냐?

무영   나한테 와. 홍주야. 내가 줄게. 네가 원하는 건 뭐든.

너무 낯설어져 버린 무영을 고통스럽게 마주 보는 홍주다.

#24   묘연각 / 형제의 방 (낮)

신주가 이연의 눈에 비단 안대 감아 준다.

신주   혹시 모르니까 눈에 자극을 최소화해 주세요.

이연   그 여자애 정체가 뭘까.

신주   정체는 모르지만, 꽤 강력한 '저주'의 일종이에요.

이랑   보는 것만으로 저주를 건다고? 그런 요괴는 들어본 적이 없는데.

이연   문제는 그게 아냐. 1938년에 정확히 묘연각 주소로, 나한테 저주를 배달할 놈이 몇이나 될까.

신주   (파랗게 질려서) 홍백탈!

이연   (신주 옷깃을 꽉 잡고) 신주야 고쳐 줘. 이러고 누워 있을 시간이 없어.

신주   (손잡고) 방법을 찾아볼게요! 죽부터 먹여 주세요. 기운 차리셔야 돼.

신주가 죽 그릇 이랑에게 건네고 나간다. 이랑과 둘만 남았다. 이랑이 서늘한 눈길로 이연을 훑는다. 그 어느 때보다 무방비한 이연이다.

이연   (그 속을 들여다보기라도 하듯) 너 아직도 나 싫지?

이랑   ?!!

이연   내 욕심 때문에 옆에 잡아 놓긴 했는데, 대체 너한테 왜 이러는지, 믿을 만한 놈인지 헷갈리고.

이랑   요 며칠, 옆에 붙어서 지켜본 내 눈은 장식품이겠냐? 넌 내가 아는 이연이 아냐. 그게, 내가 널 살려 둔 유일한 이유고.

이연   아니, 넌 가족이 그리웠던 거야. 내가 진짜든 가짜든 상관없을 만큼.

이랑   닥쳐. (도끼 겨누고) 마음만 먹으면 죽일 수도 있어. 지금 이 자리에서.

이연   (흔들림 없이) 네가 원하면 죽어 줄 수도 있어. 근데, 오늘은 아냐.

이랑   네가 아니라 내가 정해!

이연   (담담하게) 내가 살면서 별의별 괴물 같은 놈들 다 만나 봤거든? 죽을 뻔한 적도 있고 한 번도 무섭단 생각을 한 적이 없는데… 지금은 무섭다.

이랑   (비웃듯) 무섭다고?

이연   이 꼴로는 아무도 지켜 줄 수가 없잖아. 너한테 무슨 일 생겨도….

이랑   이제 와서 형 노릇 하는 척 하지 마.

이연   네가 뭐래도 나는 네 형이야. 먹이고 입히고 내가 너 키웠다.

이랑	그래서? (죽 그릇 보며 피식) 나보고 은혜라도 갚으라고?
이연	(꿋꿋이 벽에 기대어 앉더니) 줘. 내가 먹을게.

이랑이 죽 그릇 건넨다. 한 입, 두 입 먹더니 수저가 허공을 내
젓는다.
형의 이런 모습 처음이다. 거칠게 죽 그릇 뺏는 이랑.

이랑	꼴 사나워서 못 보겠네.
이연	(새처럼 입 벌리고) 아. (퍽퍽 떠먹이면) 친절하게 먹여. 나 환자야.
이랑	(짜증) 됐냐!!
이연	(음미하다가) 맛없어. 다음엔 녹두죽 가져와.
이랑	뭐 이런 놈이 다 있어?

이연이 약까지 훌훌 마시고 내려놓더니 곧바로, 일어나서 밖
으로 나간다.

#22	묘연각 / 뜰 (낮)
	이연이 더듬거리며 문밖으로 나왔다. 이랑이 따라 나와서.

이랑	그 몸으로 어딜 나가?
이연	홍백탈, 그놈이 올 거야.
이랑	얼씨구?
이연	생각해 봐. 내가 앞을 못 봐. 너라면 이 기회를 놓치겠니?

이랑	(틀린 말은 아니다) 보이지도 않는데 뭐 어쩌려고?
이연	뭐라도 해 봐야지. 스스로 걷는 법이라도.

벽을 짚어 나가며 걷는 이연의 걸음, 서툴기 그지없다.
그런 형을 보고 있자니 속상하고 화도 나고. 이랑이 버럭 거리며.

이랑	직진해. (걸음 수는 실제 거리에 맞춰 변동) 다섯 걸음 더! 오른쪽! 앞에 기둥이잖아, 이 멍충아!
이연	(차분히) 방에서부터 아홉 걸음. (머리 위로 전등 보이면) 기둥. 전등.

넘어질 것 같으면 이랑이 슬쩍 받쳐 주기도 하고. 빠르게 구조 외어 나가는 이연이다.
시간 경과되면서, 벽 짚지 않고도 제법 '척척' 걷는다.
이랑도 한결 마음을 놨다. 옆에서 한가롭게 지켜보다가.

이랑	거기선 왼쪽으로 꺾어야지.
이연	(왼쪽으로 돌다가 기둥에 퍽 부딪친다) 아!
이랑	왼쪽이 아니라 오른쪽이네.
이연	일부러 그랬지, 이 자식아!
이랑	(히죽) 아닌데?
이연	(귀 기울이며) 웃고 있냐?
이랑	(신났다) 울고 있어.

구미호뎐
1938   제3화 새타니

이랑이 나무 막대기로 뭔가를 조심스레 주워 온다.

이랑	손 줘 봐.
이연	(손바닥 내밀며) 뭔데?
이랑	강정이야. 먹어.
이연	('마른 개똥'이다. 이연이 먹으려다 말고) 냄새 왜 이래?
이랑	개똥.
이연	(집어던지며) 미친놈아!!

신주가 부지런히 '떡과 술 등(액막이의 재료)' 옮기다 이랑을 보고,

| 신주 | (고개를 절레) 저렇게 신나실 줄이야. |

#23   경무국장실 (낮)
은호와 은호 부모가 국장실에 앉아 있다.
경무국장 지켜보는 가운데, 은호 아빠가 메모 들여다보며 연설 연습 중이다.

| 아빠 | 저 타와라 쇼! (아내 가리키며) 그리고 본토의 귀족인 제 아내 세이코! 저희 부부, 두 대의 비행기를 오늘 황국 군대에 바치며, 가슴이 웅장해집니다! 2,400만 신민의 평화는! 용감한 황군과 오직 천황 폐하 덕입니다! |
| 엄마 | (뿌듯하게 손뼉을 치고) 어때? 이따 이이 훈장 받을 때 연설할 건데? |

은호	(무참한 듯 눈 질끈 감는데)
국장	좋은데요. 마지막에 (일본어로) '천황 폐하 만세. 대일본 제국 만세' 넣으시면 어떨까요.
아빠	(메모하며) 그래. 듣는 사람들 막 저절로 애국심 솟아나게.
국장	애국기 두 대면 얼맙니까?
엄마	(자랑스럽게) 10만 원.

| 자막 | 당시의 10만 원은 요즘 가치로 약 50억 |

은호	(혼잣말처럼) 봉급 생활자들 죽어라 벌어도 1년 연봉이 800원 인데.
아키라	(노크하고 들어와서) 총독 각하께서 부르십니다.

은호 부모, 부산스레 일어나 먼저 경무국장실 나선다. 은호가 따라 나가려는데.

국장	(팔을 잡고) 얼굴 좀 풀지? 이렇게 영광스러운 날. (말에 가시를 담아) 누가 보면 독립운동이라도 하는 줄 알겠어.
은호	저 일본 천황께 훈장 받는 타와라 쇼 외동딸이에요. 누가 들으면 형부가 미친놈인줄 알죠.
국장	(미소로) 난 처제가 이렇게 뾰족할 때가 참 매력적이더라.

차가운 얼굴로 나가 버리는 은호. 그런 은호 뒷모습을 보며.

구미호뎐
1938   제3화 새타니

국장	종종 들여다봐라. 저 반반한 얼굴로 무슨 짓을 하고 다니는지.
아키라	(섬뜩하게 웃는) 짐작은 하고 계시지 않습니까.
국장	인간 행세를 하고 조선을 집어 삼키려면 난 이 가문이 필요해. '내 귀여운 새 신부'는 한 점 티끌도 없었으면 하고.
아키라	티끌은 지우면 되지요. 잘 어울리는 한 쌍이 되실 겁니다.

#24   묘연각 / 형제의 방 (낮)

이연이 팔 벌리고 서 있다. 이랑이 이연 옷 갈아입히는 중.
와중에 이랑이 입힌 것 꽃무늬 낭자한 여자 저고리다.

이연	뭘 입히는 거야?
이랑	(치마까지 둘러 입히며) 가만히 좀 있어 봐.
이연	(만져 보면 치마다. 집어던지며) 죽고 싶냐?!

둘이 싸우고 있는데, 신주가 문 '벌컥' 연다.

신주	'액막이'를 하시죠.
이연	액막이? 그걸로 될까?
신주	전통적인 방법이지만, 웬만한 저주는 떼어 낼 수 있을 거예요. 안대 풀어 주세요. 몸에 지녔던 물건이 필요해요. (안대 넘겨받고) 형님 그만 괴롭히고 가시죠.
이랑	나?
신주	혈육이 하는 게 확실하거든요.

#25	묘연각 / 앞 (낮)

신주가 액막이 도구 챙겨 들고, 이랑과 함께 묘연각 나선다.

보이지 않는 눈으로 배웅하는 이연.

줄곧 의연했던 이연이지만, 답답하고 불안한 마음 감출 수 없다.

'제발… 나한테 빛을 뺏어 가지 말아 줘.' 초조하게 마른세수 한다.

홍주가 한쪽에서 복잡한 심정으로 그 모습 보다가 다가가면.

이연	(표정 감추며) 홍주?
홍주	뭐야? 보이니?
이연	발소리에도 성격이 드러나거든. 넌 보폭이 좁은데, 걸음에 자신감이 넘쳐. 공격적이야.
홍주	그런 걸 안다고?
이연	눈이 안 보이니까 알겠어. 세상이 얼마나 많은 소리로 이루어져 있는지. 새 소리. 바람 소리. 풀벌레 소리. 지금 네 심장 소리.
홍주	(심장 뛰는 소리 커진다. 얼굴 살짝 붉히다가) 이리 와 봐.

#26	묘연각 / 홍주의 방 (낮)

홍주가 이연을 소파로 데려왔다.

말없이 축음기에 레코드를 얹는 홍주. 방 안 가득 아름다운 음악 소리.

이연이 고요한 얼굴로 귀 기울인다. 홍주가 포도송이 베어 물

구미호뎐
1938   제3화 새타니

고 다가온다.

이연   포도?

홍주   어린 시절을 생각하면, 아직도 포도 냄새가 나.

이연   그놈의 절. 포도가 징글징글하게 열려서 '포도사'였지.

홍주   (그리운 듯) 우리한테는 고향이자, 고아원이었어.

이연   그깟 '산신'이 뭐라고, 꼬맹이들이 그렇게 죽자 사자 굴렀나 몰라.

홍주   가끔 시간을 돌리고 싶어. 너한테 죽어라 못 잊는 인간 여자 도 없고, 신주도 없고, 동생도 없던 그 시절로. 의지할 데라곤 우리 '서로'가 전부였는데.

이연   (온화한 미소) 우린 이제 그때의 어린애가 아니니까.

홍주   (얼굴 바짝 들이대고) 네가 영원히 눈을 못 뜨면 좋겠다.

이연   왜 악담이야?

홍주   나만 아직도 그 시절을 살고 있는 게 열 받아서. 네가 나한테 무기력하게 기대 사는 꼴을 보고 싶어 미치겠어.

이연   알잖아. 그거 내 취향 아닌 거.

홍주   연아, 나 지금 너한테 기회를 주고 있는 거야.

이연   기회?

홍주   눈을 감으면, 생각보다 많은 게 보인다며. 네 스스로 깨달아 야 돼. 뭘 봐야 하는지. 눈 뜨고 있을 때 놓친 게 뭔지.

이연   …봤구나 너? 홍백탈. 그 '탈' 너머에 뭐가 있는지 넌 봤어.

홍주   (속삭이듯) '너'도 봤어.

이연   뭐?!

하는 순간, 홍주가 이연 어깨를 '툭' 밀어 쓰러뜨린다.

홍주   한마디만 하면, 난 네 편이 돼 줄 수도 있어. 아니면…(이연을 힘
        으로 꽉 누르며) 그놈보다 지독한 적이 될 수도 있고.

이연   (어마어마한 힘이다) 안 놔?!

홍주   대답해. (이연의 셔츠 단추 우두 뜯어 버린다) 넌 내 거라고.

이연   류홍주, 너 나한테 왜 이래!

홍주   좋아서 그래.

하고, 이연의 얼굴에 입술 가져다 대는데.
찰나에, 이연이 자세 뒤집어 버린다. 반대로 홍주 눕혀 놓고
양팔 제압한 채.

이연   틀렸어. 넌 항상 갖고 싶은 걸 손에 넣어야 직성이 풀리지. 그
        걸 못 참는 것뿐이야 넌.

홍주   (여유 잃지 않고) 그래서, 대답은?

이연   여우는 한 번 맺은 짝을 절대 버리지 않아. 그게, 내 답이야.

하고, 옷 추스르며 나가 버린다.
전에 없이 상처받은 얼굴. 홍주가 소파에 눕혀진 자세 그대로
누웠다가.

홍주   재유야.

재유가 와서 공손히 고개 조아린다.

홍주 가서 경성 바닥 요괴들한테 소문 좀 내고 오너라.
재유 뭐라고 말입니까?
홍주 이연이 '눈멀었다'고.

#27 묘연각 / 앞 (낮)
    매화가 묘연각 대문에 '금일 휴업' 써 붙인다. 목욕 가방 들고
    묘연각 나서는 기생들.

난초 이게 얼마만의 휴업이야?
국희 목욕탕 가서 실컷 때나 밀어야겠다.
죽향 (매화에게 걱정스레) 이래도 되는 걸까요. 손님 혼자 남겨 두고.
매화 사장님 지시야. 우리한테는 그게 법이고.

    이내 텅 빈 묘연각에는, 개미 새끼 한 마리 보이지 않는다.

#28 묘연각 / 형제의 방 (밤)
    해가 졌다. 이연이 이부자리에 앉아 물 컵 더듬는나. 수전자
    도 비어 있다.

이연 밖에 아무도 없니? 나 물 좀 줄래?

'부르셨습니까요.' 답하는 낯선 목소리.

이연   (문 열며) 처음 듣는 목소린데, 누구야 너?
남자1   장작 패다 나르는 수돌이라 합니다. 기생들 전부 목욕탕에 간
        지라.
이연   (귀 기울이며) 혼자니?
남자1   (교활하게 웃는) 예.

화면 넓어지면, 그 뒤로 무장한 사내들 살기등등하게 이연의
방 에워싸고 있다.
홍주가 불러온 요괴들이다.

이연   내 신발. (놈이 신발 신겨 주면) '손' 좀 잡아 줄래?
남자1   어디 가시려고요?

놈이 눈짓하면, 사내들 양쪽으로 '좍' 갈라진다. 아슬아슬하게
그 사이를 걸으며.

이연   수돌이라고 했지? 여기서 무슨 일 한다고?
남자1   장작 나르는 놈입니다요.
이연   그래? 이상하다.
남자1   뭐가 말입니까?
이연   네 손은 분명 '칼잡이' 손이거든.

하더니, 순식간에 검을 뽑아 놈의 팔 베어 버린다!
'아아악!!' 남자 나뒹군다! 다들 소리 없이 움찔! 그 사이로 바람이 분다!
이연의 귀 쫑긋한다! 바람에 날리는 사내들 머리카락!

이연	어림잡아도 열댓 놈이라… 뭐 하는 놈들이냐.
일동	(들켰다! 다들 무기 고쳐 잡는다!)
남자2	탈의파 밑에서 일하며, 네놈이 잡아 죽인 요괴가 몇이더냐.
이연	내가 그런 거 일기 쓸 놈으로 보이냐? 기억 안 나.
남자2	눈도 못 쓰는 놈이 여유는!
이연	(피식) 여우가 사냥을 '눈만 갖고' 하는 줄 아냐?

남자2를 단칼에 벤다! 요괴들 일제히 이연에게 덤벼든다!
이연은 한 발짝도 움직이지 않고 오로지 귀를 기울인다! 숱한 소리들이 쏟아진다!
지면을 차오르는 발자국 소리! 허공을 가르는 칼날! 누군가의 숨소리!
날아드는 공격을 모조리 막아 내면서, 예리하게 빈틈을 찌른다! 하나 둘씩 나가떨어진다!
화면 넓어지면, 조금 떨어진 곳에서 홍주가 그 모습을 태연히 지켜보고 있다!

#29   경성 거리 / 모처 (밤)

신주가 잔뜩 긴장한 얼굴로 '액막이' 준비 중이다. 소금으로
그린 원 안에 백설기와 생쌀, 술 올라간 작은 상 차려진다.
그 옆에 망치와 말뚝 놓여 있다. 이랑이 팔짱 끼고 시니컬하
게 지켜보다가.

이랑	액막이인지 뭔지 꼭 이런 데서 해야 돼?
신주	사람이 많이 밟고 다니는 길이어야 돼요. (하고, 사방에 팥을 뿌린다)
이랑	팥은 왜?
신주	잡귀 쫓으려고요. 그것들 떡 보면 환장하잖아. 몇 시예요?
이랑	(시계 보고) 12시 5분 전.
신주	(서두르는) 곧 정각이네. 들어가세요. (원 안으로 들여보내고) 이연님 머리카락?
이랑	(접어 둔 검은 종이 꺼내며) 여기.
신주	자정이 되면 태우세요. 그 다음엔 동서남북 빠짐없이 술을 뿌리고….
이랑	(짜증) 아, 몇 번을 말해?
신주	이제부턴 '혼자'예요. 끝나면 바로 자리를 뜨세요. 도착할 때까지 절대 뒤돌아보거나, 말을 하시면 안 돼요.

걱정스레 돌아보며, 멀어지는 신주.
이랑이 시계를 본다. '째깍째깍' 초침 소리 커진다.
12시 정각. 이연의 머리카락 든 종이에 라이터로 불을 붙인다.
동서남북 술 뿌리고, 생쌀을 먹기 시작한다.
그때… '쾅!' 마른하늘을 울리는 천둥소리! 이랑의 안색도 석

구미호뎐
1938   제3화 새타니

연찮게 변한다!

빠른 손짓으로 이연의 안대 펼쳐 놓고, 말뚝을 박는다!

동시에 '코피'가 터진다! 안대 위로 피 '툭툭' 떨어진다! 어디선가 '방울 소리' 들린다!

#30   묘연각 / 뜰 (밤)
        홍주가 지켜보는 가운데, 이연의 칼에 요괴들 계속 나가떨어지고 있다.

홍주   (인상을 찌푸리며) 재유야. 우리 연이 '귀'도 못 쓰게 만들어 줘야
        겠다.

재유   (알아듣고 자리를 뜬다)

        이내 앞마당 가득 퍼지는 음악 소리. 다른 모든 소리를 덮어
        버린다.

        이연, 당황한다! 자세 무너지나 싶더니, 밀리기 시작!

        쏟아지는 공격 닥치는 대로 막아 내다가 달아나듯이 뛰는 이연!

홍주   꼴사납게 도망치는 거니?

이연(E)   한 걸음, 두 걸음, 세 걸음… 다섯 걸음. (낮에 외운 묘연각 구조 생
        생히 스쳐 간다! 멈춰 서) 여기다.

        이연 뛰어오른다! 처마 밑에 매달린 전등 차례로 부숴 버린다!

묘연각 캄캄해진다! 이번에는 요괴들 당황한다!

이연   자, 이제 공평한 어둠이다.

       어둠 속에서, 우왕좌왕 몰려드는 놈들 시원시원하게 베기 시
       작하는 이연!
       홍주가 '재미없어.' 분한 얼굴로 나가 버린다!

#31   **묘연각 / 앞 (밤)**
       홍주가 재유 데리고 묘연각 나선다. 대문 나서자마자 무영과
       마주쳤다.

무영   (온화하게) 외출이야?
홍주   탈의과 할멈 호출이야. 어제 사람 하나 죽였거든.
무영   연이만 남겨 두고 괜찮겠어?
홍주   (어깨를 으쓱) 마음대로 요리해 봐. 어디 네 솜씨 좀 보자.

#32   **경성 거리 / 모처 (밤)**
       이랑이 있는 힘껏 망치질한다! 말뚝 '쏙' 박힌다!
       곧바로 원 밖으로 빠져나간다! 재빨리 묘연각으로 향하는데!
       어느 순간, 잰걸음으로 그 뒤를 따라붙는 소녀의 '작은 발' 보
       인다! 새타니다!

구미호뎐
1938   제3화 새타니

신주 목소리 위태롭게 스쳐 간다!

'돌아가는 길에 뭔가 쫓아오는 느낌이 들면 '그것'일 거예요. 절대 돌아보지 마세요!'

앞만 보고 걸으면서도, 불안한 듯 이랑의 시선 자꾸 뒤를 향한다!

이랑(E)   생각보다 훨씬 위험한 놈이다. 예감이 안 좋아.

이랑의 발걸음 빨라진다! 그에 맞춰 뒤를 쫓는 소녀의 걸음도 점점 빨라진다!

거리에는 지나가는 사람 하나 보이지 않는다!

이랑(E)   이러다 따라잡히겠어.

이랑이 뛰기 시작한다! 잡힐 듯 잡히지 않는 소녀와의 추격전! 그런데 한순간, 옆에서 '다다다' 쫓아오는 바퀴 소리 들린다! 하마터면 돌아볼 뻔 했다! '흠칫'하는데!

마적단 부두목이 반가운 얼굴로 인력거 끌고, 바로 옆에서 뛰고 있다.

부두목   어디 가세요, 두목?

이랑   ('젠장!' 모른 척 하고 뛴다. 따돌릴 셈이다.)

부두목   (신나게 따라붙는) 같이 가요!! (어느새 또 바로 옆에 왔다) 왜 모르는 척 하세요? 저 인력거 끈다고 창피해서 그래요?

이랑	(하는 수 없이 멈춰 선다. 입모양으로 '저리 가라고!!')
부두목	뭐야. 왜 말을 안 하셔?
이랑	(묘연각 방향 가리키며 '나 가야 된다고')
부두목	아, 가야 된다고? (이랑 앞에다 인력거 세우며) 태워 드려요?

이러지도 저러지도 못하던 이랑, 부두목 급소를 치고, 인력거
에 실어 놓는다.
곧장 묘연각으로 뛴다. 묘연각 대문이 코앞이다.
그런데 대문에 손을 대는 순간, 목뒤가 따끔!
뒷덜미에 의원들이 쓰는 '침'이 박혀 있다! 문 앞에서 쓰러지
는 이랑!

#33   **오복 양품점 (밤)**
'뭐가 어울리려나?' 모자, 넥타이핀, 옷 등 남성잡화 착용해 보
는 여희.
간밤, 무대에서 마주 보던 이랑의 얼굴 스쳐 간다.
그 생각에 얼굴 붉히는데, 우렁각시가 '꽃게' 바글바글 든 상
자 가지고 들어온다.

여희	(얼른 받으며) 뭘 이렇게 많이 사셨어요?
우렁각시	바다 내음 맡은 지 좀 됐잖니. 하나 먹어 봐라.

여희가 상자에 손을 쑥 집어넣는다. 작은 게 한 마리, 산 채로

'아그작' 베어 문다.

우렁각시	맛이 괜찮니?
여희	(수줍게 웃는) 붕어보다 훨 맛이 좋아요.
우렁각시	(몸에 걸친 것 보고) 그게 다 뭐야?
여희	선물하려고요. 며칠 전에 같이 왔던 형제 있잖아요.
우렁각시	형 말이지? 이연님.
여희	아니 동생이요.
우렁각시	이랑?!
여희	이름이 랑이구나⋯.
우렁각시	(걱정스레) 하지 마라 여희야. 가까이 가지 마.
여희	나쁜 놈이에요?
우렁각시	상처가 많은 애야. 너처럼 부모 한쪽이 인간이거든. 너도 알 잖니. '인간도 요괴도 아닌 자들'이 대부분 어떤 길을 가게 되 는지.
여희	(잠깐 고민하다가 흔들림 없이) 그치만 한눈에 반해 버린 걸요. 나, 그 남자랑 '사랑'을 할 거예요.

기가 차는데⋯. '사장님?!' 선우은호가 양품점에 얼굴 들이민 다. 우렁각시 나오면.

은호	(은밀히) 조만간 상해에서 폭탄이 하나 들어올 거예요.
우렁각시	뒷문 열어 놓을게. 암호는?
은호	(손가락으로 피아노 쳐 보이는)

우렁각시	도.레.미.레.도. (끄덕하고) 몸조심해.
은호	사장님도요.

하고, 잽싸게 사라지는 은호.
오복 양품점은 은호네 조직 거점 중 하나다.
잠시 후, 어둠 속에서 양품점 간판 올려다보는 아키라 모습
보인다.

#34   **경성 거리 / 모처 (밤)**
액막이 장소로 돌아온 신주, 바닥에 떨어진 이랑의 코피 자국
살피고 있다.
심각한 얼굴로 '액막이는 성공한 건가?'
그런데 몸 일으키다 말고 굳는다!
어느새 신주 뒤통수에도 이랑과 같은 침 꽂혀 있다! 눈앞이
뿌옇게 흐려진다!
그대로 쓰러지며 '이연님…' 의식 잃은 신주 앞에 누군가 서
있다. 무영이다.

무영	(신주 내려다보며) 이제 드디어… 우리 연이 '혼자'네?

잔혹하게 끌려가기 시작하는 신주. 무영이 경쾌하게 휘파람
분다.

내세 출입국 관리 사무소 (밤)

홍주가 사무소 찾아왔다. 현의옹과 마주 앉아 빵 봉지 펼친다.

현의옹   이야, 이게 진고개에서 불티나게 팔려 나간다는 그 카스테라

          구나. (먹고) 빵이 구름과자마냥 푹신푹신하다?

탈의파   (못마땅한 헛기침)

현의옹   (눈치 보고) 홍주 넌 왜 자꾸 사람을 죽이고 다니니.

홍주   (천진난만하게) 죽이면 왜 안 돼요? 걔네 다 어차피 죽어.

탈의파   (책상을 '쾅!') 한때는 산신이란 놈이 어찌!!

홍주   왜 나만 갖고 그래? 연이도 군인 많이 죽였어. 걔는 왜 봐 줘?

현의옹   그건 묘연각에 있는 연이가….

탈의파   입 닫아!

홍주   연이가 뭐? (눈을 빛내며) 왜 말을 하다 말아??

탈의파   사람 죽이고 벌서러 온 놈이 말이 많다. 한빙지옥으로 보내.

현의옹   (짠해서) 홍주도 나이가 있는데 좀 따뜻한 데 보내 주지.

홍주   (순순히 일어서며) 가요. (하다, 할멈에게) 아, 무영이 온 거 알지?

현의옹   그게 무슨 소리냐!! 무영이가 살아왔어?

홍주   (그 소리에) 할멈이 살려 준 게 아니야?!

탈의파   홍주야. 내가, 왜 자식같이 키운 무영이를 돌로 만들었을 거

          같니?

홍주   (보면)

탈의파   제 손으로, 지가 다스리던 산의 모든 것을 몰살시킨 게 그놈

          이다.

홍주   (충격으로) 그럴 리가… 무영이가 그런 짓을 할 리가 없잖아!

탈의파	그런 무영일 내가 용서했겠니.
홍주	(넋 나가서) 아니. 할멈은 절대.
탈의파	데려가.

홍주가 현의옹에게 이끌려 사라지면, 탈의파의 얼굴 무섭게 굳는다.

탈의파	대체 누가 무영이를 살려 낸 거지? 뭘 위해서?

#36   **묘연각 (밤)**
'누구 없니?' 이연이 불안한 몸짓으로 텅 빈 묘연각 배회하고 있다.
이연을 습격한 요괴들까지 다 달아난 묘연각은 괴괴하다.
기다리는 이랑과 신주는 돌아오지 않았다.
'랑아! 신주야!' 부르며 대문간 다다른다. 대문에 손을 뻗자, 뭔가 걸려 있다. 이랑과 신주의 옷(또는 소지품), 그리고 '편지'다.

이연	(냄새 맡아 보고) 랑이랑 신주 물건… (표정 싹 바뀌는) 안 돼!

편지를 펴 본다. 읽을 수가 없다. 미쳐 버릴 것 같다.
대문 열고 밖으로 나간다. 허공을 손짓한다. 지나가는 행인이라도 찾아야 한다.

구미호뎐
1938   제3화 새타니

| 이연 | 거기 누구 없어? 아무나! 아무라도 좋으니까! 내 목소리 들리면 제발… (이연 목소리만 공허하게 울린다. 절망으로 무너지며) 나 좀 도와줘…. |

하는데, 이연의 손에 누군가 닿는다. 애타게 붙잡고.

| 이연 | 너 누구니? (작은 어깨 만져 보고) 꼬마? |

그런데! 이연에게 어깨 붙들려 돌아보는 것, 다름 아닌 '새타니'다!!

이연	(다급히) 꼬마야, 이 편지 좀 읽어 줄래?!
소녀	(보지도 않고 내용 읊는) '동생과 신주가 죽어 가고 있습니다. 둘을 살리고 싶으면 북한산 동쪽 기슭에 있는 암자로 오세요. 딱 1시간 드립니다. 내가 누군지는 알죠?'
이연	(분노로) 홍백탈 이 새끼!!! (소녀의 옷깃 잡고) 얘, 나 좀 도와줄래?
소녀	…업어 줘.

소녀를 업자 '이쪽으로' 손짓하며 방향을 가르쳐 준다. 빠르게 내달리는 이연.
그 등에 붙어 '시뻘건 눈' 번뜩이는 소녀, 입이 찢어져라 웃고 있다!

#37   우물 (밤)
'살려 주세요! 아무도 없어요?!!!' 신주가 외친다!
목까지 물이 들어찬 우물! 등 뒤에 이랑이 함께 묶여 있다!

이랑   (굳은 얼굴로) 살려 줄 생각이면 이런데 집어넣었겠냐?
신주   다 죽게 생겼는데 뭐라도 해 봐야죠!
이랑   줄부터 풀어.
신주   (풀려고 힘주며) 힘으론 안 돼요!

이번에는 이랑이 몸부림치듯 힘을 준다!
덕분에 신주가 '캑캑' 물을 마신다! 그래도 안 풀린다!

신주   이연님이 구하러 올 거예요.
이랑   앞도 못 보는 놈이 잘도 오겠다?
신주   눈이 아니라 손발이 다 없어져도, 이연님은 이랑님 구하려고
         무슨 짓이든 할 거예요. 이랑님도 그러실 거고.
이랑   (벽으로 밀어 버리는) 네가 어떻게 알아? 니들이 나에 대해 뭘 안
         다고 마음대로 지껄이는데?!
신주   설명은 못 해도 알아요. 이랑님이 얼마나 여리고 따뜻한 분인
         지. (작게) 김치 냉장고도 사 주고.
이랑   니들 정체가 대체 뭐냐? 것도 비밀이야?! 수백 년을 남처럼
         지내다 갑자기 내 인생에 쳐들어와서 친한 척, 착한 척 작작
         좀 해. 역겨우니까!
신주   (다급히) 잠깐만요! 아까보다 수위가 높아진 것 같지 않아요?

구미호뎐
1938   제3화 새타니

보면, 아까는 목까지 차 있던 물이 어느새 입까지 넘실대기 시작했다!
두 사람의 얼굴 파랗게 질린다!

#38　　　산 / 초입 (밤)

암자로 가는 산의 초입.
멀리서 '불경 외는 소리' 들린다. 이연이 소녀를 내려놓는다.
'고맙다 꼬마야.' 머리 한 번 쓸어 주고, 불경 소리 지표 삼아 곧장 뛴다.

이연(E)　　　랑아. 신주야. 제발 살아 있어라!

그런 이연의 뒤를 누군가 밟고 있다. '활'을 멘 무영이다!
이연이 귀를 기울인다! 이연의 보폭에 맞춰 빨라졌다 느려졌다 하는 발걸음!

이연(E)　　　성인 남자의 보폭… 사람이 아냐. (가까이 오길 기다렸다가) 그놈 이다!

돌아서며 매섭게 검 휘두르는 이연!
무영이 가볍게 피하더니 몸을 틀어 이연에게 활을 쏜다!
첫 발은 빗나갔다! 두 번째, 세 번째 화살은 검으로 막았다!
네 번째 화살이 아슬아슬하게 이연을 피해서 나무에 박힌다!

무영이 '픽' 웃는다!

이연(E)   일부러 비켜 쏘고 있어. 나를 가지고 노는 거야. 토끼몰이라
         도 하듯.

         하자마자, 다음 화살이 이연의 어깨를 스친다!
         이연이 신음한다!

이연   젠장! 눈만 아니면… 눈만!!

         하지만 곧바로 날아온 다음 화살이 정확히 '발목'을 관통한다!
         신음하며 고꾸라지는 이연! 무참한 얼굴로 외친다!

이연   너 나 알지? 우리, 무슨 사이냐? (바닥을 기듯 하며 절규하는) 무슨
         사이길래 나한테 이러냐고?!!
무영   (싸늘한 얼굴로 바라본다)
이연   (절망으로 머리 싸매고 있다가 고개를 들고) 받아!

         이연이 항복하듯 스스로 검을 던져 준다. 무영이 한 손으로 받
         았다.

이연   (무릎 꿇다시피) 뭔지 몰라도 내가 다 잘못했어. ('하늘' 올려다본다)
         나 너랑 싸울 생각도 없고….
무영   (한심한 듯 이연에게 다가간다)

| 이연 | 그러니까 제발 랑이랑 신주만… 제발. |

하다 말고, 가만히 귀를 기울이더니, '씩' 웃는다.
'웃어?' 무영이 '흠칫'하는 순간 '쾅!!!' 귓전을 때리는 굉음과
함께 내리치는 번개!
무영이 든 '이연의 검'을 피뢰침 삼아 무영을 강타한다!
그 사이, 이연이 발목에 박힌 화살촉 부러뜨리고, 박혀 있던
화살 뽑아낸다!

| 이연 | (손 펼치면 이연의 검도 회수된다!) 피뢰침이다. 이 새끼야. |

더는 일어서지 못하는 무영을 뒤로하고, 곧바로 암자로 뛰는
이연!

| #39 | **우물 (밤)** |

아까보다 수위가 더 높아졌다!
이랑과 신주, 날카로운 우물 모서리에 '서로를 묶은 줄'을 문
지르고 있다!
안간힘을 쓰면서 서로를 옭아맨 밧줄 풀어낸다!
하지만 각각의 손발도 묶여 있다! 신주가 숨 들이마시고 잠
수한다!
이랑의 손에 묶인 밧줄 물어뜯어 보지만, 이내 숨이 가빠진
다! 올라온다!

이제 까치발을 디뎌도 물이 입으로 넘어온다!

이랑	(어깨 내밀며) 올라가!
신주	이랑님 먼저!
이랑	닥치고 올라가라고!!

신주가 이랑 어깨를 딛고 우물 기어오른다! 자꾸만 미끄러진다!
사이에 이랑의 호흡 점점 가빠온다! 그 가슴께에서 '비늘'이
반짝 빛을 발한다!

#40   클럽 파라다이스 (밤)
색조 화장을 하던 여희, 가슴에 둔탁한 통증을 느낀다.
이랑에게 무슨 일이 일어났음을 직감한다.

#41   암자 (밤)
이연이 천신만고 끝에 암자에 도착했다.

이연	랑아! 신주야!! 내 목소리 들리니? 대답해!!

불경 소리 나는 곳 더듬어 본다. 소리는 해골 승려 몸에서 흘
러나오고 있다.

| 이연 | (치워 버리고) 젠장!!! (절망으로) 내 눈 좀 돌려줘… 제발!! |

그 눈앞에 새타니 소녀 나타난다.

소녀	(서늘한 눈빛으로) 찾아 줘. 내 이름.
이연	(!!!) 그 목소리… 아까 그 꼬마지?! 설마 네가….
소녀	새타니.
이연	(소녀를 잡으려 하며) 내 눈 훔쳐 간 게 네놈이지? 내놔!!
소녀	(이를 드러내며) 약속을 어긴 건 너야!

그러자 이연이 눈을 쥐고 신음한다! 이연의 두 눈에서 흐르는 피!

소녀	찾아 줘! 내 이름!
이연	('대체 무슨 소릴까.') 이름? 그딴 걸 내가 어떻게 안다고….
소녀	죽어 버려!

마치 눈이 타 들어가는 가는 것만 같다!
당장이라도 허물어질 듯한 모습으로! 찰나, 이연이 소녀의 팔 거칠게 움켜쥔다!

| 이연 | 잡았다! |

그 순간, 소녀의 손목에 '방울' 흔들린다! 맑게 울리는 방울

소리!

이연   (!!) 방울? 이 소리 분명 어디서….

#42   몽타주 (낮)
        다음 순간, 이연이 연못이 보이는 숲 한가운데 서 있다. 환한
        햇살 쏟아진다.

이연   여긴… 내가 다스리던 숲?!

        뭍에서 헐떡이던 비단잉어, 연못으로 돌려보내는 소녀의 모
        습 보인다.
        지금과 달리 앳되고 어여쁜 얼굴, '노란색 한복'을 입고 있다.
        산신이던 '과거의 이연'이 소녀에게 말한다. 늘 그랬듯 자신
        감 넘치는 태도로.

이연(과거) 네가 살려 보낸 잉어는 그 연못 주인의 자손이다. (방울 건네며)
          상으로 이걸 주마.
소녀   이게 뭐예요?
이연(과거) 딱 한 번 소원을 들어줄게.
소녀   (표정 환해진다)
이연(과거) 이름이 뭐냐?
소녀   내 이름은… 나는… (뒷말은 흐릿해서 들리지 않는다)

지켜보던 '현재의 이연'이 답답한 듯, 소녀에게 다가가 어깨를 흔들며!

이연   말해! 네 이름이 뭐야?!

하기 무섭게, 소녀의 눈이 피 흘리듯 시뻘겋게 변한다!
민들레 홀씨 날린다. '쌍둥이 자매'가 홀씨 '후후' 불며, 손 맞
잡고 집으로 가는 길.
하나는 아까의 노란 한복(지금의 새타니), 하나는 분홍 한복이다.
노란 한복의 손목에, 부적처럼 이연이 준 '방울' 매달려 있다.
가난한 초가에 이르자, 취한 아버지와 얘기 중이던 무당이 자
매를 보고 눈을 빛낸다.
마당에 술병 나뒹군다. 무당이 분홍 한복 가리키며 '저 아이
로 하겠습니다.'
작별의 시간이다. 쌍둥이, 방에서 서로를 아프게 끌어안는다.
분홍 한복이 서럽게 울며 '언니. 나 가기 싫어. 무서워.'
노란 한복이 그 눈물 닦아 주며 작심한 듯 '바꿔 입자.'
잠시 후, 동생과 옷을 바꿔 입은 분홍 한복이 무당의 손을 잡
고 집을 나선다. 울고 있는 동생을 아프게 돌아보며.
다음 순간, 이연이 커다란 '장독대' 앞에 서 있다!
속에 사람이 있음을 증거 하듯 방울 소리만 외로이 들린다!
장독대 속에서 흐느끼는 소녀 목소리!

소녀(E)   집에 가고 싶어… 목말라… 죽기 싫어. 산신령님 살려 주세요.

이연	(충격으로 '쿵!!')
소녀(E)	(훌쩍이다가 분노로) 동생이랑 옷을 바꿔 입지 말 걸 그랬어… 미워. 아버지도 동생도 신령님도 전부….

#43　　　암자 (밤)

그 장독대에서 화면 넓어지면, 이연이 암자의 장독대 마주하고 있다!
새타니 소녀가 어느새 이연의 눈앞에 서 있다! 그 손에 번뜩이는 작은 칼날!

소녀	왜 안 왔어?
이연	그때 난 이미… (고통스럽게) 산신이 아니었거든. 산신의 직을 버렸다. 한 여자를 구하려고.
소녀	그 대가를 치르는 거야! (칼을 들고 악귀처럼 달려드는) 이제 넌 아무도 구할 수 없어!
이연	(피하지 않고, 대신 소녀를 안아 준다) 미안하다. 너무 늦어서.

칼날이 이연의 가슴을 정면으로 파고든다!
아랑곳 않고 소녀를 더 '꽉' 끌어안아 준다! 오롯한 이연의 진심이다!
그 순간! '내 이름은…' 말해 주던 소녀의 입모양 떠오른다!

이연	(눈을 뜨고) 기억났어. 네 이름.

소녀	내 이름?

하는 순간, 이연이 눈앞의 장독대 있는 힘껏 부숴 버린다! 장독대 박살난다!

이연	네 이름은 진달래의 '달래'야.
소녀	달래… 진달래.

자신의 이름을 되뇌면서, 소녀의 얼굴 옛날처럼 앳된 얼굴로 바뀐다!
동시에 이연이 눈을 뜬다! 소녀를 붙들고!

이연	이제 널 가두는 건 아무것도 없어. 새타니 같은 거 그만 해도 돼.
소녀	(눈물 그렁그렁해서) 새타니가 아냐… 나는… 달래.
이연	(머리 쓸어 주는) 무서웠지? 장독대 안에서 혼자 죽어 가면서.
소녀	(울먹울먹 하더니 '와앙-' 아이처럼 울음 터뜨린다)
이연	다음 생에는 평범한 아이로 태어나서 무당이든 홍백탈이든, 누구의 도구도 되지 말고 살아. (토닥이며) 이 작은 몸으로 사느라 고생했다.
소녀	(이연이 준 방울 소중히 들고) 소원. 들어줘서 고마워. 동생은 (방향 가리키며) 서쪽 우물에 있어.

이연이 곧장 우물로 뛴다.
뛰다가 돌아보면, 소녀의 주변이 빛으로 환해진다.

빛 속에, 소녀를 마중 나온 듯 노란 한복 차림의 '동생' 보인다.
'언니!!' 반갑게 부르며 손을 내민다. 소녀가 그 손을 잡는다.
암자를 떠나며 먹먹하게 웃는 이연.

#44   우물 (밤)
'이연님!!' 부르는 신주 목소리! 이연이 우물로 줄을 내리고
있다!
신주가 줄을 잡았다! 이연이 발로 버티고 끌어올린다!

이연   랑이는?!
신주   제 뒤에!

하며 돌아보면, 이랑은 이미 숨을 못 쉬고 축 늘어졌다!
신주가 손 뻗기 무섭게, 물속으로 깊이 잠겨 들어가는 이랑!!
그때! 누군가 한달음에 뛰어와 우물로 뛰어든다!
'여희'다!! 물속에 들어가자마자 인어 꼬리 돋아난다!
의식 없이 가라앉는 이랑을 붙들고, 그 입에다 '훅' 숨을 불어
넣는다!
이랑이 물속에서 눈을 뜬다!
시간 경과되면, 신주는 우물 밖에 기진맥진해서 누워 있고,
우물 속 이랑과 여희를 힘껏 끌어올리는 이연! 다들 무사히 살
아 나왔다!

#45   동굴 감옥 (밤)
그 시각. 살갗을 에는 바람 소리 들린다. 구미호뎐에서 이연이 묶여 있던 동굴 감옥.
쇠사슬에 양팔 묶인 홍주가 형형한 눈빛으로.

홍주   할멈이 무영이를 살려 준 게 아니란 말이지. 한데 무영이랑 연이가 '같은 날' 경성에 나타났고… (살기 어린 눈빛으로 웃는) 니들, 정체가 뭐냐?

#46   숲 / 모처 (밤)
무영이 절뚝거리며 숲을 벗어나고 있다. 이빨을 드러낸 채 웃는다.

무영   연이랑 노는 건, 여전히 재밌단 말이야. (돌아보며 서늘하게) 연아, 넌 영원히 '과거'에 갇혀서 네가 아끼는 모든 게 죽어 가는 걸 보게 될 거야.

#47   우물 (밤)
이랑이 밭은기침을 토해 낸다. 긱징스레 이랑의 등을 두드리는 여희.
이랑 손가락에 붉은 빛으로 '은혜의 반지' 돋아난다.
이연이 그 낯선 광경을 마치 부모 된 심정으로 바라보며.

이연(N) 그날, 내게도 처음 버킷리스트라는 게 생겼다. 내가 떠나도, 랑이 옆에 누군가 있어 주면 좋겠다. (만신창이가 된 몸 털고 일어선다. 그 눈빛 매섭게 변해 있다) 적어도 쟤들이 살아갈 시대에 홍백탈 같은 거. 절대, 살려 두지 않을 거야.

둘도 없는 친구에서 '적'이 되어 만난 셋의 모습, 한 화면에 잡히면서!

3화 끝

업둥이

I

#1   묘연각 / 형제의 방 (낮)

방 안에 '미묘한 긴장감' 흐른다. 이랑을 간호 중인 여희 때문.
화면 넓어지면, 구석에 붙어 앉아 흥미롭게 관전 중인 이연과
신주.

이연   (둘이 속닥속닥) 랑이 왜 못 일어나는 거야? 많이 아픈가?

신주   제가 볼 때 지금 깼어요. 민망해서 자는 척 하시네.

이랑   (이마만 꿈틀)

여희   (세숫대야 들고 일어선다) 얼음물 좀 받아 올게요.

신주   (들어 주는 시늉) 아이고 무거울 텐데.

여희   괜찮아요.

여희 나가면, 이연과 신주가 잽싸게 다가간다. 이랑을 '쿡쿡'
찌르며.

이연   야! 깼냐? 일어나 봐. 빨리빨리.

이랑	(꼿꼿하게 자는 척)
이연	안 일어나? 기껏 대사 연습까지 해 갖고 왔더니.
신주	리허설 함 가시죠.
이연	그럴까. (감정 잡고) 뭐? 상대가 인어라고? (신주 멱살 쥐는) 명색이 구미호인 우리 집안에 '해산물'이라니!!
신주	(뿌리치며) 또! 또 시작이지! 입만 열면 우리 가문이 말이야! '4대 산신 중 하나를 배출한 명문가' 어쩌고저쩌고!
이연	(뺨 때리는 척) 내가 널 어떻게 키웠는데!
이랑	(극도로 분노 조절 중)
신주	(크흑) 제발 우리 그냥 사랑하게 해 주면 안 돼?!
이랑	(일어나서 베개 집어던지는) 둘 다 꺼져!!

이연과 신주, 짓궂게 웃으며 방을 빠져나온다.
여희가 세숫물 들고 돌아오면서, 이랑과 둘만 남았다.

여희	(환하게) 깼네?
이랑	(이 상황이 곤혹스럽기만 하다) 보시다시피 멀쩡해.
여희	(이랑 이마 짚어 보고) 아직 미열이 좀 있는데?
이랑	(!!) 손대지 마. (고개 획 돌리더니) 우물에 뛰어든 목적이 뭐야?
여희	(해맑게) 네가 죽어 가고 있었잖아.
이랑	쓸데없는 빚이 생겨 버렸어.
여희	그럴 땐 그냥 고맙다고 하는 거야.
이랑	여우는 싫으나 좋으나 은혜를 갚아야 돼. 특히 '목숨'에 관해서는. 원하는 게 뭐야?

여희	음… 나는 (최대한 사랑스럽고 순수하게) '사랑'이 하고 싶어.
이랑	?!!!!
여희(E)	(당황하는 이랑을 보며 씩 웃는) 상당히 자연스러웠어. 반쪽이란 이유로, 인간과 요괴 양쪽에 까이기만 하던 내 흑역사도 이걸로 끝. 드디어 나도 진정한 사랑을…. (하는데)
이랑	제 정신이 아니네.
여희(E)	이게 안 먹혀?!
이랑	(서늘하게) 내가 '중매쟁이'로 보여?
여희(E)	심지어 말귀도 못 알아먹었어!
이랑	차라리 죽이고 싶은 놈을 말해. 마을 하나쯤 날려 줄 수도 있으니까.
여희	(예상했던 그림이 전혀 아니다. 애써 미소로) 그건 됐고. 그럼 내 소원 들어줄래?
이랑	소원?
여희	자잘하게 일곱 개 정도?

#2   묘연각 / 뜰 (낮)

이연이 기분 좋게 하늘 보고 드러누웠다.
조청에 가래떡 찍어 먹다 말고, 문득 눈물 흘리는 신주다.

이연	너 우냐?!
신주	1938년에 던져져 갖고 죽어라 개고생만 했잖아요. 근데 처음으로 여기 오길 잘했단 생각이 들어요. 이랑님 저런 모습도 보고.

이연	(따뜻한 투로) 그러게. 랑이가 살아서 보통의 연애를 하고, 가족을 만들고, 평범하게 사는 걸 수도 없이 꿈꿨는데….
신주	문제는, 당사자가 연애는커녕 여자 손 한 번 못 잡아 본 모태솔로란 거. (하며, 품에서 수첩과 볼펜 꺼낸다)
이연	계획이라도 있니?
신주	일단 ('장여희 이랑' 쓰는) 이름 점을 쳐서 둘이 궁합 점수를 봐야죠.
이연	그거 하나도 안 맞잖아!
신주	이름 점은 과학이에요. 저랑 우리 여보랑 99점 나왔어.
이연	나랑 지아는 왜 25점인데?!
신주	어우 이 커플도 23점밖에 안 나오네?
이연	(팔 괴고 누워서 하늘 보며) 아… 나도 지아 보고 싶다.
신주	걱정되세요? 현의옹 어르신이 지켜 주시는데?
이연	오기 전에 서울에 장마 예보가 있었어. 지아 맨날 우산 잊어버리거든.

구미호뎐 플래시백 14화 에필로그
비오는 날, 이연이 빨간 우산 쓰고 지아 데리러 갔던 모습 스쳐 간다.

이연	(그 기억에 그리운 듯) 나 없는 사이에 혼자 비 맞으면 어쩌지.

그러고 있는데, 어디선가 분위기 깨는 '뻐꾹뻐꾹' 소리.

신주	웬 뻐꾸기래?

구미호뎐
1938   제4화 업동이 I

이연	(밖으로 나가며) '아는 뻐꾸기'야.

#3 묘연각 / 앞 (낮)

이연이 묘연각 대문 열고 나간다.

보면, 마적단 부두목이 뻐꾸기 소리를 내며 담장에 매달려 낑낑댄다.

이연	너 뭐하냐?
부두목	(반갑게) 안녕하세요. 두목님 형님.
이연	대문 놔두고 꼭 그런 식으로 등장해야 돼?
부두목	자고로 마적단이란, 대문으로 다니는 게 아니라고 우리 두목이.
이연	내려와. (구석으로 끌고 가서) 알아봤니?
부두목	('홍백탈 초상화' 내보이며) 이것을 우리 애들한테 좍 돌렸지 말입니다. 경성 빠꼼이들이거든요.
이연	그랬더니?
부두목	(은밀하게) 조선은행 뒤편에 으리으리한 문화 저택이 있습죠. 금광으로 벼락부자 된 박가란 놈 집인데….

인서트   박가의 집

깊은 밤. 집주인인 중년 사내가 금고를 연다.

속에 금괴와 돈, 권총, 번쩍번쩍한 보석함 놓여 있다.

사내가 금괴 몇 개를 더 채워 넣고, 탐욕스럽게 훑는다.

그런데! 금고 문 닫으면, 거기 비치는 누군가의 그림자!
경악해서 돌아보면 '홍백탈'이다!

이연 홍백탈이 강도짓을?!
부두목 예, 경성에 '7대 금광 재벌' 아시죠? 딱 그자들만 표적으로 삼아서 벌써 여섯을 털어 먹었답니다.
이연 훔쳐 간 물건은?
부두목 그것이 이상한데. 돈, 금괴, 땅문서 귀한 건 다 놔두고 '패물함'만 들고 갔대요.
이연 ?!!

#4 무영의 아지트 (낮)
무영이 털어 온 보석함 '우르르' 쏟아 놓는다.
온갖 금반지, 목걸이, 보석 등 그득한 가운데, 찾는 물건은 없는 모양.
'여기도 아니네?' 갸웃한다.

#5 경성 거리 / 모처 (낮)
궁색한 차림의 빈민들 오가는 곳. 동냥하는 소년의 바구니에 '금반지' 던져진다! 이어 어디선가 '금이다!!!' 외치는 소리!
홍백탈 쓴 무영이, 훔친 패물을 하늘 높이 던져 올린다!
햇빛에 영롱히 반짝이는 금붙이들!

시간 경과되면, 이연과 신주가 그 자리에 와 있다.
이빨로 금 깨물어 보며 싱글벙글한 노인, 패물을 놓고 다투는
남녀 등을 보며.

신주	갑자기 의적이라도 된 거야 뭐야?
이연	놈의 '진짜 목적'이 뭘까?
신주	그야 이연님한테 복수하는 거? 뭔 원한이 있으니까 눈도 못 쓰게 하고, 나랑 이랑님 납치했겠죠.
이연	그게 다가 아니라면?
신주	네?
이연	그놈은 우리랑 '같은 시대'에서 왔어. 복수가 목적이면 지아를 노리지 않았을까? 나한테 제일 치명적인 약점이니까. 근데 '굳이 과거로' 날 끌고 왔단 말이야.
신주	1938년인 이유라도 있는 걸까요?
이연	(빠르게 자리를 뜨며) 잡아서 물어보자.
신주	어떻게요?!
이연	7대 금광 부자 중에 아직 안 털린 집이 하나 있어.

#6   선우은호의 집 (밤)
'다녀왔습니다.' 은호가 퇴근했다.
화려한 목걸이, 팔찌 걸치고 거울 앞에 선 은호 엄마 보인다.
그 옆에 커다란 보석함 열려 있다. 안에 눈부신 금은보석이
가득.

은호	목걸이 또 샀어? 팔찌도?
엄마	엄마가 곱게 차다가 은호 시집갈 때 물려줄게.
은호	이게 다 얼마짜리야?
엄마	(자랑스레) 저렴하게 샀어. 세트에 천오백 원.
은호	천오백?! 그 돈이면 소가 15마리고, 쌀이 100가마야!
엄마	(천진하게) 쌀가마나 소는 파티에 차고 갈 수가 없잖아.
은호	빈민들은 입 하나 줄이려고 핏덩이 같은 애까지 내다 버리는 세상이에요.
엄마	우린 빈민이 아니잖니. 왜 그런 사람들하고 비교를 해.
은호	(믿지 않게 흘기며) 하여튼 우리 엄마 뼛속까지 귀족 아니랄까 봐.
엄마	잔소리하지 마. (약봉지 찾으며) 네 엄마 머리 아파.

#7   **선우은호의 집 / 앞 (밤)**

그 시각, 이연과 신주가 숨어서 은호네 집을 올려다보고 있다. 둘 다 눈에 띄지 않는 검은 옷차림. 이연은 '엿'가락 '쪽쪽' 빨아먹는 중.

신주	여기가 일명 '금광왕'이라고 불리는 선우찬네 집이에요.
이연	집주인은?
신주	경기도 출장. 현재 집엔 부인과 딸만 있는 걸로 추정됩니다.
이연	잘 됐네. (복면 건네며) 가서 패물함 훔쳐 갖고 와.
신주	제가요?? 저 평생 남의 팬티 한 장 훔쳐본 적 없는 놈인데요?
이연	그럼 내가 하리? 명색이 '전직 산신'인 내가?

신주	그냥 잠복하다가 홍백탈 오면 때려잡으시죠.
이연	홍백탈도 잡고, 물건도 가질 거야. (복면 씌워 주고) 갔다 와.

신주가 죽상을 하고 은호네 집으로 향한다.
'파이팅!' 해 보이는 이연을 어디선가 은밀히 지켜보는 시선 '홍백탈'이다.

#8	선우은호의 집 (밤)
	생애 첫 도둑질. 신주가 대문 앞에서 깊은 심호흡하고 담을 뛰어넘는다.
	이내 포복과 덤블링으로 현관 향하는데.

이연	(그 모습 보며) 어우, 저거 영화를 너무 봤네.

신주가 안에 들어왔다. 집안은 어둡고 고요하다.
긴장감으로 심장 소리만 터질 듯한 가운데, 까치발로 집을 뒤진다.
신주는 모르지만, 마치 공포 영화처럼 그 뒤를 지나쳐 가는 검은 그림자.
거울 앞에서 보석함 발견했다. 떨리는 손으로 챙기는 순간.
'철컥-' 소리와 함께 뒤통수에 서늘한 감촉!

은호	양손 머리에 올리고, 그대로 돌아서.

신주, 얼어붙었다. 그런데 서서히 돌아서면. 눈앞에 권총 들이댄 그 얼굴!!

신주　여보? 유리 씨??! (감격해서) 나 찾으러 왔구나!

은호　(권총으로 퍽 가격하고) 개수작 부리지 마.

신주　(맞고도 좋다고) 나 진짜 자기 가정 폭력까지 그리웠잖아.

은호　(미친놈인가 이마에 총 들이대며) 이게 뭘로 보이니?

신주　(자신 있게) 우리 사랑의 시작. 처음 만났을 때 자기가 이렇게 총 들고 나 협박했잖아. (팔 벌리고 다가오는) 한 번만 안아 줘.

경악한 은호가 주저 없이 방아쇠 당긴다! '탕-' 옆구리에 맞았다!
나지막한 비명과 함께 쓰러지는 신주!

은호　우리 집에 강도 든 게 처음인 줄 아니? 네가 서른여섯 번째야.

신주　(그제야 빤히 보며) 유리 씨가 아니야?!

은호　내 이름은 선우은호야. 네 몸에 빵꾸 낸 여자 이름 정돈 알아 둬.

신주　(울컥) 미안합니다.

은호　미안해? 뭐가?

신주　저도 좋아서 이러는 건 (잽싸게 보석함 들고 튀며) 절대 아니거든요!!

은호가 집안의 종을 울리면, 마당 곳곳에서 총 든 경호원 튀어나온다!

신주에게 총을 쏜다! 요리조리 피하다가 몇 발 더 총을 맞는다! 따가워 어쩔 줄 모르면서도 그대로 담 넘어 사라지는 신주!

은호	(그 뒷모습 충격으로 보다가) 총을 맞고 저렇게 뛸 수 있다고?!

#9   선우은호의 집 / 앞 (밤)

신주가 보석함 들고 뛰어나온다!

신주	저 집에 유리 씨랑 똑같이 생긴 여자 있어요!
이연	아! 선우일보 기자? 나도 봤어!
신주	왜 말 안 했어?!!
이연	저 집이 걔네 집인지는 몰랐지!
신주	(보석함 던져 주고) 홍백탈은요?
이연	(뒤쪽 눈짓하며 서늘하게) 아까부터 와 있던데?

이연이 보석함 들고 곧장 뛴다. 다친 신주는 절뚝이며 반대쪽으로 멀어진다.
탈을 쓴 무영, 둘이 사라진 방향을 주시한다.

#10   경성 거리 (밤)

인적 없는 밤거리. 이연이 뛰고 있다. 자신의 뒤를 밟는 소리에 귀 기울이며. 적절히 속도 조절하다가, 한순간! 보석함 내려놓고 홍백탈 급습한다!
흔들림 없이 막아 내는 무영!

이연   (쾅! 치고) 힘이 좋네? (다시 '쾅!!' 막아 내며 자세 잡는 것 보고) 밸런스
         도 꽤 좋고. (희미한 미소로) 근데 육탄전 경험은 의외로 많지 않
         구나. 왜지? 다른 재주 있니?

         무영이 맞부딪쳐 온다! 맨손으로 무시무시하게 싸우는 두
         사람!
         몰아붙였다 밀렸다 하더니 이연이 제대로 한 방 맞고, 더 독
         하게 돌려준다!

이연   어디 내 스토커 얼굴 좀 보자.

         이연이 탈에 손을 댄다! 그 순간! '탕-' 소리와 함께 이연의 오
         른손에 구멍 난다!

이연   (예상치 못한 공격에 열 받은) 요괴 새끼가 추잡하게 총을 써?

         무영은 곧장 보석함 들고 나른다! 이연이 그 뒷모습 망연히
         보는가 싶더니!

이연   랑아!!

구미호뎐
1938   제4화 업동이 I

동시에! 이랑의 도끼 날아든다!

무영이 피하지만, 간발의 차로 종아리 '사악' 베인다!

대기하고 있던 이랑과 마적단, '우르르' 튀어나와 무영을 포위하듯 에워싼다!

이랑   나를, 두 번이나 죽이려고 했겠다?

이연   (이랑 어깨를 툭 치며, 무영에게) 우리 오늘 아주 날 잡았잖아.

잠시 멈칫하던 무영, 숫자가 많은 마적단 쪽을 뚫고 골목으로 향한다!

부두목   그리 가 봤자 길 없다!

이연과 이랑이 뒤를 밟는다.

그런데 '두목!!' 다급히 부르는 부두목 목소리.

보면, 민가의 어둠 속에서 모습을 드러내는 것! 뜻밖에도 '수많은 홍백탈'이다!

저마다 낫이며, 곡괭이 들고 마적단에게 덤벼든다! 순식간에 아수라장!

이연   (가만 둘러보다 '한 사내 앞에' 멈춰 선다) 화약 냄새.

놈을 가격한다. 품에서 권총 떨어진다. 탈을 벗긴다. 그런데 무영이 아니다?!

겁에 질려 눈 질끈 감는 노인, 낮에 '금덩어리 깨물어 보던' 그 노인이다.

이랑이 다른 놈 탈을 벗긴다. 이번에는 앞 씬에서 동냥하던 '거지 소년'이다.

이랑이 휘파람 불면, 마적단 일제히 공격을 멈춘다.

이연	(성가신 듯) 니들 뭐냐?
노인	(탈 가리키며) 그분이 준 금덩이로 마을 전체가 먹을 식량을 샀소
이랑	인간 방패네.
이연	아니, 이 정도로 베일에 싸일 일이야? 지가 뭐라고?
이랑	가면 싹 다 벗겨 보지 뭐.
이연	소용없어. (숱한 홍백탈 둘러보며) 그 자식 벌써 여기 떴어.
이랑	(인상을 팍) 물건은?!
이연	(의미심장한 미소)

#11   골목 (밤)

무영이 보석함 확인하고 있다. 손에 뭔가가 찐득 묻어난다. 오만상 찌푸린다.

텅 빈 보석함에는 이연이 잠복하며 빨아먹던 '엿'이 들어 있다.

무영(E)   (굳었다가, 이내 서늘한 얼굴로) 조만간 찾으러 갈게. 연아.

묘연각 / 형제의 방 (밤)

이연과 이랑이 돌아왔다.

신주가 바지춤 안에서 보석들 꺼내 놓는다. 총 맞은 부위에는 간이 붕대 붙여 놨다.

처음부터 보석은 신주가, 이연은 보석함만 챙겼다.

이랑   (차례로 빛에 비춰 보며, 감정하듯) 꽤 값나가는 진품이긴 한데. 그래봤자 보석이야. 이것도… 이것도.

이연   그놈은 뭘 찾고 있는 거지?

신주   잠깐만요. (바지 앞섶에서 작은 상자 꺼낸다) 마지막 한 개.

이연이 찝찝한 듯 받아서 상자 연다. '황금빛 자'가 신비로운 빛을 발한다.

이연   뭐야 이건?

신주   설마… (눈 휘둥그레져서) 진짜 금척이야?!!

이랑   (확 낚아채는) 금척이라고?!

자막   금척(金尺) - 황금으로 만든 자

이연   좋은 거야?

신주   왜 그 전설 있잖아요. '금척을 얻는 자, 죽은 자를 살리고 그 이름을 떨치리라.' 이걸로 시체의 가로세로를 재면 죽은 자도 살아난다는 보물이에요!

이연	그런 보물이 왜 여기 처박혀 있냐?
신주	뭐에 쓰는 물건인지 몰랐겠죠.
이랑	몇 년 전에 소문이 돌았어. 북쪽의 한 금광에서 '신라왕의 금척'이 발견됐다고. 뜬소문인 줄 알았는데.
이연	죽은 자를 살리는 보물이라… 근데 홍백탈은 누굴 살리려는 걸까.

#13　　무영의 아지트 (밤)

그 시각, 무영이 마당에 들어서다 말고 얼어붙는다!
툇마루에 태연히 앉아 무영을 기다리는 것, 탈의파다!

탈의파	(다정하게) 오랜만이구나.
무영	할멈?!!
탈의파	내가 너무 빨리 등장했니? 천무영이 날뛰는 거 좀 더 지켜보려고 했는데. '실물' 본지도 오래됐고 해서 겸사겸사. 차 한 잔도 안 주니?
무영	(시니컬하게) 할멈은 대체 어떤 인물이야? 할멈 손에 컸고, 할멈 손에 죽어 가면서 나 좀 헷갈리더라고.
탈의파	나야 전형적인 관료주의자 아니냐. 필요해서 니들을 키웠고, 필요에 의해 제거했다.
무영	간단명료해서 좋네. 덕분에 무슨 짓을 해도 마음 편할 거 같아요.
탈의파	(웃음기 머금고도 서늘하게) 불편하라고 온 거야. 인마. 내가 널 내

버려 두는 이유는 하나뿐이다.

무영   답을 못 찾았거든. 할멈이 돌로 만든 놈이 어떻게 살아 돌아
        왔는지. 누가 감히, 할멈이 다스리는 이승과 저승의 경계를
        뒤흔드나.

탈의파   우리 무영이 많이 변했네. 눈 똑바로 뜨고 나한테 개길 줄도
        알고.

무영   (이를 악물고) 당신이, 날 버렸잖아.

탈의파   (피식) 악역을 하기로 마음먹은 놈이 그렇게 상처받은 얼굴을
        하고 있음 어떡하냐. (무영 손에 든 홍백탈 씌워 주며) 그래서 '가면'
        이 필요했구나.

        탈을 쓰고 정면으로 할멈을 마주 보는 무영. 자신의 거친 숨
        소리만 들린다.

탈의파   왜 이 시대로 왔니? 뭘 위해서.

무영   형을 되살리고, 당신과 이연한테 내가 잃은 모든 걸 되찾으
        려고.

탈의파   나쁜 짓 하려면 밥 잘 먹고 다녀. (어깨 툭 치고 가는) 아직 몸이
        완전치 않구나.

무영   (가면 벗고, 미소) 후회하게 될 거야. 오늘, 이 자리에서 나 안 죽
        이고 살려 둔 거.

        혼자 남은 무영이 굳은 얼굴로 자신의 옷을 들춰 본다!
        탈의파 말대로, 가슴 일부가 '돌'처럼 굳어 있다!

#14   동굴 감옥 (밤)

한빙지옥에 갇혀 있는 홍주에게 현의옹이 찾아왔다.
품에서 붉은 꽃 한 송이 꺼내, 홍주 옷소매에 넣어 준다.

현의옹 홍주야, 펄펄 끓는 화탕지옥에만 피는 '열꽃'이다!

홍주 (온기 퍼진다) 몸이 따뜻해졌어! 현의옹 할아버지밖에 없다 진짜!

현의옹 이렇게 뜨순 걸 좋아하는 애가 왜 자꾸 스스로를 벌주고 괴롭히니?

홍주 난 그래야 살아 있는 거 같거든요.

현의옹 (곁에 앉아) 요새도 잠을 잘 못 자니? 죽은 동생들 꿈을 꾸고?

홍주 걔들. 꿈에서도 나만 기다리고 있어요. 나는 또 죽은 동생들 입에다 생쌀을 욱여넣고, 염을 해요. 나는 니들을 버린 적이 없다고, 곧 죽어도 그 말을 해 주고 싶은데… 난 항상, 너무 늦어 버려.

현의옹 (토닥이며) 신이라 불리는 우리도, 다들 누군갈 떠나보내며 산단다. 나도 아들을 잃었어. 니들 키우면서 버텼다 난. 연이, 무영이, 너.

홍주 할아버진 연이랑 무영이 싸우면 누구 편드실 거예요?

현의옹 글쎄, 어렵구나.

홍주 저는 처음부터 연이가 좋았거든요? 근데 또 무영일 버릴 수는 없어. 걔 몸에 상처, 전부 '나 대신' 다친 거잖아.

현의옹 (그리운 얼굴로) 좋은 애들이었지.

홍주 근데 왤까요. 걔네 둘 다… (서늘해진 눈빛으로) '내가 알던 놈들'이 아닌 거 같단 말이죠.

다음 날. 아침 밥상 차려져 있다. 해물찜(꽃게, 새우, 조개 등)이다. 신주가 지켜보는 가운데, 이연이 '금척'으로 죽은 꽃게의 가로세로를 잰다.

'반짝-' 눈부신 빛을 발하는 금척! 그런데 왜일까. 꽃게는 꿈쩍도 하지 않는다.

이연   야, 가로세로 재면 살아난다며?

신주   너무 오버쿡 돼서 그런가? (금척으로 새우를 재는) 제가 해 볼게요.

이연   (지켜보는데 새우도 반응 없다) 이딴 게 희대의 보물이야?

신주   (새우 날름 먹어 치우며) 매뉴얼이 따로 있나 보죠. 왜 '삼도천 수호석'도 제 자리를 떠나면 그냥 돌덩이잖아요.

이연   그러고 보니까 (품에서 수호석 꺼내 보며) 이게 '시작'이었어. (양손에 수호석과 금척 나란히 들고) 결계를 만드는 돌과 죽은 자를 깨우는 보물… 뭘 하려는 걸까.

신주   이 금척이요. 일제 강점기 이후로 목격된 적이 없어요. 이때 이후로 '세상에서 사라진 물건'이란 거죠.

이연   그래서 '시간 여행'을 했구나. (잠시 생각하고 시원스레) 기다리자.

신주   예?

이연   (먼 곳을 보며) 찾으러 올 거야. 그놈.

그때 밖에서 말 울음소리 들린다.

#16   묘연각 / 앞 (낮)
       밖으로 나가 보면, 이랑이 '말'을 한 필 끌고 왔다. 이연과 신
       주 속닥속닥.

이연   갑자기 웬 말이래?
신주   (히죽) 그 인어 아가씨가 말 태워 달라 했대요.
이연   어머어머, 첫 데이트에 진도 너무 빠른 거 아냐?
신주   (흉내) 뒤에서 막 이렇게 끌어안고 '꺄. 자기야 너무 빨라!'
이연   '꽉 잡아. 도로교통법 따위는 내 열정을 막을 수 없으니까.'
신주   '너무 뜨거워요. 그대 가슴.'
이랑   (버럭) 뭘 쏙덕거려!!

#17   오복 양품점 (낮)
       외출 준비 마친 여희가 마지막으로 머리 모양 다듬는다.
       고대하던 첫 데이트. 거울 앞에서 설렌 얼굴로 웃어 보인다.

#18   들판 (낮)
       원형으로 간이 울타리 쳐놓은 들판. 이랑이 그림처럼 말을 타
       고 나타난다.
       약속 장소에서 기다리던 여희, 부신 듯 그 모습 보다가 '안녕'
       수줍게 손 흔든다.
       무뚝뚝하게 말에서 내리는 이랑.

구미호뎐   제4화 업둥이 I
1938

여희	(말 쓰다듬는) 잘생겼다 너. 얘는 이름이 뭐야?
이랑	이연.
여희	형 이름이네?
이랑	험하게 타는 놈이라. (하고) 왜 하필 말이야?
여희	내 다리. 원래 꼬리라서 오래 걷거나 뛰질 못 하거든. 소원이 었어. 말을 타고 자유롭게 들판을 달려 보는 거.
이랑	속도를 즐기고 싶으면 자동차를 타는 게 어때.
여희	(다급히) 아니. 꼭 '말'이어야 돼.

인서트 여희의 상상

이랑이 말을 몰고, 여희가 뒤에서 그 등에 행복한 듯 얼굴 기 댄다.
두 손이 허리를 꽉 끌어안는다.

여희(N)	말을 타면 신체 접촉은 필수다. 등 뒤에서 느껴지는 체온은 남 자를 설레게 만들지. 우리는 오늘 '필연적으로' 사랑에 빠진다.

이랑이 내미는 손을 보며, 슬그머니 미소를 감추는 여희다.
그런데 잠시 후, 여희의 얼굴 딱딱하게 굳어 있다. 상상과는
달리 여희 혼자 말 타고 있고, 이랑은 스파르타식 교관이다.

이랑	무게 중심을 앞으로 두지 않는다! 자세 유지하라고 했지?! 머 리 어깨 엉덩이까지 정확히 일자!
여희	(자세 세우며) 꺅!

이랑	이상한 소리로 말을 자극하지 마. 귀가 예민한 동물이다.
여희	저기 나 다리 아픈데. 허벅지가 막 바들바들 떨린다니까?
이랑	상상해 봐. 지금 맞은편에서 적군이 네 목을 치러 와! 그런 한 가한 소리나 할 때야?!
여희	우리… 전투 중인 설정이야?
이랑	(끄덕하고, 도끼 건네며) 한 손으로 무기 잡을 수 있겠어?
여희	(이런 씨)

어느새 여희, 꽤 능숙하게 말을 달리기 시작한다.
이랑의 도끼 공격, 자신의 도끼로 막아 내기도 하는 등. 이랑
도 제법 뿌듯한 얼굴.

이랑	(시승 끝내고 말에서 내리는 여희 잡아 주며) 재능이 있네.
여희	(환하게) 정말?
이랑	(진지해져서) 너 우리 마적단 들어올래? 꽤 좋은 전사가 되겠어.
여희	(울 것 같은 얼굴로 웃는다)

#19   묘연각 / 앞 (낮)
이연과 신주, 차를 몰고 돌아온다. 이랑, 미행하다 놓쳤다.

이연	이것들은 대체 말을 어디서 타는 거야?
신주	데이트 할 때마다 미행하실 거예요? 어련히 잘하고 있겠죠.
이연	(히죽) 걔 결혼식은 호텔이 좋겠지?

구미호뎐
1938   제4화 업동이 I

신주	스몰 웨딩이 낫지 않을까?
이연	식장도, 스드메도 최고로 하고 싶어. 축가는 가수 빵빵하게 부르고.
신주	(신났다) 나도 혼주석 앉혀 줘!

차 세우고 내린다. 그런데 대문 앞에서 멈칫. 보면 낯선 대바구니 하나 놓여 있다.

이연	뭐야 이건?!
신주	(들여다보고) 세상에! 살아 있어요!!

바구니 속에서 방긋거리고 있는 것, 놀랍게도 '살아 숨 쉬는 아기'다!

#20   **묘연각 / 뜰 (낮)**
고운 옷을 입은 여자아이. 이마에 '7개의 붉은 점' 보인다.
매난국죽이 구경하는 가운데, 신주가 능숙하게 아기 안아 든다.
이연은 못마땅한 듯 멀찍이 떨어져 앉았다.

신주	이렇게 예쁜 아가를 누가 버리고 간 걸까.
국희	이 포대기 최고급 비단금사야. 있는 집 애기란 건데… 딱 보니까 첩의 자식이네!
죽향	여자애라서 버려진 거 아닐까요? 저처럼.

난초	서양식 자유연애의 소산일 거야. (부러운 듯) 요새 유행이잖아.
이연	자, 하나도 안 궁금한 여러분 의견 충분히 들었고. 그래서 애는? 니들이 키울 거야?
난초	여기 엄연히 기생집이에요! 사장님 아시면 경을 치려고!
이연	(기다렸단 듯 신주에게) 들었지? 제자리에 갖다 놓고 와.
신주	(단호히) 안 돼요. (아기 꼭 끌어안고) '업동이'잖아.
이연	그게 뭐?!
매화	'복을 가져오는 아이'란 뜻이에요. 집 앞에 버려진 애는 복덩어리라고 해서 내치지 않고 받아들이는 게, 우리 풍습이지요.
신주	들으셨죠? 부모 찾을 때까지 제가 돌볼 거예요.
이연	야!!

#24	들판 (낮)
	이랑이 나무 아래서 쉬고 있다. 여희가 보자기를 주섬주섬 푼다. 김밥이다.

여희	먹을래?
이랑	(잠깐 망설이다가 하나 집어먹는다)
여희	(기쁘게 보며) 어때?
이랑	먹을 만해.
여희	어떤 음식 좋아해?
이랑	딱히 안 가리는데? 굳이 고르자면 냉면.
여희	음… 이상형은?

이랑	이상형?
여희	그러니까 좋아하는 음식처럼 좋아하는 상대 말이야.
이랑	아, 그런 거라면 나보다 강한 놈.
여희(E)	(당혹스러운데) 어떻게든 공통점을 찾아보자.
여희	취미는 뭐야?
이랑	(무심히) 요새는 강도짓이랄까.
여희	('젠장.', 묻는 족족 빗나간다) 그… 마적단을 왜 하는 건데?
이랑	이연이 싫어할 거 같아서.
여희	보기보다 복잡한 사이구나. 형이랑.
이랑	(담담하게) 아버지란 작자는 얼굴도 본 적 없고, 인간인 엄마는 날 괴물이라고 불렀거든. 유일한 가족이었어. 이연이. 인간 여자한테 홀려서 날 쓰레기처럼 버렸지만.
여희	그래도 넌 곁에 가족이 있구나.
이랑	(그제야 흘긋) 니네 부모는?
여희	(가만히 고개 내젓는)
이랑	바다로 돌아가지 그래? 인어로 살면 되잖아.
여희	난 경성이 좋아. 무대 위에서 노래하는 게 좋고. 반짝이는 구 락부의 불빛. 재잘대는 사람들 목소리도…. (하는데)
이랑	착각하지 마. 반쪽짜리 요괴가 살아갈 자리 같은 거, 이 땅에 없어. (털고 일어나는) 간다.

이랑이 말을 끊고 먼저 가 버린다.
여희가 도시락 챙겨 들고 뒤따라 걷는데, 얼마 못 가 '풀썩' 다
리에 힘이 풀린다.

주저앉은 그녀를 성가신 듯 돌아보는 이랑.

잠시 후, 말을 타고 가는 이랑의 뒷모습.

화면 넓어지면, 그 '앞자리'에 여희가 앉아 있는 것 보인다. 함빡 미소 짓고 있다.

#22   묘연각 / 형제의 방 (낮)

그날 오후. 형제가 신주와 다투고 있다. 아기는 신주가 안고 있다.

이연   나 지금 (이랑 가리키며) '저거' 하나 키우는 것도 충분히 빡세거든?

이랑   (이연 째려보며) 난 원래 인간 아이 질색이야.

신주   거짓말. 우리 수오가 얼마나 이랑님을 따랐는데.

이랑   수오가 누군데?

이연   (밀 막으며) 됐고, 베이비박스에 갖다 놓고 와.

신주   여기 그런 거 없어요.

이랑   내 부하들 통해 팔아 버리는 건 어때?

신주   아주 쌍으로 큰일 날 양반들이네. 인간미라곤 쥐뿔도 없어.

이연, 이랑   우리가 인간이냐?!

신주   (아기가 신주 가슴에 손 뻗는다) 아냐. 그거 맘마 아니야.

이연   (쯧쯧) 그러게 내가 웨이트 작작 하라고 했지.

신주   배고프구나? (이연한테 애 건네며) 나가서 분유랑 기저귀 사 올게요.

이연   (이랑에게 토스하고) 같이 가. 마침 시내에 급한 볼 일도 있고.

이랑	(다리 잡고 안 놔주는) 죽을래?
신주	금방 갔다 올게요.

신주 나가면, 이연과 이랑이 당혹스럽게 아기 내려다보다가.

이연	어떡하지.
이랑	소리 소문 없이 없애 버리자.
이연	그건 안 돼. 자연스럽게 '잃어버리는 게' 어때.

#23	경성 거리 (낮)

인적 드문 거리. 이랑이 망을 보고 있다.
이연이 남의 집 대문 앞에 몰래 아기 바구니 내려놓는다.

이연	유감이지만 이게 다 널 위해서야. 우리보다 훨씬 능력 있고, 좋은 부모 만나서 잘 살아라.

잽싸게 자리를 뜨는 둘이다.
돌아가는 길에 '빨간 열매' 열려 있는 것 보인다. 이연이 잠시 멈춰 서서.

이연	'뱀딸기'네. 홍주가 환장하는데.

#24   묘연각 / 앞 (낮)
             그런데! 묘연각으로 돌아온 형제, 뭔가에 홀린 얼굴이다!
             좀 전에 갖다 버린 아기 바구니가 묘연각 대문 앞에 놓여 있다?!

이연   이게 왜 여기 있냐?!
이랑   얘가 찾아온 건가?
이연   아직 걸음마도 못 뗀 애야. (주위 둘러보며) 어떤 놈이야?!
이랑   (바구니 챙겨 들고) 구신주 오기 전에 빨리!

#25   몽타주 (낮)
             아기 데려가서 다른 집 대문 앞에 갖다 놓는다.
             그런데 묘연각 돌아오면 아기는 또 제자리다.
             이번에는 자동차까지 몰고 가서 더 먼 곳에 아기 내려놓는다.
             하지만 돌아오면 아기는 또 제자리.

이연   (아기 안고 눈 맞추며) 말해 봐. 너 대체 어떻게 돌아온 거냐?
이랑   (아기 몸 여기저기 살피는) 얘 사람 맞아? 둔갑한 요괴 아냐?

             그런 둘을 향해 방싯 예쁘게도 웃어 보이는 아기다.

#26   내세 출입국 관리 사무소 / 앞 (낮)
             홍주가 뻐근한 몸 풀며 걸어 나온다. 뜻밖에도 무영이 그녀를 기다리고 있다.

무영	고생했어.
홍주	(놀라서) 할멈한테 걸리면 어쩌려고?!
무영	벌써 만났어. (두부 내미는) 자, 두부.

홍주가 한 입 베어 먹으면 환하게 웃는 무영.

#27   공원 (낮)
간이 벤치 놓여 있는 공원. 나란히 앉은 홍주와 무영 위로 햇
살 쏟아진다.

무영	지금도 꿈만 같아. 내 옆에 홍주 네가 있다는 게.
홍주	(그 옆얼굴 바라보다) 솔직히 말해도 돼?
무영	(보면)
홍주	난 네가 낯설다. 내가 아는 무영인거 같기도 하고 아닌 것도 같아.
무영	(아프게 웃으며) 네가 아는 천무영은 누구니?
홍주	넌 산신 말고 의원이 되고 싶어 했어. 살아 숨 쉬는 풀 한 포기까지 아꼈으니까. 네가 다치면 일어섰지만, 나랑 연이가 다치면 서럽게 울곤 했어.
무영	지금 난 어떤 모습이야?
홍주	네 모습이 안 보여. 이렇게 가까이 있는데도, 네가 누군지 모

르겠어.

무영   (상처받은 얼굴 감추며) 산신 같은 거 되지 말 걸 그랬어. 그냥 천
무영으로 네 옆에 있을 걸. '니들이 꾸는 꿈'이 어느 순간, 내
꿈이 됐었어.

홍주   연이를 죽일 셈이니?

무영   그러면 넌 나를 죽일 거니?

둘의 시선 고요히 맞부딪친다.

홍주   니들은 이미, 니들 개싸움에 날 끌어들였어. 내가 얌전히 구
경이나 할 놈이 아니란 건, 누구보다 잘 알잖아?

홍주가 일어서서 무영의 어깨 '툭' 치고 가 버린다. 재유가 기
다렸다는 듯 뛰어와서.

재유   시키신 대로 이연님 행적을 알아봤는데요. '군산'에서 묘한
목격담이 하나 나왔습니다.

홍주   (차가운 눈길로) 그래?

혼자 남은 무영, 홍주가 앉았던 자리를 손으로 쓸어 본다. 그
온기 간직하려는 듯.

#28   창고 (낮)

구미호뎐
1938   제4화 업동이 I

홍주가 다리를 꼬고 앉아 확인하듯 묻는다.

홍주   이연이 '아편쟁이'였다고?!

남자   완전 폐인이었어요! 군산에 모르는 요괴가 없었다니까요?

열변을 토하는 제보자, 1화에서 이연한테 처맞은 '너구리 부부'다.

홍주   (재유에게) 본 적 있니?

재유   담배도 안 피우시던데요. (갸웃) 그새 끊었나.

너구리 남   그럴 리가요! 신주란 놈이 아편 새로 구해 갖고 간 게 며칠 전인데!

너구리 여   그쪽도 이연한테 당하신 거죠?!

홍주   난 뭐 당했다기보다는….

너구리 여   (전단지 쥐여 주며) 저희가 이번에 이연 피해자 모임을 만들었어요.

인서트   전단지

'구미호 이연에게 피해를 입은 요괴 모임'
꼬리 아홉 개 달린 여우, 눈만 도려져 있는 그림 보이고.
이연의 만행을 고발한다!!
주3회 사교 모임을 통한 심리 치유 + 복수 도모
멍과 부기에 효과적인 호박즙 증정

너구리 여   주3회 모임인데요. 심리 치료도 하고. 이연한테 맞은 분들은,

	멍이랑 부기에 좋은 호박즙도 나눠 주거든요.
홍주	맞았니??
너구리남	(울분에 차서) 이이 이름이 마음에 안 든다고….
홍주	(여자에게) 이름이 뭔데?
너구리여	배아음이요.
홍주	아음? (주변 집기 '꽝!' 때려 부수며) 이연 여자 친구?!!
재유	(부부에게) 세상에서 제일 싫어하는 이름이세요.
홍주	(심호흡하고) 그래서 이연을 마지막으로 본 게 어디라고?

시간 경과되면, 홍주와 재유 둘만 남아 있다.

홍주	이연이 '만주' 가는 열차를 탔다?
재유	경성에서 내린 거 아닐까요? 군산 떠난 시기랑 얼추 일치하는데.
홍주	(잠시 생각하다) 재유야. 가서 '아편' 좀 구해 와라.

#29	묘연각 / 형제의 방 (낮)
	이연과 이랑, 아기를 앞에 놓고 진지하게 고민 중이다.

이랑	정체가 뭘까.
이연	이마에 이 점… 북두칠성이야.
이랑	그래서?
이연	죽음을 다스리는 별이야.

이랑	재물을 관장하는 별이기도 하잖아.
이연	예감이 안 좋아. 버려도 계속 돌아오는 것도 그렇고….

그 소리에 답하듯, 아기가 가늘게 울기 시작한다. 형제, 당황한다.

이랑	왜 울지?
이연	나도 몰라. 야, 울지 마. 뚝!
이랑	(위협적으로) 쥐방울만 한 인간아. 원하는 게 있으면 똑바로 말해.
이연	(한심하다) 그런다고 갑자기 말문이 트이냐? (지갑에서 돈 꺼내 들고) 헤이, 울음 그치면 이거 줄게.

아기가 더 심하게 운다. 이랑이 급히 장식 화병 들고 온다.

이랑	때려서 기절시키자.
이연	애 죽어. 멍충아. (주위 둘러보며) 아편 아니 수면제 같은 거 없나?

그런데 이연한테 안기자 거짓말처럼 울음 그치는 아기.

이랑	어? 그쳤다!

이연이 조심스레 내려놓자 다시 울기 시작. 얼른 안아 올린다.

이랑	계속 들고 있어.

이연	(엉거주춤하게 안은 자세로 얼음) 축축한데? 쌌나 봐.
이랑	(화들짝 피하는) 더러워.
이연	(애 넘기려고 이랑 따라다니며) 나 결벽증인 거 알지?
이랑	니들이 주워 왔잖아!
이연	난 아니야!

둘이 일촉즉발 대치하는 상황. 이연이 결심한 듯 제안한다.

| 이연 | 내기하자. '독박 육아' 걸고. |

잠시 후. 이연과 이랑이 바둑판 앞에 놓고 '알까기' 하고 있다.
몇 번 주고받고 하더니 '예스!!' 이연이 이겼다.

이연	(이랑에게 아기 안겨 주고 나가며 놀리듯) 파이팅.
이랑	(열 받아서) 30분 정확히 잰다!

이랑과 아기 둘만 남았다. 어색한 침묵 흐른다.

이랑	말해 둘 게 있는데, 난 세상에서 인간을 제일 싫어해. 스스로 아무것도 할 줄 모르는 열등한 인간은 더더욱.
아기	(옹알이하는)
이랑	(차갑게) 불쌍한 척 해도 소용없어.
아기	(울먹울먹)
이랑	울지 마. (도끼 꺼내서) 잡아먹어 버린다.

단호한 협박에도 불구, 아기가 방실방실 웃는다. 당혹스러운 이랑.

이랑   뭐가 우습지? 날 비웃는 거냐?

#30   묘연각 / 형제의 방 안팎 (낮)
           시간 경과되면, 이랑이 마당에 넋 나간 꼴로 앉아 있다.
           머리 헝클어져 있고, 옷도 얼룩덜룩. 이연과 교대했다.

이랑   (방을 보며) 왜 이렇게 조용하지?

           다가가 방 안을 훔쳐본다.
           노랫소리 흘러나온다. 뜻밖에도 평화롭기 그지없는 방 안. 이
           연이 '스마트폰'을 썼다.

이랑   무슨 물건이길래 애가 저렇게 집중하는 거야?

           다시 공수 교대. 이번에는 이연이 방을 훔쳐보고 있다. 아기
           는 '쿨쿨' 잠들었다.

이연   (방문 열고 작게) 어떻게 재웠어?
이랑   별 거 아냐.
이연   (뒤춤에 뭔가 있다) 뒤에 뭐야?

이랑	아무것도 아니야.
이연	(뺏어서 보면 막걸리 병이다) 애한테 막걸리를 주면 어떡하니?!
신주(E)	비상이요 비상!

신주가 아기 짐 꾸러미 들고 달려온다! 둘 다 움찔!

이연	(막걸리 병 숨기며) 뭔데?
신주	사장님 컴백!!
이연	홍주?
신주	예, 이연님 좀 보재요! 이랑님 빨리 애 데리고 피하세요!
이랑	왜?
신주	들키면 우리까지 쫓겨나요!

이랑이 마지못해 잠든 애 안고 나간다. 신주가 들고 온 장바구니 하나 집어 들고.
이연이 홍주 방으로 향한다. 신주가 걱정스레 따라가며.

신주	저는요, 홍백탈보다 무서운 게 그분이에요. 적으로 만들지 마세요.
이연	어쩌라고?
신주	좋아하는 척이라도 하시면 안 돼요?
이연	(단칼에) 안 돼.
신주	(답답) 왜요? 그냥 연기인데?
이연	(진지하게) 홍주가 진심이란 걸 아니까. 설령 나를 적으로 돌려

도 걔를 속이고 싶진 않다. … 친구잖아. (하고, 가버린다)

신주   (그 뒷모습 보며) 가끔 밑도 끝도 없이 멋있단 말이야.

#31   묘연각 / 홍주의 방 (낮)

홍주가 아찔한 원피스 차림으로 이연을 기다린다.

곰방대에서 하얀 연기 피어오른다. '아편'이다. 들어오자마자 코를 틀어막는 이연.

이연   너 아편 하니?!

홍주   돈이 된다길래 좀 팔아 볼까 하고.

이연   네가 양아치야? (단호히) 아무리 돈이 좋아도 그 짓은 하지 마라.

홍주   (곰방대 입에 대며) 그럼 내가 피우지 뭐.

이연   (확 뺏고) 한 번 내성 생기면 돌이킬 수도 없는 게 아편이야.

홍주(E)   (날카롭게 훑는) 눈도 맑고, 손 떨림도 안 보여. 냄새를 맡고도 아무 동요가 없다.

이연   나 왜 불렀어?

홍주   (일어나서 이연쪽 테이블에 걸터앉아) 궁금한 게 있어.

이연   나도.

홍주   공평하게 서로 '세 가지'씩 묻기로 하자.

이연   대답 못 하면?

홍주   (이연의 셔츠 단추 만지며) 하나씩 벗기로.

이연   !!

홍주   첫 번째 질문. 우리 어렸을 때 처음 만난 날 기억해?

이연(E)	(그 소리에, 홍주 눈을 빤히 바라본다) 나를 '시험'하고 있어. (곰방대 흘긋) 아편도 그래서… (사이) 뭔가 알고 부른 건가?

둘 사이에 긴장감 흐르는데!

이연	우리 첫 만남을 어떻게 잊어? 네가 보자마자 나한테 '칼침'을 놨는데.
홍주	(맞는 답이다. 싱긋)
이연	내 차례야. 홍백탈 그놈 만났지?
홍주	(어깨를 으쓱) 만났어.
이연	그놈 지금 어디…. (하는데)
홍주	질문은 한 번에 하나씩. 내 차례야. 우리 맹세했지. 목숨 걸고 서로를 지켜 주자고. 만일 약속을 어기면?
이연	죽어도, 서로의 손에 죽는다.
홍주	(진심으로) 연아, 난 그 약속 지킬 거야.
이연	(흔들림 없는 얼굴로) 왜 내가 아니라 홍백탈, 그놈을 선택했니?
홍주	내 선택 아직 안 끝났거든?
이연	?!! ('무슨 뜻일까.')
홍주	마지막 질문. (도발적인 눈빛으로) 너한테 난 뭐니?
이연	나는… 네가 원하는 답을 해 줄 수 없어. 널 내편으로 만들기 위해, 널 속이는 짓 같은 거 난 못 하거든. 죽어도… 안 할 거고.
홍주	딱 한마디만 하면 되는데… (아프게) 예나 지금이나 꽉 막혀 갖고.
이연	홍백탈은 누구니? (홍주 눈 똑바로 보며) 놈은 나를 알지? 어쩌면 내가 아는 놈이고.

아찔한 미소를 지어 보이더니, 홍주가 원피스 지퍼를 내리기 시작한다.

새하얀 어깨선 드러나는 순간, 자신의 재킷을 들어 어깨에 둘러 주는 이연.

이연   홍주야. 넌 많이 껴입으면 껴입을수록 예뻐.

홍주   (쓰게 웃는)

이연   질문 끝났지? (접어 둔 손수건 테이블에 올려놓으며) 이거 아직도 좋아하는지 모르겠다. (하고, 나가 버린다)

손수건 펴 보면 고이 들어 있는 붉은 열매, 뱀딸기다.

인서트 플래시백

어린 홍주가 강가에서 조용히 울고 있다. 이연이 옆에서 안절부절.

이연(아역)   홍주야, 너 왜 울어?

홍주(아역)   집에서 편지 왔어. 막냇동생이 많이 아프대.

이연(아역)   집에 갔다 와. 탈의파 할멈한테 말하고.

홍주(아역)   안 된대. 여기서 나가면 산신되는 거 포기하라고.

이연(아역)   이 천하의 나쁜 할망구!

홍주가 얼굴 묻고 흐느낀다. 이연이 잠시 고민하더니 '잠깐만!' 어딘가 뛰어간다.

이연(아역)	(뱀딸기 들고 와서) 뱀딸기야. 먹으면 슬픈 생각이 다 사라진대.
홍주(아역)	뱀이 먹는 거잖아.
이연(아역)	그래서 '눈썹'을 하나 뽑고 먹어야 돼. 그럼 독이 없어진대.
홍주(아역)	(눈썹을 뽑으려고 열심히 눈 비빈다. 뱀딸기 하나 입에 넣자 희미한 미소 피어오른다)
이연(아역)	(뿌듯하게) 어때? 내 말 맞지?

다시 현재. 한쪽 눈을 비벼 눈썹 하나 뽑아낸다. 뱀딸기 입에
넣고 깨문다.
그 풋풋하고 다정한 맛에 저릿하게 웃는 홍주다.

홍주	재유야.
재유	(들어와서) 네.
홍주	짐 싸라. (결연히 일어서며) 우리는 '만주'로 간다.

#32   광산 / 앞 (낮)
입구에 <자미광산> 팻말 보인다. 인부들, 축제 분위기.
은호 아빠가 '수북한 금덩어리' 옆에 놓고 샴페인 터뜨린다.
사진 기자는 은호다.

아빠	사진 잘 나왔니?
은호	엄마 울고불고 난리 났다니까요. 패물 다 털렸어.
아빠	지금 그게 문제니? 금광이 또 터졌는데. 신문 1면에 때려. 이

	선우찬, 강도만 36번을 당했지만 이렇게 건재하다고.
은호	신문사 사주가 언론을 사적으로 막 이용하시고.
아빠	총독부 산금장려정책 홍보도 되고. 다 나라 위한 일이야.
은호	개발 중인 광산이 무려 5천 개래요. 애들이고 아낙네고 온 나라가 금광에 미쳤어 아주.
아빠	(금덩어리 내밀며) 바야흐로 이 금이 돈 벌어다 주는 시대야.

뒤에서 '선우찬 사장님 되시죠?' 하는 목소리.
돌아보면 종로 경찰서 정대승 형사가 수하 둘을 데리고 찾아왔다.

은호	(알아보고 인상을 팍) 저 사람!!
정 형사	아가씨. (아빠에게 공손히) 종로서에서 왔습니다.
아빠	(거만한 태도로) 뭔데?
정 형사	근자에 재밌는 소문을 들었는데요. 평안도 운산금광, 천안 직산금광, 광명 가학광산까지 금광이 터진 곳마다 한 사내가 나타났다지요.
아빠	누군데?
정 형사	조선인들은 '업신을 봤다'고 한답니다.
아빠	업신?
은호	재물을 불러온다는 토착신이야.
아빠	(비웃는) 그런 미신을 믿고 예까지 왔어?
정 형사	외람되지만, 삿갓에다 신선 같은 수염을 기른 사내를 못 보셨는지요. 토끼마냥 당근을 물고 다닌다는데.

아빠와 정 형사가 얘기 나누는 사이.
은호 눈에 광산에서 걸어 나오는 삿갓 남 보인다. 새하얀 수염에, 입에 당근?!

은호   (아빠 쿡 찌르는) 아빠.

은호 아빠와 형사들, 일제히 돌아본다. 다급히 사내에게 총을 겨누는 형사들.
맹한 얼굴로, 얼른 양손을 들어 항복 표시를 하는 남자다.

#33   묘연각 / 앞 (낮)
신주가 '이랑님!' 하며 두리번거린다. 그새 이랑과 아기의 모습이 보이지 않는다.

#34   경성 거리 (낮)
이랑이 잠에서 깬 아기를 '장바구니'에 넣어 들고 나왔다.
뒷골목에 야바위판 열린 것 보인다.
그냥 지나치다가 뒷걸음질. 내기라면 환장하는 이랑이다.
야바위꾼이 멍석 위에서 도자기 술잔 3개 엎어 놓는다.
주사위 숨기고 잔을 섞는다. 사람들이 돈을 걸기 시작한다. 판돈이 꽤 크다. 이랑도 지폐 꺼낸다. 1번에 돈을 걸었다. 아기가 옹알이 하며 어딘가 손짓한다.

이랑	넌 3번이야? 조그만 게 벌써부터 야바위를 하려고. (술잔 열면 주사위는 3번에 있다. 이랑이 돈을 잃었다) 쳇.

두 번째 판이다.
이랑이 2번에 돈을 건다. 아기는 3번을 손짓한다. 술잔 열면 3번이다.

이랑	(또 잃었다. 빈말처럼 아기에게) 너 좀 친다?

세 번째 판. 이번에는 아기가 가리키는 1번에 돈을 건다. 1번이 정답.
야바위꾼의 손길 점점 현란해진다. 술잔도 5개로 늘어난다.
아기가 손짓하는 대로, 단 한 번의 오차도 없이 돈을 따는 이랑.

이랑	(수북해진 지폐 다발 들고, 아기에게) 너, 진짜 복을 부르는 애구나?!

#35	묘연각 / 형제의 방 (밤)

그날 밤. 이연과 신주, 황당한 얼굴로 애를 내려다본다.
아기가 머리에서 발끝까지 모피와 진주 목걸이 휘감고, 바나나 먹고 있다.
한쪽에는 서양식 유모차까지.

신주	세상에! 모피에 진주에 비싼 바나나까지! 이게 다 뭐래요?

이랑	기분 좋아서 돈 좀 썼어.
이연	(의심스럽다) 밖에서 뭔 일 있었냐?
이랑	(시치미 뚝) 아무 일도 없었는데?
이연	(찰나에 주머니 뒤져 돈다발 찾아낸다) 이 돈다발은 뭔데?!
이랑	(뺏는) 내가 딴 거야!
신주	도박하셨어요?
이랑	애가 끗발이 보통 아니야. 여기서 키우자.
이연	(신주에 이어 이랑까지) 아이고 머리야.

#36   열차 / 외경 (밤)
기적 소리 울리며 열차 내달린다. 만주행 열차다.

#37   열차 / 특실 (밤)
홍주가 복잡한 얼굴로 창밖을 바라본다. 손에 이연이 준 손수
건 쥐고 있다.
가만히 펴 보면 뱀딸기 즙으로 붉게 물든 손수건.
재유가 음료 사 가지고 들어온다. 슬쩍 손수건 감춘다.

홍주	(마시며) 만주엔 뭐가 기다리고 있을까.
재유	묘연각에 있는 분이, 이연님 맞다면서요. 뭘 확인하러 가시는 겁니까.
홍주	그 이연은 아편쟁이가 아냐.

구미호뎐
1938   제4화 업동이 I

재유	(?!!) 그게 무슨 말씀이신지….
홍주	내 눈으로 직접 봐야겠다. 만주로 가 버렸다는 '또 하나의 구미호'.
재유	저기… (망설이다) 이연님이 왜 좋으세요?
홍주	난 어려서 소꿉놀이 한번 못 해 보고 자랐다. 내 인생은 늘 실전이었거든. 근데 걔랑 있음 위로받는 기분이 들어. (희미하게 웃으며) 이상하지. 따뜻한 말 한마디 할 줄 모르는데.

차창에 비친 홍주가 희미하게 웃는다.
홍주는 모르지만, 재유가 상처받은 얼굴로 그녀를 바라보고 있다.

#38   묘지 (밤)

무영이 외로이 밤하늘 올려다본다. 그 눈앞에 형 '천호영(千虎影)' 묘비 보인다.

인서트 플래시백

어린 무영을 등에 업고, 눈 쌓인 길을 걷는 무영의 형.
백두산 호랑이 가문의 장자답게 꼿꼿한 눈빛, 반듯한 차림이다.

무영(아역)	나 아버지한테 혼날까?
형	(픽 웃고) 그러게 도망을 왜 가니?

무영(아역)	나 산신 같은 거 되기 싫어. 산신은 형이 해야지.
형	산신이 될 자격이 있는 아이는 탈의파 어르신이 고르는 거야.
무영(아역)	난 싸움도 싫고… 무서운데.
형	(다정히) 우리 무영이는 분명 훌륭한 산신이 될 거야. 내 동생이잖아.

다시 현재. 무영의 상반신에서 화면 넓어지면, 그 손과 옷 피
투성이다.
'내가 옳은 길을 가고 있다고 말해 줘. 형…' 하고 조금 떨어
진 곳을 보면. 2화의 '미스 조선'이 초점 없는 눈으로 날고기
를 뜯어 먹고 있다.

#39   **묘연각 / 외경 (밤)**
밤이 깊었다. 묘연각에서 아기 울음소리 새어 나온다.
이어 신주가 자장가 부르는 소리. '잠 좀 자자! 잠 좀!' 외치는
이연 목소리.

#40   **묘연각 / 뜰부터 수돗가 (낮)**
다음 날 아침. 이연이 퀭한 얼굴로 마루에 앉아 있다.
수돗가에서는. 신주가 아기 업고 기저귀 빨고 있다.
광주리에 산더미 같은 빨래 사이로, 이연의 현대식 명품 팬티
도 보이고.

이랑	이름이 왜 필요한데?
신주	하다못해 유기견도 이름이 있잖아요.
이랑	(잠깐 생각하고) 강하게 자라란 뜻으로 김두한 어때?
신주	여자애잖아요. 좀 힙하게 지을까? 스트릿 출신이기도 하고.
이랑	바둑이.
신주	성의 있게 하세요. 인간은 자기 이름 따라서 살기도 한대요.
이랑	구미호?
신주	오, 이연이랑님 성을 따서 이미호 어때요?
이랑	(애와 눈을 맞추며 갸웃) 이…미호?

그러자 아기가 방긋 웃으며, 이랑 손가락을 쥔다. 따스한 아기의 체온.

이랑	(싫지만은 않은데) 야, 내 몸에 손대지 마.
신주	(활짝) 미호도 마음에 드나 봐요.

이연이 그 모습 보다가 '너 이리 와 봐.' 신주를 한쪽으로 부른다.

이연	한 달 있다 돌아가면 애 어쩔 건데? 데려갈 거야?
신주	그래도 돼요?!
이연	구신주. 너 유기견 한 마리도 그냥 못 지나치는 거 내가 알아. 근데, 인간을 책임지는 건 전혀 다른 일이야.
신주	우리 미호가 그렇게 싫으세요?

이연	싫은 게 아니라. 랑이를 내가 키웠어. 쟤 마적단 만든 것도, 죽 게 만든 것도 나야. 끝까지 지켜 주지 못했기 때문이야.
신주	(풀이 팍 죽어서) 이연님도 최선을 다하셨잖아요.
이연	(진심으로) 애를 위해서, 제대로 키울 수 있는 부모를 찾아 줘.

#44   종로 경찰서 (낮)

삿갓 남이 당근 한 바구니 앞에 두고, 맛있게 먹는다. 그새 수척해진 몰골.
한쪽에서 정 형사, 경무국장 앞에 두고 굽실댄다.

정 형사	일단 잡아오긴 했는데, 고문이고 협박이고 전혀 안 통합니다. 하루 종일 당근만 처먹고요.
국장	(경멸의 눈으로) 저런 자가 '조선의 업신'이라고?
정 형사	전국 곳곳에 있는 금광에서 목격담이 나왔어요. 업신인지 뭔지 몰라도, 금맥을 짚을 줄 아는 놈일 겁니다.
국장	수단 방법 가리지 말고 입을 열게 만들어. 군비 확충을 위해선 유일한 국제 통화인 금을 확보하는 게 최우선이다.
정 형사	예!!

국장이 대기하던 아키라를 데리고 경찰서 나선다.

아키라	어찌 저런 자를 부리십니까.
국장	한 줌밖에 안 되는 권력. 저보다 약자들한테만 배설하는 놈이

다. 누구보다 다루기 편리한 인간이지. (사이) 처제 쪽은?

아키라　신문사와 집, 테니스장 외에 아직 특별한 움직임은 없습니다.
　　　　아, 종종 양품점 들르시고요.

고문실에서는, 정 형사가 지도와 고문 도구 들이대며 으름장
을 놓는다.

정 형사　지도 똑바로 봐. 살아서 나가고 싶으면 금맥을 찍어.
삿갓 남　(지도 보다가 당근만 냠냠)
정 형사　내가 젤 잘하는 게, 너 같은 놈들 힘줄 끊어 놓는 거야.
삿갓 남　(남 얘기하듯) 것 참 고생이 많소이다.
정 형사　(책상 '쾅~' 내리치며) 야 이 새끼야!!

그 바람에 당근 하나 굴러 떨어진다. 떨어진 당근을 줍기 위
해 낑낑대는 사내.

정 형사　(미칠 지경이다. 달래는) 말해 봐. 원하는 게 뭐야.
삿갓 남　(우물우물 먹다가) '애'를 좀 찾아 주시오.

#42　몽타주 (낮)
　　　'애들 울음소리' 터져 나온다!
　　　앞 씬에서 무영이 금붙이 뿌리던 곳. 무장한 형사들이 동네를
　　　발칵 뒤집어 놨다!

아이 숨기는 사람들! 거칠게 아기의 얼굴 확인하는 형사들!
정 형사가 고압적으로 '이마에 북두칠성 모양 점이 있는 계집아이'를 찾고 있다.
거리 곳곳에 아기 '초상화(포상금 금 1만 원, 종로 경찰서)' 나붙는다!

#43   경성 거리 (낮)
        이연, 이랑, 신주가 미호를 유모차에 태워서 나왔다.
        신주가 유모차 밀며, 벌써 코를 훌쩍거린다.

이연   고아원이야?

신주   총독부 제생원이라고, 부모 없는 애들 키우는 시설이요.

이랑   (볼멘소리로) 아 보내지 말라니까.

이연   애 데리고 야바위판이나 다니는 놈이.

신주   (아기 내려다보며) 미호야. 널 어떻게 보내니.

        그런데 벽보 앞에 사람들 '웅성웅성' 몰려 있다.

이랑   뭐 구경났나?

행인1   종로서에서 애를 찾는데, 몸값이 집 한 채만큼 걸렸소.

신주   무슨 일인데요?

행인2   경찰이 눈에 불을 켜고 찾는 건데 좋은 일이겠수? 애 부모가
        독립운동이라도 한 모양이지.

행인1   아, 애만 잡으면 한 방에 인생역전인데. (하며, 돌아보는 행인의 눈

에 유모차에 탄 아기의 얼굴 보인다) 어??

이랑   (초상화 봤다) 어?? (하면서, 아기의 얼굴 담요로 가리는데)

행인1   차… 찾았다!!

그 소리에 사람들 '우르르' 돌아본다.

'피하세요!!' 신주가 온몸으로 사람들 막는 사이, 이연과 이랑
이 유모차 끌고 뛴다.

한 무리의 사람들이 그 뒤를 쫓는다! 어느새 튀어나온 무장
형사들까지!

갈림길 나온다! 이연과 이랑, 눈빛 주고받고 양쪽으로 갈라
진다! 이랑이 유모차 끌고 뛴다! 그 뒤를 쫓는 사람들!

쫓기던 이랑, 내리막길 계단에서 유모차 놓쳐 버린다! 아찔하
게 굴러가는 유모차!

산산이 부서진다! 쫓던 사람들도 눈을 질끈! 하지만 유모차
에 아기는 없다!

#44   전차 (낮)

아기를 데리고 형사들에게 쫓기던 이연, 잽싸게 전차에 올라
탄다.

잠시 숨 돌리는데. 옆자리 아줌마가 애를 보고.

아줌마   몇 살이에요?

이연   (형사들 쫓아오고 있다. 창밖을 주시하며) 글쎄올시다.

그런데 반대편 옆자리 남자 하나, 아기 초상화 들고 있다.
초상화와 아기 번갈아 확인한다. 같이 탄 일행들에게 '맞지?!'
남자들 다가온다.
번개처럼 발길질 날리고 전차에서 뛰어내리는 이연. 형사들
이 계속 뒤쫓는다.

#45   극장 (낮)
인근의 극장으로 '쏙' 들어간다. 아기 데리고 더듬더듬 극장
안을 헤매는데.
때마침 아기가 울음 터뜨린다. 관객들 여기저기서 짜증낸다.

이연   (큰소리로) 왜? 뭐? 니들은 태어나서 한 번도 안 울었냐?

형사들 어느새 극장 안으로 쫓아왔다.
극장에서 쫓고 쫓기다 밖으로 튀어 나가는 이연.

#46   경성 거리 (낮)
뒤를 쫓던 형사들이 총질을 시작한다.
이리저리 피하다가 길가에 광주리 가득 빨래더미 보인다. 거
기다 애 숨겨 놓고.

이연   애 때문에 폭력은 삼가려고 했더니.

구미호뎐
1938   제4화 업둥이 I

살벌한 기세로 형사들 때려눕히기 시작한다!

그 사이, 아기 담긴 광주리는 트럭에 실려 멀어지고 있다!

마지막 한 놈까지 처리하고 자리로 와 보면, 광주리도 아기도

사라지고 없다!

'젠장!!!' 정신없이 주위를 찾아 헤매는 이연!

#47   **묘연각 / 앞 (낮)**

이연이 황망한 얼굴로 묘연각 돌아왔다.

그런데! 놀랍게도 잃어버린 아기가 대문 앞에 놓여 있다?!

달려가서 아기 안아 드는 이연.

이연   무사해서 다행이다! (품에 꼭 안고서) 미안해! 내가 미안….

아기   (옹알이하듯) 엄마.

이연   뭐?!!

아기   엄마 엄마.

'하….' 아기를 끌어안는 이연의 얼굴 벅차 보인다.

#48   **오복 양품점 (낮)**

여희가 홀로 상품을 정리하고 있다.

누군가 문 부서져라 뛰어 들어온다. 사람들에게 잡혀 옷 갈기

갈기 찢어진 신주다.

여희	어서 오세…요?
신주	(젠틀한 척) 저 누군지 아시죠?
여희	(끄덕)
신주	(옷 뒤지며) 옷 한 벌 사려고요.

옷걸이에 걸려 있는 옷 마다하고, 굳이 구석에 숨겨진 '꽃무늬 셔츠' 집어 든다.
대충 걸쳐 입고, 거울로 머리 매만지며.

신주	딱 내 취향. (건치 미소) 옷값은 이연님 앞으로 달아 주세요.

#49	묘연각 / 형제의 방 (밤)

한바탕 소동이 지나간 밤. 신주는 피곤했는지 코를 골며 잠들었다.
이연이 걱정스레 아기 돌보고 있다. 옆에는 얼음과 젖은 수건들. 아기의 얼굴 빨갛게 상기돼 있고, 숨 쌕쌕거린다.

이연	(이마 짚어 보고) 열이 펄펄 나는데?
이랑	의원 부르자.
이연	믿을 만한 놈이 없어. 묘연각 직원들은 입단속 시켰지?
이랑	응.

이연이 애타게 아기 몸 구석구석 닦아 준다. 땀 뻘뻘 흘리며.

구미호뎐
1938   제4화 업동이 I

이랑	(그런 형의 모습 지켜보다가) 나 아플 때도 이랬냐?
이연	넌 인마, 어릴 때 툭하면 아파 가지고 얼마나 속을 썩였는데. 내가 몸에 좋다는 건 다 캐다 먹였어.
이랑	(괜히) 기억 안 나.
이연	와, 애 키운 공은 없다더니.
이랑	(삐딱하게) 나 왜 주웠냐? 동생 있는 줄도 몰랐다며.
이연	아버지가 말해 줬어.
이랑	뭐?!
이연	나 꼬맹이 때, 아버지가 탈의파 할멈한테 나 버리고 튀었거든? 그 뒤로 생사도 몰랐는데, 어느 날 나타나서 그러더라. '깜박했는데 너 동생 있을 걸?'
이랑	(이를 갈며) 만나면 죽일 거야.
이연	효자 새끼. (웃다가 정색) 같이 하자.
이랑	어떤 놈이었어, 아버지란 작자? 난 얼굴도 몰라.
이연	독버섯 먹이고, 화살 과녁으로 쓰고, 바위 매달아 강물에 던져 넣고….
이랑	(피식) 네 성격이 그 모양 된 게 우연이 아니었네.

#50   경성 거리 / 모처 (밤)

기생 매화가 은밀하게 누군가를 찾고 있다. 잔뜩 긴장한 표정.
이내 남자 혼자 앉아 있는 벤치로 다가간다.
'왔어?' 돌아보며 서늘하게 웃는 남자, 종로 경찰서 정대승 형
사다!

#51   묘연각 / 형제의 방 (낮)

아침이 밝았다. 이연 혼자 밤새 아기를 간호했다.
잠에서 깬 이랑이 잠든 아기 이마를 짚어 본다.

이랑   열 내렸네?!
이연   하아… 살았다. (눈빛 바뀌어) 이제부터 미호 육아는 내가 지휘
         한다.

#52   몽타주 (낮)

한 차례 소동과 병치레를 겪고, 이연이 극성 엄마로 변했다.
이연 지휘하에 난초, 국희, 죽향이 묘연각 대청소 중이다. 매
화는 보이지 않는다.

이연   (화투 집어넌시녀) 화투장 같은 거 안 보이게 싹 치우고, (손가락으
         로 마루 훑는) 미세먼지 한 톨도 남기지 마. 애 기관지에 치명적
         이야. (쿵쿵) 이게 무슨 냄새지?!

         가 보면 뒤뜰에서 남자 손님이 담배 피우고 있다.

이연   담배 안 꺼? 오늘부터 여기 금연이야!
남자   이런 씨XX.
이연   (멱살 잡는) 바르고 고운 말 써!

신주가 '어제 산 꽃무늬 셔츠' 입고, 툇마루에서 아기 로션 발라 준다.

이연   (엄격한 얼굴로) 베이비 전용 로션이야?
신주   글쎄요?
이연   파라벤 성분 들었나 확인해!

이랑이 아기용 그릇과 수저에 이유식 담아 온다.

이연   그 식재료 유기농 맞아?
이랑   유기농이 뭔데?

이연이 애를 안고 둥가둥가 한다. 애는 공갈 젖꼭지 물고 있다. 신주는 옆에서 천자문 읽는 중.

이랑   좀 내려놔. 그러다 애 버릇 나빠져.
이연   애착 형성이 제일 중요한 시기야. 내 교육 철학에 토 달지 마.
신주   저 천자문 언제까지 읊어요?
이연   애 잠들 때까지. (아기에게) 미호 경성제국대학 보낼 거야.
이랑   진짜 유난도 저런 유난이 없네.

어디선가 바람 불어 아기 얼굴에 꽃잎 떨어진다. '방긋방긋' 예쁘게 웃는 아기.

이연	오, 너 이런 거 좋아하는구나?

이연이 '훅-' 입김을 불자 부드러운 미풍 불어온다.
세 남자와 아기 사이로 그림처럼 꽃잎 흩날린다.

#53   **오복 양품점 (낮)**
은호와 우렁각시가 사색이 돼서 양품점을 뒤지고 있다.

우렁각시	옷이 어디 갔지? 분명 여기다 잘 숨겨 놨는데!
은호	'암호'가 들어있는 옷이에요. 노출되면 조직 전체가 위험해!
여희	(열고 들어와서) 뭐 찾으세요?
우렁각시	여희야! (가리키며) 이쪽에 있던 꽃무늬 셔츠 못 봤니?
여희	그거 어제 팔렸어요.
은호	누구한테요?!

#54   **묘연각 / 인근 (낮)**
은호가 묘연각 찾아가는 길. 꽃무늬 셔츠 입고, 외출하던 신
주와 딱 마주쳤다.

은호	(신주에게 달려가서) 이봐요.
신주	(은호의 얼굴을 보고 얼음!) 저요?
은호	그 옷, 제가 맞춤 주문한 거거든요?

구미호뎐
1938   제4화 업동이 I

신주	(자리 피하려고 애쓰며) 제 건데요?
은호	(계속 앞을 가로막는) 얼마면 돼요? 돈은 달라는 대로 줄 테니까.
신주	(일단 피할 생각이다) 미안합니다. 안 팔아요.

순간, 도둑질하던 신주가 '미안합니다. 저도 좋아서 이러는
건 절대 아니거든요!!'
하던 장면 스쳐 간다. 은호의 눈빛 달라진다.

은호	너, 그놈 맞지?
신주	!!!!

#55	만주 / 모처 (낮)

홍주가 좁은 계단을 오른다. 허름한 여관방 찾아들었다.
문 열면 연기 자욱하다. 그 눈앞에 아편에 취해 신음하는
'1938년의 이연' 모습!!
'이것 봐라?' 홍주가 섬뜩하게 웃는다!

#56	묘연각 / 뜰 (낮)

뜰에 비눗방울 날린다. 이연이 방 툇마루에 앉아 비눗방울 불
고 있다.
이랑이 방울 '톡톡' 터뜨리면 아기가 방실방실 웃는다.
그 평화로운 풍경 속으로 다리를 절며 들어서는 사내.

이연의 얼굴 매섭게 굳는다. 정 형사가 무장 형사들 잔뜩 이끌고 나타났다.

정 형사	(아기 얼굴 확인하고) 이마에 점 일곱 개. (형사들에게) 맞네.
이연	뭐냐 니들?
정 형사	(오만한 태도로) 나 종로 경찰서 형사 정대승이야.
이연	(그 얼굴에다 비눗방울 훅) 그게 뭐?
정 형사	애기 내놔.

이랑이 위협적으로 애 앞을 가로막는다!
정 형사가 손짓하면, 형사들이 '난초, 국희, 죽향' 끌고 나온다!
옆구리에 총 겨누고 있다! 겁에 질린 기생들!

이연	(!!!) 걔들은 놔줘.
정 형사	애가 먼저야.
난초	(울상으로) 살려 주세요.

이연이 날카로운 눈빛으로 기생들과 아기를 번갈아 본다!
도리가 없단 듯 눈 질끈 감더니, 아기 안아 들고 정 형사에게 데려간다!

이랑	제정신이야?!
정 형사	(의기양양해서 손 뻗으면)
이연	보통 '이런 장면'에서 보면, 주인공이 어디 모자란 거 같이 애

	를 뺏기잖아? 근데, 우리가 보통 사람이 아니란 말이야.
정 형사	(어이가 없는 듯) 니들이 뭔데?
이연	뭐랄까. 일종의 '녹색 어머니회'?
정 형사	('뭔 소릴까.') ??
이연	(은은한 미소로) 여러분은 오늘 그냥 엿 됐다고 보시면 돼요.
정 형사	(피식) 미친놈.
이연	(방에 아기 내려놓고 귀 막아 주며) 바르고 고운 말 써. 이 개새끼야!
이랑	(설렘 얼굴로) 밟을까?
이연	밟자.

하자마자, 몸을 날려서 신나게 형사들 두들겨 패는 형제 모습에서!

4화 끝

#1   묘연각 / 뜰 (낮)

4화 엔딩에 이어, 기생들 인질 삼아 아기를 노리는 형사들!

이랑   (설렌 얼굴로) 밟을까?
이연   밟자.

하자마자, 몸을 날려서 신나게 형사들 두들겨 패는 형제!
비눗방울 흩날리는 가운데 난투극 벌어진다!
기생들 재빨리 자리를 피한다!
여기저기 총성이 난무하지만, 형제에게는 통하지 않는다!
난장판 가운데, 천진난만하게 혼자 놀고 있는 아기 모습이 대조적으로 보이고. 그 틈에 정 형사가 잽싸게 아기에게 달려든다! 손이 닿기 무섭게!

이연   (손목 확 붙들고) 딱 보니까 쉬하고 손도 안 씻을 관상인데. 우리 손에 세균이 얼마나 많은지 아니? (팰 때마다) 대장균! 노로바

이러스! 황색 포도상구균! 기타 등등!

형사1이 마당에 세워 둔 유모차를 든다! 이랑, 기함한다!

이랑	유모차는 안 돼!! (대치하며) 내려놔! 경성에 몇 대 없는 거 되게 고생해서 훔쳤거든?
이연	산 게 아니라 훔쳤냐?!
이랑	(형사에게 화풀이) 너 때문에 잔소리 듣게 생겼잖아!!

유모차 뺏고 지근지근 밟아 버린다!
이랑이 형사1의 총 뺏는다! 쏘려 하는데 이연이 막는다!

이연	죽이지 마!
이랑	아, 왜!!
이연	녹색 어머니회는 (애 가리키며) 애 앞에서 모범이 돼야 하니까.
이랑	(할 수 없이 총으로 패며) 쟨 애를 너무 오냐오냐 키운다니까.

순식간에 형사들 죄 쓰러졌다!

이연	(손뼉을 치며) 다들 주목! 지금부터 내가 여러분의 트라우마를 살짝 수정해 줄 거예요.
형사들	(바닥에서 신음하며 보면)
이연	니들은 우리한테 처맞은 게 아니고. ('눈 색깔 변해서' 단호히) 묘연각에 온 적도 없는 거야.

형사들 눈빛 일제히 아득해진다!

#2	만주 / 모처 (낮)

홍주가 허름한 여관방 문을 연다.

자욱한 연기 속에 아편에 취해 신음하는 '1938년 이연'의 모습 보인다.

홍주	이것 봐라? (섬뜩하게 웃는) 우리 연이가 하나 더 있네?

그런데 이연이 희미하게 '아음'을 되뇐다. 감은 눈에서 눈물 흐른다.

홍주의 얼굴 차갑게 변한다. 자존심 상했다.

홍주	넌 '그 여인이 죽은' 그 시절을 살고 있구나. 난 이렇게 '너'를 보고 있는데. (냉소적으로) 죽어 버려. (하고, 돌아서 나가려는데)
이연	기다려….

돌아보면, 이연이 홍주 옷깃을 붙들고 있다.

이연	가지 마… 제발.
홍주	!!!
이연	(비틀거리며 일어나 홍주 끌어안는다) 보고 싶었어. 너무 보고 싶어서 미쳐 버릴 것 같았어.

홍주   (눈빛 흔들린다)

이연   이제 다시는 나 두고 가지 마… (사이) 아음.

홍주   (품에 안긴 채 무참히 웃는) 젠장. 뭘 기대했던 거야. 난….

이연을 밀어내고 그 얼굴 마주 본다. 담담한 진심으로.

홍주   무영이가 돌아왔어. 기억나? 옛날에 우리 셋이 달리기 하면
            맨날 네가 일등이었잖아. 난 늘 너를 보고 달렸어. 너만 보고
            달렸어. 그때처럼… (볼 매만지는) 난 네 뒷모습만 보고 있구나.

이연   (그제야 눈 비비며) … 홍주?

하자마자, 홍주가 희미하게 웃더니, 도자기를 들어 이연 머리
를 사정없이 내리친다.
이연, 쓰러진다!

홍주   (나가면서 다정히) 잘 자. 1938년의 연아.

#3   **여관 / 앞 (낮)**
            홍주가 손을 털며 걸어 나온다. 깨진 도자기에 살짝 손 베었
            다. 기다리던 재유가.

재유   원하는 답은 찾으셨어요?

홍주   (씁쓸하게) 내가 원한 건 아닌데, 답은 찾았어.

구미호뎐
1938   제5화 업동이 II

재유	(홍주 표정을 보고) 술 한 잔 사 드릴까요?
홍주	(당돌하다는 듯) 왜? 술 필요해 보이니?
재유	예. (다친 손에 손수건 묶어 주며) 손을 보니까 분명 누군가를 두들 겨 패셨는데. 다친 건… '사장님'이신 거 같아서요.
홍주	(속을 들켰다. 픽 웃는) 사라. 술.

#4　　　묘연각 / 인근 (낮)

그 시각, 도둑놈이란 사실을 은호에게 들켜 버린 신주는.

은호	너, 그놈 맞지?
신주	(누가 봐도 당황해서) 그놈이라뇨?!
은호	내 눈은 못 속여. 우리 집 패물 싹 털어 갔잖아.
신주	(거짓말 잘 못하는 성격이다. 눈 데굴데굴 굴리다가) 증거 있어요? 뭐 CCTV도 없고! 지문 감식도 안 되는 시절이잖아!
은호	('뭔 소릴까.') CCTV? (하다가) 그렇게 나오시겠다.

메고 있던 카메라로 신주의 얼굴을 기습적으로 찍는다. 뒤늦 게 얼굴 가려 보지만.

은호	내일 아침 신문 1면에 실릴 거야. 금광 부자 일곱을 습격한 강도!
신주	(억울) 아니야! 다른 집은 나 아냐!
은호	너 방금 자백했다?

신주	사진 내놔요! 나도 초상권 있는 놈이야!
은호	그 옷 내놔!

둘이 온 몸으로 멱살 잡듯 실랑이 벌인다! 은호는 신주 머리
채까지 잡았다!
신주가 카메라 낚아챈다! 동시에 은호가 신주 셔츠를 벗긴
다! 단추 '좍' 뜯어진다!
총상에 붙여 놓은 붕대 드러난다!

은호	(자기가 쏜 총상이다) 아주 온몸으로 말하고 있네. '나 범인'이요.
신주	(조신하게) 만지지 마요. 난 정조가 생명이야.
은호	(새삼스레 훑으며) 정체가 뭐야? 뭔데 총 맞고 이렇게 멀쩡하니?!
신주	그러니까… (여우란 걸 들킬 순 없다. 머리 굴리다가) 약간 특이 체 질? (시선 피하며) 총 맞아도 어째 잘 안 죽더라고요.
은호	(?!!) 믿기진 않지만 그 말이 사실이면… (표정 싹 바뀌어서) 너, 일 본 제국주의에 대해 어떻게 생각하니?
신주	(너무 갑작스런 질문에) 에??

#5	묘연각 / 뜰 (낮)

이랑이 등 돌리고 앉아 아기에게 잔소리한다. '뭘 하는 걸까.'
이연이 다가가 보면.

이랑	꽉 잡으라고. 손에 힘을 더 줘야지.

이연	(기웃기웃) 뭔데? (보면, '권총'이다. 기함하는) 총?!!
이랑	아까 경찰이 흘리고 간 거. 탄창은 비었어.
이연	(얼른 뺏어 들고) 애한테 총을 왜 줘?!
이랑	부지런히 커서 전사가 돼야지. 스스로를 지키려면.
이연	(휙 던져 버리고) 미호는 이런 거 필요 없어. 의대 보낼 거거든.
이랑	(애 사이에 두고 실랑이) 어차피 칼 잡는 거면 마적단이 백배 낫지!
이연	애 장래 조져 놓을 일 있냐!

이연이 애 뺏어 들고 툇마루에 앉는다. 이랑이 투덜거리며 옆에 오면.

이연	(아기 수배 전단지 가리키며) 근데, 총독부에서 미호를 왜 찾는 걸까? 현상금이 집 한 채면 뭔 사연이 있는 모양인데.
이랑	재밌는 거 보여 줄까?
이연	??

이랑이 동전을 꺼낸다. 등 뒤에서 숨기고 아기에게 주먹 내민다.

이랑	맞춰 봐.

아기가 동전 든 손을 정확히 붙든다.
이연이 흥미롭게 지켜보는 가운데 몇 번 더 시도한다. 한 번의 오차도 없다.

이연	백발백중이네?!
이랑	'업동이'란 게 복을 부르는 애라더니 얜 타고난 도박꾼이더라. 재물을 산더미같이 몰고 올 거야. (뿌듯하게 애 안고) 그치?
이연	잠깐만. 재물과 복을 불러온다··· (갸웃하더니) 애 '업신' 아냐?!

자막	**업신 - 재물(財物)을 불러온다는 토착신**

이연	왜 업신은 자기가 깃들 집을 스스로 선택한다잖아. 처음에 우리가 딴 집에 갖다 놨는데, 계속 돌아온 것도 그렇고.
이랑	업신은 보통 마루 밑에 살지 않냐? '눈, 코, 입이 없는 두꺼비나 구렁이' 모습으로. (아기와 눈을 맞추고) 미호야. 너 누구니? 말 좀 해 봐.

방긋 웃는 아기를 바라보는 이연의 시선, 불안하게 흔들린다.

이연(E)	총독부가 우릴 찾아내는 건 시간문제다. 홍백탈도 날 노리고 있어. 여기 있는 게, 이 아이한테 최선일까.

#6	**묘연각 / 매난국죽의 방 (낮)** 외출했던 매화가 돌아왔다. 정 형사가 왔었단 얘기에 경악하며.

매화	종로 경찰서 정대승이라고?!
국희	그 뱀 같은 놈이, 우릴 총알받이로 쓰려고 했다니까!

난초	사장님도 안 계시는데. 이 난리통에 언닌 어디 갔었어?!
국희	(대답 못 하자, 농담처럼) 매화 언니가 신고한 거 아니야?
매화	아냐… (사실이다) 난 아무한테도 아기 얘기 안 했어.
난초	미친년. 너라면 또 몰라.
국희	(꼬집는) 나한테 욕하지 마, 이 계집애야!

싸우는 소리 들리지도 않는 듯, 매화는 넋 나간 모습. 그때 이
연이 문을 벌컥 연다!

이연	어이! 다친 데들은 없니?
국희	저흰 괜찮아요. 구해 주셔서 고맙습니다.
이연	니네 사장은?
난초	지금 출타 중이신데요. 어인 일로?
이연	홍주가 이 바닥 정보통이라며. 총독부에서 '누가, 왜' 애를 노리는지 알아야겠다.

#7	종로 경찰서 (낮)
	경무국장이 굳은 얼굴로 정 형사를 마주하고 있다. 곳곳에 부상당한 형사들 보이고.
	구석에는 '삿갓 남'이 마지막 남은 당근을 오물오물 먹고 있다.

국장	꼴이 왜들 이래?
정 형사	(맹한 눈빛으로) 저희가 애 찾으러 가다 집채만 한 호랑이를 만

낳습죠. 호랑이가 '떡 하나 주면 안 잡아먹지' 하길래 냉큼 가
래떡을 물려 줬더니 싫대요. 꿀떡이 좋다고.

국장	(정 형사 집어던져 버리고! 일갈!) 제 정신이야?!
정 형사	(머리 조아리며) 진짭니다요! (형사들 돌아보며) 맞지?
형사들	호랑이 맞습니다!!
국장(E)	(정 형사 눈 까 보고) 뭔가에 홀렸군. 상대는… '인간'이 아냐. (먼 곳을 보며 서늘한 미소로) 누구냐 너?

심복인 아키라 나타난다. 국장에게 다가와 은밀히.

아키라	애 위치 찾았습니다. 묘연각이에요. 당장 데려오겠습니다.
국장	네 힘으론 안 돼. 거기 꽤 강한 조선 요괴가 있거든. 내가 직접 하지.
아키라	기생집이라 보는 눈이 많습니다. 정체가 노출될 수도 있어요.
국장	(맞는 말이다. 잠시 생각하다가) 묘연각 사장이 네가 '기차에서 만난 계집' 아니냐.
아키라	예.
국장	그 계집을 이용해.
정 형사	(대화 일부를 들었다. 끼어들며) 그년 약점은 제가 압니다! (비굴한 웃음으로) 누이가 묘연각 기생이거든요.
국장	(아키라에게) 쓸 만한 정보인지 확인해 봐.
아키라	(고개 숙이고) 아, 그리고 누가 빈민들 부락에다 금붙이를 산더미같이 뿌렸답니다.
국장	(구미가 당기는 듯) 어디니?

열차 / 식당칸 (낮)

경성으로 돌아오는 열차. 홍주가 홀로 독주를 마신다. 재유가
빈 잔을 채워 주며.

재유   어디로 가실 겁니까? 이연님? 아니면 무영님인가요.

홍주   글쎄다. (복잡한 눈길로) 내 평생 친구라고는 연이랑 무영이뿐이
         었는데… 내 소중한 친구 놈들이 곧 전쟁을 시작한다네?

재유   (간곡히) 끼어들지 마세요.

홍주   (보면)

재유   둘 중 어느 쪽에 서도, 사장님은 다치실 겁니다.

홍주   아니… 내가 해야 돼. (먼 곳을 보며) 난 어쩌면… 내 손으로 '둘
         중 하나'를 죽여야 될 지도 모르겠다.

그 말에, 재유가 눈 질끈 감는다.
분위기 전환하듯 자기 잔에 술 따라서 건네주는 홍주.

홍주   마셔.

재유   (고개 돌리고 공손히 마시면)

홍주   안 힘드니? 내 밑에서 일하는 거.

재유   벌써 17년 전이네요. 사장님을 만난 게. 사장님 아니었음, 일
         본 순사들 몽둥이에 맞아 죽었을 겁니다. 다른 들개들처럼 군
         용 모피가 돼서 전쟁터에 팔려 갔겠죠.

홍주   약한 동물들한테 더 잔인한 시대니까.

재유   야견박살령으로, 지금도 수많은 토종개들이 죽어 나가고 있

어요.

자막	야견박살령 - 일제가 전쟁에 쓸 군용모피·가죽을 위해 개를 학살한 것. 약 150만 마리의 개가 학살당한 걸로 추정된다.

홍주	싸우고 싶니?
재유	(진심으로) 가끔요.
홍주	음… 내가 산신일 때 말이다. 인간들이 공물을 들고 찾아와서 허구한 날 소원을 빌곤 했어. 첨엔 멋있어 보이려고 다 들어 줬거든? 근데 그 날로 먹은 경험이 인간을 약하고, 악하게 만들더라 이거야.
재유	늘 그러셨죠. 인간 세상에선 우리가 주인공이 아니다.
홍주	(단단한 눈길로) 각자의 싸움이 있는 법이야. 인간도. 우리도.
재유	제 전쟁터는 여기예요. 전 죽을 때까지 하나의 주인만 섬길 겁니다.
홍주	(귀여운 듯 머리를 툭툭)

#9 **경성 거리 / 모처 (낮)**
4화에서 무영이 금붙이를 뿌린 그곳이다.
그런데 동냥하던 소년도, 금 깨물어 보던 노인도, 부녀자와 어린아이까지 죄다 총을 맞고 시체가 돼 있다. 군인들 몇이 총을 메고 시체의 몸 뒤진다.
경무국장이 그 복판에서 눈 감고, 냄새를 한껏 들이 맡는다.

살짝 흥분해서 '아… 이 향긋한 피 냄새…' 그 눈동자 붉게 변해 있다.

발밑에서 총을 맞고 죽어 가던 이가 '살려 주세요…' 힘없이 애원한다.

벌레라도 관찰하듯 지켜보더니, 이내 발로 머리를 '꽉' 밟아 버린다!

'우직-' 소리와 함께 국장의 얼굴에 피가 '팍' 튄다! 탐욕스레 입맛을 다시는 국장!

#10   묘연각 / 뜰 (낮)

신주가 뿌듯한 얼굴로 돌아왔다. 옷을 뺏겨서 반라 상태. 아기는 잠들었다.

이연   왜 웃통을 벗고 싸돌아다니니?

신주   (뿌듯하게) 제가 누굴 데려왔는지 보세요.

은호가 모습을 드러낸다. 이연은 움찔. 방어적으로 '아기 얼굴' 가리는 이랑.

은호   (이연 알아보고) 둘이 한패였어?!!

이연   (신주에게 작게) 절도 피해자를 데려오면 어떡해?

신주   들켰어요. (히죽) 근데 화해했어.

은호   당신 탐정이라며? 탐정이 도둑질도 하나?

이연	(뻔뻔하게) 불가피한 상황이었다. (어깨를 툭) 네가 이해해라.
은호	뭔데? 이 당당함은!
이연	어허, 생명의 은인한테!
은호	(흘기고 신주에게) 훔쳐 간 보석 내놔.
신주	잠깐만 기다리세요.
이연	(잽싸게 따라가면서 속닥) 금척은 못 줘.
신주	예예.
이연	야, 경찰이 눈에 불을 켜고 미호 찾고 있어.
신주	은호 씨는 괜찮아요. (귀에다 대고) '독립운동' 하나 봐.

그 사이, 은호가 아기 지키고 앉은 이랑에게.

은호	와… 도둑놈들이 애도 키우네. 걔도 어디서 훔쳐 온 거 아냐?
이랑	(서늘하게) 너, 무림 고수야?
은호	뭔 소리야?
이랑	아니면 내 앞에서 나대지 마. 뼈도 못 추리는 수가 있다.
은호	뭐 인마?!
신주	(패물 가져왔다. 애교 있게 건네며) 금으로 만든 자가 하나 빠졌는데, 고건 제가 몸빵 할게요.

#11   경성역 (밤)
           그날 밤. 홍주가 경성에 돌아왔다. 재유가 그림자처럼 뒤를
           따른다.

사복 차림 사내들이 홍주를 에워싼다. 재유가 반사적으로 칼집에 손을 대는데.

홍주   (말리며) 각 잡힌 거 봐라. 기관이야.
사복 남   묘연각 사장이지? 총독부에서 데려오라는 전갈이다.

홍주가 순순히 그들 따라나선다.
홍주 일행 사라지면, 곧바로 신주가 경성역에 나타난다.
과장된 몸짓으로 사주경계. 손에 서류 가방 들고 있다. 누군가를 찾고 있는 모양새.

인서트 플래시백

묘연각 일각. 앞 씬의 은호와 대화, 여기서 이어진다.

은호   내 제안은? 생각해 봤어?
신주   (진지하게) 하나만 묻죠. 왜 하필 독립운동이에요? (패물 보자기 풀어 보이며, 걱정스레) 이런 재력이면 평생 화신백화점이랑 군자리골프장이나 오가며 살아도 되잖아요.
은호   ('픽-' 쓰게 웃고) 처음엔 언니의 죽음을 파헤치려고 시작했고. 다음엔 내 애국으로, 아버지의 매국을 조금이나마 갚고 싶어졌고. 그러다 보니 동지들이 생겼고. 하루가 멀다 하고 동지들 부고를 들었어. 나는 (패물 가리키며) 이 많은 돈을 갖고도 빚쟁이야. 살아남았거든.
신주   (아프게 보다가) 왜 하필 '저'예요?

은호	난 집안 사정 때문에 주목받고 있고, (아기 수배 전단 내보이며) 때마침 넌, 지켜야 될 '비밀'이 있잖아?
신주	(끙)
은호	(시원스럽게) 할래 말래?
신주	조선이 아작이 나는 이 시대에, 난 '아편 중독인 누구' 뒷바라지 하느라 아무것도 못 했거든요. 그게 항상 마음에 걸렸는데. 하필 1938년에, 하필 우리 자기랑 똑 닮은 독립운동가를 만났네요. (손 내밀며) 운명처럼.
은호	(그 손에 패물 건네며) 오늘 밤 경성역. 흰 국화를 든 남자가 찾으러 올 거야. 이왕 도둑맞은 거 (눈 찡긋) 군자금으로 쓰자고.

다시 현재의 경성역.
신주가 행인들과 눈 마주친다. 모두가 자신을 보고 있는 것만 같다.
무장한 군인들 오가는 것도 보이고.

신주	어떡해… (손톱 물어뜯으며) 노이로제 걸릴 거 같아.

한 손에 하얀 국화 다발, 다른 손에 신주와 '똑같은 서류 가방' 든 남자 다가온다.
1화에서 은호에게 폭탄을 전달한 조직원이다.

남자	(바닥에 가방 놓고) 피아노는 배우셨소?
신주	(가방 내려놓고, 긴장해서) 아직 도… 도… 도레미레도밖에 못 쳐요.

구미호뎐
1938 제5화 업동이 II

남자	(암호 확인했다. 가방 바꿔 든다) 조심히 다루시오. 동지.
신주	(남자 사라지면) 동지? (왠지 뭉클해서) 동지….

#12   조선 총독부 (밤)

홍주가 총독부를 찾았다. 사무실 한쪽에 '부피 큰 물체' 천으로 덮여 있다.

경무국장이 반듯한 태도로 악수를 청한다.

국장	반갑소. 경무국장 가토 류헤이오. 이리 부른 이유는….
홍주	오면서 들었어요. 수배 중인 아기 때문이라지요. 여즉 묘연각에 있고.
국장	말이 잘 통할 거 같군. 꽤 성가신 놈이 데리고 있는 모양인데, 류 사장이 넘겨주시겠소?
홍주	저에 대해 얼마나 아십니까?
국장	경성의 모든 돈줄과 정보를 쥐고 있는 여인. 묘하게도 '나이를 먹지 않는다'는 소문의 주인공.
홍주	(얼굴 매만지며 태연히) 제가 관리를 빡세게 하는 편이라.
국장	저 친구 얘기는 좀 다르던데.
홍주	네?

하며 돌아보는 순간, 뒤에서 순식간에 기습해 오는 아키라!
홍주가 반사적으로 놈을 메다꽂아 버린다! 홍주 등에도 어느새 단도 꽂혀 있다!

아키라	(금세 무게 중심 잡고) 기차에서 만났었죠, 우리?
홍주	(등에 박힌 단도 뽑아내며, 본색 드러내는) 젠장. 뭐 하자는 겁니까.
아키라	(국장에게) 보시다시피 '요괴'입니다.
국장	(냉정한 톤으로) 네 정체는 이미 짐작하고 있었다.
홍주	(단도 들고) 허면, 이런 걸로 날 겁박할 수 없단 것도 아실 텐데.
아키라	(미소로) 그래서 '작은 선물'을 준비했어요.

하며, 덮여 있는 물체 걷어 보인다!
보면, 3화에서 홍주가 죽인 손님(일본군 대좌)이다!
'가야금 좋아하세요?' 홍주가 놈의 목에 줄 휘감던 장면(3화 6
씬) 스쳐 간다!

홍주	(시체를 빤히 보며, 흔들림 없이) 반가운 얼굴이네.
아키라	(국장에게) 이 목에 상처, 악기 줄로 추정됩니다. 이를 테면 가야금.
국장	그날 가야금을 뜯던 기생하고 시비가 붙었다지. 이름이 '난 초'라던가.
아키라	손톱도 뽑기 전에 자백했답니다. 자기가 죽였다고.
홍주	뭐?!!!

인서트
난초가 외딴 곳에 묶여 있다.
정 형사에게 이미 고초를 당한 양 엉망으로 헝클어진 모습.

아키라	군인을 죽였으니 총살로 다스릴 겁니다. 묘연각은 폐쇄하고요.

구미호뎐
1938   제5화 업동이 II

홍주	(분노로) 난초 어디 있어?!!!
국장	아기를 데려와서 업신의 입을 열어라. 낼 정오까지 금광 지도가 안 나오면, 그 계집은 죽는다.
홍주	!!!!!

#13   묘연각 / 형제의 방 (밤)

밤이 깊었다. 천장에 조개껍데기로 만든 모빌 돌아간다. 아기는 모빌을 보고 있다.
이연과 이랑이 아기를 사이에 두고 곤히 잠들었다.
누군가 조용히 형제의 방문을 연다! '홍주'다!
소리 없이 아기를 들어 올리는 홍주!

#14   묘연각 / 앞 (밤)

홍주가 아기 바구니 들고 차 뒷좌석에 오른다. 운전석에는 재유.

홍주	출발해.
재유	(걱정스레) 이 방법 밖에 없는 걸까요?
홍주	(복잡한 눈길로 차창 밖 묘연각 올려다보며) 인간 세상에서 내가 쌓아온 모든 게 여기 있어. (단호히) 난초를 살리고, 묘연각도 지킬거야.

이내 자동차 출발한다.

홍주가 바구니 속 아기에게 시선을 준다. 아기가 울상으로 얼굴 찡그린다.

#15   조선 총독부 (밤)
       아키라가 경무국장에게 빠르게 소식 전한다.

아키라   애를 확보했답니다.
국장   (잠시 생각하고) 묘연각으로 가서 놈들 반응을 살펴봐.
아키라   인질이 있는데 딴 생각을 할까요.
국장   절대 호락호락한 계집이 아냐.

#16   묘연각 / 뜰 (밤)
       그 사이 묘연각 발칵 뒤집혔다!
       '미호야!!' 여기저기 뛰어다니며 발을 동동 구르는 신주!
       매화, 국희, 죽향도 당황한 기색 역력하다! 아기는 물론 난초
       도 사라졌기 때문!

신주   없어! 우리 미호! 어디로 사라진 거야!!
죽향   (같이 찾으며) 이랑님이 데리고 나간 거 아녜요?
신주   아니, 애 찾는다고 부하들 모으러 갔어!
매화   난초도 안 보여요!
신주   뭐?!

구미호뎐
1938   제5화 업동이 II

국희	목욕하러 간다고 나가더니 안 돌아왔어요!

'와장창-' 어디선가 물건 부서지는 소리 들린다!
'뭔 소리야?' 신주와 기생들 뛰어가서 보면, 이연이 재유 멱살
을 잡고!

이연	다시 말해 봐.
재유	(괴로운 듯) 납치된 난초를 찾아오면, 아기 있는 곳을 알려 드린 다고 했습니다.
이연	홍주 지금 어디야?! (죽일 듯이) 말해!!
재유	난초를 찾아 주세요. 제가 드릴 말씀은 그뿐입니다.
신주, 기생들	!!!!!

#17	묘연각 / 앞 (밤)

담장 너머에서는, 안에서 흘러나오는 소리를 듣고 있던 아키
라가 자리를 뜬다.
조금 떨어진 데서 대기하던 정 형사에게.

아키라	기생 난초를 옮겨라. 만일, 정오까지 소식이 없으면….
정 형사	(허리춤의 권총을 만지삭) 쏴 버리란 거죠?

#18	묘연각 / 뜰 (밤)

신주가 열 받은 이연을 뜯어말리며 재유에게!

신주   난초가 어디 잡혀 있는데요?
재유   그걸 알면 사장님이 구하셨을 거예요.
이연   (신주 밀어 버리는) 비켜. (검 손에 들고) 내가 이 자식 입 연다.

재유를 향해 매섭게 검 휘두르려는데! 매화가 앞을 가로막는다!

매화   '아는 경찰'이 있어요! 제가 알아볼게요!
이연   네가?
매화   난초를… 구해 주세요. 저희 사장님, 약속은 꼭 지키는 분이세요.

#19   종로 경찰서 (밤)
          아키라가 삿갓 남에게 아기 데려왔다. 옆에 광산 전문가(이하,
          광산 남) 붙어 있다.
          홍주가 팔짱을 끼고 지켜본다.

아키라   금광 위치.

          그런데, 애 흘긋 보더니 무심히 고개 돌려 버리는 삿갓 남이다.

삿갓 남	(당근 베어 물고) 뎗어.
아키라	(단박에 권총 뽑아서 아기에게 겨눈다) 정확히 셋을 세겠다. 금광 위치 찍어. 하나… 둘… ('철컥' 노리쇠 당기는 소리) 셋.
홍주	(하자마자) 비켜.

아키라 밀어내고 다가간다. 삿갓 남에게 '아기 첫 포대기' 건네며.

홍주	어쩌다 잃어버렸는지 몰라도 애는 사랑받고 지냈소. 우리 집에서 먹고 자는 세 남자가 서툴지만, 온 힘을 다해 돌봤다오.

삿갓 남이 홍주를 응시하며, 아기 포대기 냄새를 맡기 시작한다.

홍주	그쪽 손길에 사람 목숨이 달렸소. (지도 가리키며) 도와주시오.

삿갓 남이 마침내 거들떠도 안 보던 지도에 눈길을 준다.
지켜보던 아키라도 살짝 긴장.
새 당근 집어 들더니 지도를 '쿡' 찍는다. 광산 남이 잽싸게
지도에 표시한다.

홍주	(진심으로) 고맙소.
아키라	(지도 보더니) 광산이 아니짆아?
광산 남	금맥은 강에도 있습니다.
아키라	진짜인지 확인해 봐. (홍주에게) 같이 가시죠.

홍주	(차갑게) 난 왜?
아키라	인간이나 요괴나, 조선 놈들을 믿을 수가 있어야 말이죠.
홍주	(이마 꿈틀한다)

#20   종로 경찰서 / 인근 (낮)
다음 날 아침. 매화가 정 형사를 붙들고 절규하듯 소리친다.

매화	어떻게! 내 가족 같은 애한테 그래?!
정 형사	(눙치듯) 그냥 겁이나 좀 준 거라니까?
매화	생사만 확인하게 해 줘, 응? 어디야? 난초 지금 어디 있어?!
정 형사	너 임마, 오라비 옷 벗는 꼴 볼라고 그러냐? 내가 누구 때문에 이러고 사는데.
매화	죽였구나?!
정 형사	아니라니까!
매화	(정 형사의 검 뺏어서 자기 가슴에 들이대고) 그래. 하나밖에 없는 동생 죽이고 잘 살아 봐!
정 형사	(기함해서) 안 내려놔?!!
매화	(당장이라도 찌를 듯) 난초 어디냐고!!

#21   경성 거리 (낮)
이연과 신주, 종로 경찰서로 향하는 길이다.

구미호뎐
1938   제5화 업동이 II

신주	하필이면 '종로 경찰서'라니… 어떡할까요? (허공에 주먹질) 화 끈하게 밀고 들어가?
이연	(신중한 태도로) 경찰서 안에 몇이나 있니?
신주	못해도 250명?
이연	(시계 보면 11시 15분) 정오까지 앞으로 45분. 다 상대할 시간이 없어.
신주	이랑님은요?
이연	홍주 쪽으로 붙을 거야.
신주	그럼 어쩌죠?

그때, 정복 차림의 형사 둘이 경찰서 향하는 것 보인다.
먹잇감을 발견한 듯 이연의 눈 반짝인다. 형사들 가리키며,
신주에게 싱긋 웃는다.
시간 경과되면, 정복으로 갈아입은 두 사람! 당당한 자태로!

| 신주 | 가시죠. '이 형사'님. |
| 이연 | 종로 경찰서는 우리가 접수한다. |

#22   종로 경찰서 / 안 (낮)

두 사람 경찰서 안으로 들어왔다. 같은 정복 차림 경찰들 오 가는 것 보인다.
이연은 태연하고, 신주는 잔뜩 긴장했다.

이연	너 일어 좀 하니?
신주	종로 어학원 6개월 다녔어요. (일본어로) '이거 교환 환불 되나요?'
이연	뭔 소린데.
신주	교환이나 환불 되냐고.
이연	에휴….
신주	쫄지 마세요. 한 절반은 조선인이야.

하자마자, 형사1이 둘을 주시하며 다가온다!
1씬에서 이랑이 총으로 쏘려던 형사다! 이연이 시선 피하는데!

형사1	(앞을 가로막고 일어로) 못 보던 얼굴인데?
신주	(일어) 신입입니다.
형사1	(일어) 조선인인가?
신주	(일어) 네.
형사1	(조선말) 나도 조선인이다. (이연에게) 우리… 어디서 만난 적 있던가?
이연	(!!!) '흔한 얼굴'이란 얘기 많이 듣습니다.
형사1	이 얼굴이?? (갸웃하다가 어깨를 툭) 암튼 열심히들 해.

형사가 지나쳐 가자 동시에 한숨 내쉰다. 그런데 한 걸음 떼기 무섭게!

형사1	잠깐.
이연, 신주	(얼음이 돼서 돌아보면) !!

구미호뎐
1938   제5화 업동이 II

형사1	(와서 신주 모자 들춰 보고) 신입이라 아직 모르는 모양이군.

#23	종로 경찰서 / 뒷마당 (낮)
	젊은 경찰 하나, 천을 뒤집어쓰고 앉아 머리 깎고 있다. 깎아
	주는 쪽도 경찰.
	이연의 얼굴 잔뜩 구겨졌다.

이연	'삭발'을 하라고요?! 왜죠? 남잔 머리빨인데.
형사1	전쟁이 장기화되고 있어. '후방에서도 나라 위해 헌신한다.'
	각오를 다지란 뜻이다. (하며, 가위 건네준다)

자막	실제로 1938년 순사들에게 삭발령이 내렸다.

신주	(가위 낚아채는) 제가 해 드릴게요.
이연	(뺏으려고) 나 '최승자 헤어살롱' 인턴 출신이야.

가위를 놓고 짧은 힘겨루기를 해 보지만, 가위는 이연 손에.
신주가 울상을 하고 앉았다. 뒤통수에서 가윗날 부딪치는 소
리에도 움찔.
이연이 소심하게 몇 가닥 자른다.
형사1이 빤히 지켜보고 있다. 하는 수 없이 과감한 가위질 한 번.
신주 시선에, 머리카락 한 움큼 떨어진다. 가슴이 찢어진다.
그제야 만족스레 자리를 뜨는 형사.

형사1 사라지자마자 '가자!' 이연이 가위 집어던진다. 정오까지 20분 남았다.

강변 (낮)
한 무리의 군인들이 물속에서 '사금'을 찾고 있다.
광산 남이 옆에서 지휘하고, 아키라는 물가에 서서 지켜본다.
홍주는 양산을 쓰고 강가에 앉아 있다. 삿갓 남은 당근 입에
문 채 꾸벅꾸벅 존다.
아기 바구니에는 정 형사가 붙어 있다. 돌에다 칼날을 갈며
못마땅한 듯.

정형사   이 정대승이가, 이런 데서 애나 보고 있는 신세라니.

홍주   매화랑 한 배에서 난 형제 맞니?

정형사   (뻔뻔한) 왜? 나라 팔아먹고 사는 오라비 부끄럽다냐?

홍주   순사 봉급 얼마나 된다고, 다달이 매화한테 돈까지 부친다
         대? 애틋해서 못 봐주겠다.

정형사   적당히 까불어. 매화 아니었음 그놈의 기생집 열두 번도 더 털
         었어.

홍주   (하자마자) 매화 오라비 아니었음 여기가 네 못자리였어.

정형사   (홍주 노려본다. 이어 웃고 있는 아기 볼 살짝 꼬집으며) 웃지 마. 금 안
         나오면 너나 네 애비나 죽은 목숨이야.

         하고 으름장 놓는데, 갑자기 아기 손가락이 그의 눈을 '쿡' 찌

른다.

'악!' 한쪽 눈 붙잡고 고통스러워하는 정 형사.

정 형사   이 어린놈의 새끼가… (하면서 보면, 아기가 '가운뎃손가락' 들고 있다)
애 지금 손가락으로 욕하는 거야?!
홍주   (한심한 듯) 애한테 못 하는 소리가 없네.

다시 보면, 아기 손가락 멀쩡히 펴져 있다.
물가에서는 광산 남이, 아키라에게 금이 없단 뜻으로 X자 그
려 보인다.
아키라가 삿갓 남을 발로 차서 깨운다.

아키라   일어나. (머리에 총을 들이대고) 감히 나를 속여?

삿갓 남이 맹한 얼굴로 총구 밀어낸다. 털고 일어나 태연히
강으로 향한다.
손가락으로 여기저기 물을 찍어 맛본다.
갸웃하더니 그대로 잠수. 도통 올라올 생각을 않는데.
예사롭지 않은 얼굴로 자리에서 일어나는 홍주. 아키라 표정
도 굳어진다.
그 순간, 물속에서 튀어나오는 삿갓 남. 손에 모래를 쥐고 있다.
모래 사이로 눈부시게 반짝이는 것! 꽤 부피 있는 '사금'이다!
광산 남이 확인하고, 아키라에게 '사금입니다!'
찰나, 홍주의 눈빛 탐욕스레 번뜩인다.

묘한 표정으로 이 풍경을 주시하는 아기 얼굴에서.

#25   종로 경찰서 / 안 (낮)
이연과 신주가 난초를 찾아 두리번거리고 있다.

신주   (초조하게) 대체 어디야!

이연   우리 지금 경찰이야. 당당하게 물어봐.

신주   (지나가는 형사2 붙잡고, 일어로) 묘연각에서 잡아 온 기생 어디 있
         나? 이송 명령이다.

형사2   (일어) 어디로?

신주   (일어) 총독부.

형사2   (별 의심 없이 위치 가리키며, 일어) 취조실로 가 봐.

         '됐다.' 이연과 신주가 눈빛 교환한다. 시계를 보면 10분도 안
         남았다.
         빠른 걸음으로 취조실 향하는데, 또 다른 형사3, 4가 '남녀'를
         연행하고 있다.
         자연스럽게 지나쳐 가려는데 '이연?!!' 하는 남자 목소리.
         붙잡혀 온 남녀, 하필 '너구리 부부'다.

이연   (모자 눌러쓰며) 젠장….

너구리남   이연 맞지?!!

신주   (30년대에 만났었다. 가물가물해서 이연에게) 누구더라?

구미호뎐
1938   제5화 업동이 II

이연	(작게) 둔갑한 너구리.
너구리 여	(앙칼지게) 네가 왜 여기서 순사 흉내를 내고 있니?
너구리 남	(이연 피해자 모임 전단지 보여 주며) 우리 여보 이거 뿌리다 잡혔어!

형사들의 시선 느껴진다. 조선인 형사들.

형사3	(수상쩍은 듯) 아는 놈들이야?
이연	(되레 당당하게) 내가 체포하려던 놈들. 앙심을 품었군.
너구리 남	거짓말! 이 구미호 놈이!!
형사3	구미호?

하자마자, 너구리 남의 팔을 꺾고, 벽에 얼굴 밀어붙이는 이연! 두들겨 패면서!

이연	'아편 중독'으로 유명한 자들이다. 환각을 보기 시작했어.
너구리 여	그건 너잖… (아!! 하려는데)
이연	(얼굴 눌러서 말 못하게 여자도 제압) 닥쳐.

조금 떨어진 곳에서 형사1이 그 모습 지켜보다가.

| 형사1 | 훠우… 요새 신입들은 패기가 넘치는구먼. |

#26   종로 경찰서 / 취조실 (낮)

온갖 해프닝 끝에, 난초가 있는 취조실에 도착했다.
밧줄에 묶인 채 축 늘어져 있는 난초. 꽤 고초를 당한 얼굴이다.

이연	난초야. 정신 차려.
신주	(분통) 나쁜 놈들! 애를 이 지경을 만들어 놔?!
난초	(희미하게 눈 뜨는) 이연님? 신주 오라버니?
이연	일어설 수 있어? 나가자.
난초	안 돼요. 내가 도망치면 우리 사장님이 위험해….
이연	(단호히) 홍주가 너 하나 구하자고 무슨 짓을 한 줄 아니?
난초	(보면)
이연	가자. 시간이 없어!

그제야 힘겹게 몸을 일으키는 난초. 신주가 부축해 준다.

#27   종로 경찰서 / 안 (낮)
        같은 시각, 사복형사5, 6이 난초를 찾고 있다. 형사2에게 일어로.

형사5	난초라는 기생을 찾고 있다. 총독부 이송 명령이야.
형사2	아까 다른 애들이 데려간다던데?
형사5, 6	!!!!

이연과 신주가 연행하듯 난초를 데리고, 경찰서 빠져나가는
중이다.

형사2, 5, 6이 그들을 쫓고 있다. '어이!!' 부르는 소리. 이연 일행의 걸음 빨라진다.

#28   **강변 (낮)**

사금 건져 올리는 군인들 손길 분주하다.
정 형사가 어디론가 기어가는 아기를 발견하고 냉큼 붙잡는다.

정 형사	어딜 가려고. 이놈아.
아기	(그 순간! 서늘한 '성인 남자' 음성으로) 내려놔라. 이 짭새 새끼야.
정 형사	?!!!

그 목소리! 다름 아닌 '이랑'이다!!

정 형사	여자애가 아니잖아! 너 뭐야?!!
아기	비밀인데… 이리 와 봐. (정 형사가 반신반의해서 귀를 대면) 까고 있네.

귀를 '콱' 물어 버린다! '악! 물었어!!' 귀를 잡고 뒹구는 정 형사!

홍주	(목소리 낮춰서) 야, 성질 작작 부려.
아기	너 때문이잖아.

뽀로통하게 홍주를 바라보는 '아기 얼굴' 클로즈업되면!

인서트 플래시백

지난 밤, 홍주가 잠든 이연과 이랑을 내려다보던 장면이다.
눈 질끈 감고 아기 안아 드는데, 아기가 아무것도 모르는 얼굴로 웃는다.
잠시 고민하다, 아기 내려놓고 이연과 이랑을 깨운다.

홍주	어이 구미호 형제. 기상.
이연, 이랑	(눈 비비며 일어나면)
홍주	총독부에서 거래를 제안했어. 아기를 데려가지 않으면 난초가 죽어.
이연	(!!) 그래서 네 선택은?
홍주	난 벌써 '선택'했는데?
이연	(잠깐 생각하더니) 그럼… 이렇게 하자.

잠시 머리 맞대고 작전을 세우는 세 사람. 이랑이 흥분했다.

이랑	(버럭) 둔갑은 네가 해!
이연	(진지하게) 난초를 구할 때까지. 그때까지만 버텨 주라. 이 작전은 우리 셋만 아는 거야.

다시 현재의 강변.
은밀히 눈빛 주고받는 홍주와 아기 이랑이다.
아키라와 광산 남, 채취한 사금을 들고 삿갓 남에게 다가온다.

정 형사	(아키라에게) 애가 사람을 물어요!
광산 남	그맘때 애들은 원래 그래요.
정 형사	나보고 짭새래!
아키라	(성가신) 말 같잖은 소리. (삿갓 남에게) 금광이란 금광은 다 찍어.

삿갓 남이 지도 앞에 놓고 홍주를 멀뚱히 본다. 홍주가 해 달란 뜻으로 고갯짓.
그러자 새 당근 집어 들더니 보지도 않고 지도 '툭툭툭' 찍어대는 삿갓 남.

| 광산 남 | (표시하려고 달려들며) 천천히! 천천히!! |

아키라가 홍주 시선 느끼고, 몸으로 지도 가려 버린다. 지도에 표식을 마쳤다.

아키라	확실해?
광산 남	(지도 짚으며) 최근 비밀리에 개발 중인 금광까지 포함돼 있습니다. 이놈은 '진짜'예요.
아키라	그래?

하더니, 곧바로 삿갓 남을 향해 거침없는 총질!! 삿갓 남 힘없이 쓰러진다!
바닥에 나뒹구는 당근, 핏자국으로 물든다!
홍주가 움찔한다! 아기 이랑과 눈 마주친다! 가만히 고개를 내것는 홍주!

홍주(E)   아직. 아직은 아냐··· 난초를 구하는 게 먼저다. (먼 곳을 보며 애
          타게) 서둘러라. 연아.

#29   종로 경찰서 / 안 (낮)
          이연 일행이 형사2, 5, 6에게 쫓기고 있다!
          잰걸음으로 피하다가 뛰기 시작한다! 코너를 돌면!

이연   가. 내가 유인할게.

          신주가 난초 데리고 달아난다! 이연이 슬쩍 보면, 형사들 달
          려오고 있다!
          형사들이 막 코너를 돌기 직전, 이연이 제 발로 모습을 드러
          낸다!
          그런데 그 얼굴 '난초'다! 둔갑한 이연이다!

난초(이연)   (몸 내밀며 불량한 톤으로) 잡아가쇼!
형사들   (이연과 신주는 어디로 사라진 걸까 두리번) ?!!

#30   종로 경찰서 / 앞 (낮)
          난초(이연)가 차에 실려서 이송되고 있다. 양옆에 형사5, 6이

구미호뎐
1938   제5화 업동이 II

다리 벌리고 앉았다.
형사5의 손이 슬그머니 허벅지를 더듬는다. 난초(이연)가 부글부글.
자동차가 경찰서에서 꺾어지기 무섭게.

난초(이연)　　(팔꿈치로 얼굴 찍어 버리며) 어딜 만져! 이 개새끼야!!

무자비하게 팬다! 순식간에 형사5, 6을 때려잡고!
자동차 급정거한다! 차에서 내리는 난초, 어느새 '이연 모습'으로 바뀌어 있다!

이연　　역시 난 둔갑은 질색이야.

난초를 데리고 기다리던 신주와 합류한다. 구출 작전은 끝났다.

신주　　근데 난초가 무사하단 걸 어떻게 알리죠? 핸드폰도 없고!

잠시 생각하더니 대답 대신, 하늘을 올려다보는 이연.
이연의 눈동자 '구미호의 그것'으로 변한다.
멀리서 천둥이 몰려오는 소리 들린다. 그 하늘을 보며 싱그럽게 웃는 이연.

#31　　강변 (낮)

강변의 마른하늘에 '쾅!!' 천둥이 친다. '날씨 왜 이래?' 정 형사가 툴툴댄다.
홍주가 하늘 올려다보며 화답하듯 웃고 있다.

홍주(E)	연이의 신호다! 난초는 무사해!
아키라	(지도 말아서 정 형사에게 주고) 지금 바로 경무국장께 전해.
정 형사	(뿌듯) 이만한 금이면 백년 전쟁도 너끈하겠어요. (하고, 주차된 자동차로 뛰어간다!)
홍주	(그 뒷모습 예의주시하다가) 볼장 다 봤으면 나도 이만.
아키라	애는? 관심 없나?
홍주	내가 딱히 휴머니스트는 못 돼 가지고. (이랑에게 찡긋하고 도망치듯 자리 떠 버린다!)
이랑(E)	(분노로) 저게 뒤통수를 쳐?!
홍주(E)	(단호히) 미안하지만, 금광 지도가 왜놈들 손에 넘어가선 안 돼.

이랑을 뒤로 하고, 정 형사의 뒤를 밟는 홍주.

아키라	(죽이러 다가오는) 네 애비는 죽었다. 너도 요괴라 원한을 품겠지.

아기에게 망설임 없이 총을 쏘는 아키라! 그 순간 아기가 몸을 피한다!
총알을 피하고 일어서는 아기 모습, 순식간에 '이랑'으로 바뀌어 있다!
귀여운 동물 그려진 턱받이만 그대로!

이랑	(몸 뚝뚝 꺾으며) 좀이 쑤셔서 죽을 뻔 했네.
아키라	(!!!) 넌 누구냐!!
이랑	나? (턱받이 떼 버리고, 씩 웃는) 조선의 구미호.

하고, 일격을 날린다!
한 방 맞은 아키라가 칼을 뽑는다! 이랑이 도끼를 든다!
둘이 팽팽한 몸싸움 벌인다! 치고받고 하면서 서로의 무기에
상처를 입기도!
그런데! 사금 캐던 군인들 몰려든다!
막 출발한 정 형사의 차를 쫓던 홍주, 마음에 걸리는 듯 뒤돌
아본다! 갈등한다!
그 사이 군인들이 이랑을 향해 총질하는 등! 수적으로 열세다!
아랑곳 않고 몰아붙이는 아키라까지! 이랑이 코너에 몰린다!
그 순간!
이랑을 둘러싼 군인들 낙엽처럼 베여 나가떨어진다!

홍주	다들 동작 그만!!

이랑과 아키라는 물론, 죽은 줄 알았던 삿갓 남까지 '부스스'
일어나 그쪽을 보면!
홍주가 집채만 한 '대검'을 어깨에 지고 서 있다!

홍주	지금부터 한 발짝만 움직이면, 여기가 오늘 니들 공동묘지다.
이랑	(세상 든든한 지원군의 등장. 마주 보고 픽 웃으면)

홍주	어이 시동생 구미호. 뒤는 내가 봐줄게 마음껏 붙어 봐.

이랑이 도끼 고쳐 쥔다!
아까와 달리 자신만만한 얼굴로 아키라에게 달려드는 이랑!
그 모습을 보며, '씩' 웃는 홍주 모습에서!

#32   경성 거리 (낮)
신주가 걱정스런 얼굴로 묻는다.

신주	이랑님은 괜찮으실까요?
이연	(단단한 믿음으로) 홍주 있잖아. 랑이 뒤에.
신주	(안심하고) 저는 난초 데리고 병원에 가 볼게요. 우리 미호는?
이연	우렁각시한테. (자리 뜨며) 내가 찾아올게.

이연과 신주, 반대 방향으로 찢어진다.
가벼운 걸음으로 양품점 향하는 이연. 거리에 인적은 거의 없다.
그런데! 맞은편에서 걸어오는 것, '경무국장'이다!
아직 서로의 얼굴도, 정체도 모르는 두 사람.
딱히 의식하지 않고 걷다가, 곁을 스치는 순간! 둘의 낯빛
'확' 달라진다!

이연(E)	(코를 틀어막는) 뭐지? 이 지독한 피비린내는?!
국장(E)	(!!) 조선에 이만한 힘을 가진 요괴가 있었나?!

동시에 뒤돌아본다! 짧은 순간, 둘의 눈빛 팽팽히 마주치는데!

이연	뭘 봐?
국장	(싱긋) 너, 이름이 뭐냐?
이연	(살의를 느꼈다. 차갑게) 이연.
국장	기억해 둬라. 내 이름은 가토 류헤이. 다시 만나게 될 테니. (하고, 가려는데)
이연	(팔을 턱 붙들고!) 사람 작작 잡아먹어라. 그 모가지 날아간다.

동시에 검에 손을 갖다 대는 두 남자! 일촉즉발의 순간!
'이연님!' 우렁각시가 아기를 등에 업고 나타난다! 아기는 장옷을 씌워 얼굴 가렸다!

| 이연 | (!!!) 오지 마!! |

빈틈이다! 곧바로 이연을 도발하듯 우렁각시를 향해 검을 날리는 국장!
이연이 검을 휘둘러 받아 낸다! 놀란 우렁각시가 주저앉다시피 한다!
돌아보면 국장은 이미 사라지고 없다!
검을 받아 냈던 팔이 저릿하다! 굉장한 힘이다!
불길한 눈빛으로 국장이 서 있던 자리를 바라보는 이연!
'이연이라…' 이름 되뇌며 대로를 걷는 경무국장! 그 옷깃에 이연의 칼자국!

마침내 서로를 대면한 '두 남자'의 모습 교차된다! 피할 수 없는 싸움을 예고하듯!

#33   묘연각 / 뜰 (낮)
        홍주가 묘연각으로 돌아왔다. 옷 이곳저곳에 '핏자국' 묻어
        있다.
        재유가 난초를 데려온다.

홍주   고생했다.
난초   사장님. 이 은혜 잊지 않겠습니다.
홍주   은혜는 무슨.
난초   (목이 메어) 저 때문에 너무 많은 걸 잃을 뻔 하셨잖아요.
홍주   바보. 왜 네가 죽였다고 했니? 나라고 불어 버리지.
난초   저도 사장님 지키고 싶었어요. 항상 우리 지켜 주셨으니까.

        말없이 그 어깨를 '툭' 치는 홍주. 기생들 그 모습 따뜻하게 지
        켜본다.

#34   묘연각 / 앞 (낮)
        삿갓 남이 떠날 채비 하고 있다. 신주가 아기 짐 보따리 챙겨
        왔다.
        이랑은 무관심한 척 한 발 떨어져 서 있다.

구미호뎐
1938   제5화 업동이 II

이연이 아기를 안고 오면.

삿갓 남   (아기에게 공손히 허리 굽혀 절하며) 돌아오셨습니까.

이연   (그 모습을 보고) 혹시 우리 미호가….

삿갓 남   이분이 '업신'이십니다.

이랑   딸이 아니야?!

삿갓 남   저야 잔재주나 좀 부릴 뿐, 이분을 수호하는 게 제 임무예요.

이연   왜 하필 아기 모습이지?

삿갓 남   욕망을 지배하는 신이기에, 가장 순수한 아이의 모습으로 태
         어나 영원히 자라지 않는 것이지요.

이랑   그건 애한테 너무 잔인하잖아!

이연   토착신으로 태어난… 이 아이의 운명이야. (삿갓 남에게 아기 넘
         겨주고) 이제 어디로 가시나?

삿갓 남   저는 모릅니다. 어디에 머물다 갈지, 누구에게 복을 줄지, 스
         스로 정하시니까요.

신주   (아기 짐 건네며) 이거 아기용품이에요.

삿갓 남   고맙소. (하고, 가려는데)

신주   (다급히) 한 번만! 한 번만 안아 봐도 돼요?

신주가 아기를 품에 꼭 끌어안고, 울면서 웃는다.

신주   미호야. 네 기저귀 빠느라 허리 뽀개질 뻔 했는데. 벌써 이별
         이구나. 어디 가든, 어떤 이름으로 살든, 우리 기억해 줄래?
         (말하다 말고 흐엉) 기억 못 할 거 같애.

| 이연 | (달래듯) 주접떨지 마. (하고, 아기에게) 잘 가라. (볼을 톡 만지며) 사 |
| | 람들한테만 나눠 주지 말고, 너도 복 많이 받아. |

그러자 아기가 작은 손을 뻗어 이연의 손가락을 꼭 쥔다.

| 신주 | 이랑님도 인사하세요. |
| 이랑 | (이런 감정 익숙지 않다. 새침하게 고개 돌리며) 난 됐어. |

신주가 울면서 삿갓남에게 아기 넘겨준다.
아기가 그의 귀에 대고 뭐라고 옹알이 한다. 진지하게 귀를
기울이는 삿갓남.

이연	뭐라는 거니?
삿갓 남	(이랑에게) 저기. 의사보다는 마적단이 마음에 드셨대요.
이랑	그럴 줄 알았어! (아기에게 어렵사리) 나도… 너 마음에 들더라.
삿갓 남	그리고 (이연에게) 그리운 이를 다시 만날 거라 하시네요. 그대
	는 성정이 맑아서, 그로 인해 길을 잃을 겁니다.
이연	뭔 소리야??

대답 대신, 삿갓 남이 아기 이마에 손을 댄다. '아기 이마의 점'
사라진다.
이연의 팔 안쪽을 가만히 쥔다. 일곱 개의 붉은 점이 이연에
게 옮겨졌다.

삿갓 남	이게, 길을 찾는 데 도움이 되길 바라신답니다.

더 물을 겨를도 없이, 깊이 고개 숙여 인사하고 길 떠나는 삿갓남.
세 남자가 오래오래 그 뒷모습 보고 있다. 신주가 펑펑 운다.
그 위로.

이연(N)	너나없이 가난했던 시절. 조선인들은 버려진 아기를 '업둥이'라 부르며 거두어 기르곤 했다. 복을 부르는 아이. 그 이름은 굶어 죽을 뻔한 수많은 아기의 목숨을 구했다.

안긴 채로 아기가 손을 흔든다.
이연이 희미하게 미소 짓더니, 양옆에 있는 이랑과 신주의 어깨를 감싸 준다.

이연(N)	우리는, 진짜를 만났다.

#35   경성 거리 / 골목 (낮)
그 시각. 뭔가를 찾는 기색으로 골목을 헤매는 무영. 굳은 얼굴이다.
'너구리 부부'가 골목에 '이연 피해자 모임' 전단지를 붙이고 있다.

무영	(전단지를 보고) 말 좀 물읍시다. 이 골목 어디쯤에 '요괴들의 전당포'가 있다는데 혹 아시오?
너구리 남	알다마다요. (부채 꺼내서) 거기서 샀소이다. '코가 길어지는 부채'요.
너구리 여	(경계하며) 이 양반이 누군지 알고 막 떠들어? 이 각박한 세상에.
무영	(전단지 가리키며) 이연을 아나 보오. 나도 그놈 잡으러 왔소.
너구리 여	(반색) 어머머 우리 편! 싸움 잘해요?
무영	예??
너구리 여	(남편에게) 뭐든 말해 드려!
무영	(약간 당황스러운) 그… 전당포 위치 좀.
너구리 남	(냉큼) 요괴들의 전당포는 그믐날 밤에만 열린다우.
무영	그믐이요? 시간이 없는데… 거기 사장이 누군지 아시오?
너구리 남	워낙에 거물이란 소문이 있는데, 누군지는 우리도 잘….
너구리 여	(냉큼) 알아봐 줄까? 우리 모임에 마당발이 하나 있거든요.
무영	부탁드립니다. (주머니 뒤적) 사례는 제가 충분히….

말 끝나기도 전에 '됐수다!' 쌩하고 자리를 뜨는 너구리 부부.
그런데… 혼자 남은 무영, 갑자기 벽을 짚고 신음한다!
숨이 잘 안 쉬어지는 듯 가슴팍을 푼다! 그 몸, 여전히 돌처럼
굳어 있다!

| 무영 | (이를 악물고) 아직은 안 돼… 난 아직… 할 일이 남아 있어. |

#36   극장 / 앞 (낮)

탈의파가 양장을 하고 외출했다. 극장 앞에 멈춰 서서 간판 올려다본다.

#37   극장 (낮)

중년 남자가 군밤을 까먹으면서 영화를 보고 있다. 구미호뎐의 '오도전륜대왕'이다.
탈의파가 그 옆에 와 앉는다.

탈의파   오도전륜대왕이시죠?

자막   오도전륜대왕 - 죽은 자를 심판하는 저승의 10번째 왕. 흑암지옥을 다스린다.

대왕   (옆을 슬쩍 보더니) 나 영화 볼 때 말 거는 거 제일 싫어한다.

탈의파   긴히 드릴 말씀이 있습니다.

대왕   영화 끝나고 하든가.

탈의파   급한 일이라고요.

대왕   (군밤을 냠냠) 난 안 급해.

탈의파   나 이 영화 봤는데, 마지막에 싹 다 죽어요.

대왕   (흥분해서) 아니 이 미친!!

뒤에서 '거 조용히 좀 합시다!!' 외치는 소리.

대왕	(소리 낮춰) 이런 극악무도한 자를 봤나! 흑암지옥에서 좀 굴러 볼래?
탈의파	죄목이 뭔데요?
대왕	영화 결말 뿌린 걸로….
탈의파	그걸론 기소가 안 되지. 살아나면 안 되는 아이가 살아서 돌아왔어요. 것도 미래에서. 누구 짓일까요.
대왕	설마… 지옥 시왕들 의심하는 거야?
탈의파	정확히는 대왕님을 의심하는 거죠. 맨날 땡땡이치면서 이승을 들락날락하시고.
대왕	(흘기고) 난 아냐. 영화도 보고, 장사도 해야 되고 바빠.
탈의파	시왕님들이 아니면 누구란 말입니까. 이승에서 그만한 힘을 가진 건….
대왕	자네. 그리고 '한 놈'이 더 있었잖나.
탈의파	(안색 확 굳어서) 그자는 그럴 리가 없습니다.

#38   내세 출입국 관리 사무소 (밤)
그날 밤. 이연이 탈의파 책상에 불량하게 걸터앉아 있다.

이연	진짜 몰라? 홍백탈이 누군지?
탈의파	(시치미 뚝) 몇 번을 말해. 내 눈에도 안 뵌다니까.
이연	할멈 천리안은 뭐 장식이야?!
탈의파	아우 혈압. 난 미래에도 이런 너를 데리고 일한단 말이지? 집에 가면 심심한 위로를 전해 줘라. 미래의 나한테.

이연	그러니까 내가 집엘 못 갈 수도 있다고! 내가 길을 잃을 거래, 업신이! 이유가 뭐겠어? 홍백탈!
탈의파	길은 네가 가진 수호석이 만들고, 문은 때가 되면 열려. 수호석이나 잘 지켜 인마.
이연	왜 이렇게 나한테 무관심해? 38년도 할멈은 뭐 인조 인간이야?
탈의파	인조 뭐??
이연	하여튼 나 집에 못 가기만 해 봐. 이승이고 저승이고 다 깽판이야!

기둥 뒤에서, 현의옹이 툴툴거리며 나가는 이연을 보고 있다가.

현의옹	여보. 왜 연이한테 거짓말을 하는 거야?
탈의파	(담담한 진심으로) … 천무영이니까. 그놈의 홍백탈이.
현의옹	(뜻밖의 대답에) !!!!
탈의파	'쌍성의 운명'을 타고난 아이. 세상에 복이 될 수도, 화가 될 수도 있다 했지만, 나는 자신 있었어. 이놈은 분명 어진 산신이 될 거다.

자막	**쌍성(雙星) - 쌍둥이별**

현의옹	(다정히) 그런 무영일 돌로 만들고. 당신… 오래 가슴을 쥐어뜯었어. 피눈물을 흘렸어. 내가 알아.
탈의파	(자조적으로) 정을 안 주려고 그리 애를 썼는데.
현의옹	무영이를 구하고 싶은 거지?

탈의파	글쎄. 난 그냥 작은 기대를 걸어 보는 거야. 미래의 내가 무영이를 잡기 위해 '굳이 연이'를 보낸 건 이유가 있지 않을까 하고.

#39   무영의 아지트 (밤)

외출했던 무영이 돌아왔다. 오도전륜대왕이 '자루'를 옆에 놓고 기다리고 있다.

무영	(방어적으로) 누구야?!
대왕	(태연히) 요괴들의 전당포 찾고 있다며? 이 몸이 전당포 사장이다. 넌 쫓겨난 북쪽 산신. 맞지? 딱 봐도 '이 시대에 속한 놈'이 아니고.
무영	(!!!) 예사 장사꾼이 아니시군요. (공손히) 존함을 알고 싶습니다.
대왕	(손으로 숫자 5를 만들어 보이며, 말해 줄 듯 말 듯)
무영	5? 5가 뭐예요??
대왕	에잉. 답답한 것! 오도전륜대왕!
무영	(놀라서) 지옥을 다스리는 시왕께서 어찌 이런 곳에! (절을 올리는) 용서하세요. 몰라 뵀습니다.
대왕	(흡족하게 보며) 이리 바른 놈이, 어찌 탈의파한테 개기고 다닐꼬.
무영	(쿵!) 저는 시왕님 손님이 되긴 글렀군요. 다 알고 오셨으니….
대왕	아닌데?
무영	예??
대왕	(자루 들어 보이며) 이건 내 건전한 취미 생활이야. '정치'는 빼자고.
무영	그 말씀은….

대왕	네가 꽤 마음에 든단 소리다. 원하는 게 뭐니.
무영	제 몸을 되찾고 싶어요.
대왕	(옷을 확 걷어 본다. 돌이 된 몸을 보고) 탈의파 실력이잖아. 요건 난이도가 좀 있겠는데?
무영	고칠 수만 있다면, 무슨 일이든 하겠습니다!

대왕이 한가로이 자루를 뒤적뒤적 하더니, 이내 '붉은색 복주머니' 꺼내 든다.
무영에게 건넨다. 기대감으로 손을 뻗는데, 냉큼 뺏어 버리는 대왕.

대왕	넌 나한테 뭐 줄 거야?
무영	(잠시 고민하다 단호히) 뭐든 드릴게요. 제 영혼이라도.

붉은 복주머니 사이에 두고, 눈을 빛내는 두 사람 모습에서!

#40	**오복 양품점 (낮)**
	다음 날. 여희가 들뜬 얼굴로 꽃단장 중이다. 잡지 <삼천리> 품에 끼고.

우링각시	오늘노 데이트하니?
여희	밤에 클럽으로 온대요. 오늘은 기필코 그이 마음을 사로잡을 거야.

우렁각시	(못 미덥다) 무슨 수로?
여희	잡지 보니까, 남잔 자기 말에 귀 기울여 주는 여잘 좋아한대요.
우렁각시	갸가 뭐라고 씨불이더냐?
여희	노래하고 싶으면, 두 다리로 제대로 서라고요. 구경거리 되지 말라고.
우렁각시	별 일이다. 이랑 그놈아가.

#41   **묘연각 / 형제의 방 (밤)**
그날 밤. 이랑이 재킷을 걸치고 방을 나선다.

이랑	나간다.
이연	어디 가는데?
이랑	(대답도 않고 쌩 가 버린다)
신주	저 이랑님 어디 가는지 아는데. (뜸 들이다가) 데이트.
이연	데이트?! (벌떡 일어나서) 나도 갈래.

#42   **클럽 파라다이스 (밤)**
이랑이 소박한 꽃다발 들고 여희를 찾아왔다. 여희 반색한다.

여희	어머 웬 꽃다발이야?
이랑	(??) 네가 시켰잖아. 꽃다발 들고 클럽으로 오라며. 두 번째 소원.
여희	그랬지… 암튼 고마워.

구미호뎐
1938   제5화 업동이 II

이랑	(눈치 없이) 응. 그럼 간다.
여희	잠깐만! 내 공연은 보고 가야지. 그거까지 소원 한 세트란 말이야.
이랑	그래? (무심히) 그러지 뭐.

이랑이 자리를 잡고 앉는다. 그제야 꽃다발 들고 공연 준비하러 가는 여희.
제일 뒤쪽 테이블에 이연과 신주가 앉아 있다. 나름 변장한 채로 안주 집어먹으며.

이연	오, 꽃다발.
신주	이랑님도 마음이 있네.
이연	여자애도 참해 보이지?
신주	꿈이 가순데, 인간 세상에서 안 해 본 일이 없는 알바왕이래요.
이연	결혼하고도 맞벌이 하겠네? 합격. 나이는?
신주	이랑님보다 마흔 살 정도 많다던가?
이연	딱 좋다. 요괴들 사이에 마흔 살 차이면 궁합도 안 본대잖니.
신주	(신난 이연을 보니 왠지 짠하다) 이랑님… 두고 갈 자신 있으세요?
이연	(솔직하게) 자신 없어. 아직은. 저 성격에 내가 지 버렸다고 생각할 거야. (이랑 뒤통수를 바라보며, 먹먹한 얼굴로) 남의 속도 모르고.

무대 열린다. 여희가 화사한 차림으로 무대 올랐다.
이번에는 '두 다리'로 제대로 서서. 머리에는 '이랑이 준 꽃' 꽂았다.

이랑이 술 홀짝이며 그녀를 보고 있다. 여희가 아름다운 목소리로 노래한다.
마치 이 클럽에 둘만 있는 듯 시선은 오직 이랑을 향해 있다.
분위기 좋은데, 웨이터가 이랑 테이블로 와서 곶감 놔주며.

웨이터　　저쪽에 계신 숙녀분이 보내셨습니다.

이랑이 쳐다보면, 한 여인이 아찔한 미소를 보낸다. 이랑은 늘 그렇듯 무반응.
여희가 경계하듯 이쪽을 주시한다.

이랑　　（뭔 의미인지 모른다）아무튼 '공짜'란 거지?
웨이터　　예.

이랑이 곶감 베어 문다. 여인이 긍정의 뜻으로 알고, 술잔 들고 이랑 테이블로 합석.
노래하는 여희의 눈 이글이글하다.

여인　　무슨 일 하는 분이에요?
이랑　　（서늘하게）그게 왜 궁금한데.
여인　　여자 마음을 훔친 당신… （만지려고 손 뻗으며）혹시 도둑?
이랑　　!!! （그 손을 콱 붙잡고）너 순사야?! 내 마적단 치러 왔지?
여희　　（멀리서 보면 그냥 스킨십이다. 폭발 직전!）
여인　　（까르르 웃으며 앙탈）농담도 잘 하셔.

그 순간, 여희 목소리에 '삐이이익-' 하는 기묘한 음파가 섞인다! 이랑 테이블의 술잔 박살난다! 손님들 귀를 틀어막는다! 이연과 신주도 기겁!
이랑이 뜻밖이란 얼굴로 빈 무대 올려다본다!
여희 자신도 놀란 모양, 당황해서 황급히 무대 마치고 내려간다!

이연   (!!!) 쟤가 한 거 맞지?
신주   부부 싸움이라도 하는 날엔 이랑님 죽사발 되겠는데요?

#43   경성 거리 (밤)
          클럽 파라다이스 앞. 여희가 클럽 떠나는 이랑을 따라 나왔다. 심란한 얼굴로.

여희   오늘이 마지막이겠지? 우리….
이랑   (차갑게) 왜 거짓말했니?
여희   미안. 나한테 실망했지? 나도 모르게 그런 짓을 해 버려서….
          (하는데)
이랑   (백 프로 진심이다) 마음에 들어! 생각했던 것보다 훨씬 강하잖
          아! 네 전투력!
여희   (웃어야 할지 말지) 전투…력?
이랑   멋있잖아.
여희   정말? (환해져서) 그렇게 말해 준 건 네가 처음이야.

이연과 신주가 멀찍이 숨어서 지켜보고 있다. 신주가 재채기
하다 입 틀어막는다.
이랑이 눈치 챘다. 돌아보지 않고.

이랑	뛸 수 있겠어?
여희	응?
이랑	성가신 놈들이 따라붙었어.
여희	뛸 수 있어.

하자마자, 이랑이 번개처럼 치고 달린다! 여희도 같이 뛰기
시작!
이연과 신주도 놓칠세라 뒤를 쫓는다!
다리가 약점인 여희가 금세 뒤처진다! 이랑이 성가신 듯 그
손을 잡고 내달린다!
그렇게 경성 거리를 아름답게 내달리는 두 사람! 여희의 얼
굴에 미소 가득하다!

#44   **골목 (밤)**
좁다란 골목에 숨어든 이랑과 여희.
골목 어귀에서 '이것들 어디로 튀었지?!' 투덜대는 이연의 목
소리 들린다.

여희   형 아니야?

이랑   (입 틀어막는) 쉿!!

아슬아슬한 거리에서 몸을 맞댄 이랑을 올려다보는 여희의
시선.
이내 어색한 듯 이랑이 몸을 뗀다.

이랑   (밖을 확인하고) 갔어.

이랑이 골목 나선다. 수줍게 따라나서는 여희 배에서 꼬르륵
소리.

여희   (이랑 돌아보면) 같이… 밥 먹을래?
이랑   글쎄. (잠시 망설이다가) '냉면'이라면.
여희   (활짝 웃는다)

#45   묘지 (밤)
          무영이 머리에서 발끝까지 멋지게 차려입고 묘지를 나선다.
          형의 무덤 돌아보고 '다녀올게. 형'

#46   경성 거리 (밤)
          이연과 신주가 묘연각 돌아가는 길.

이연	(구시렁) 재채기 때문에 들켰잖아.
신주	(시계를 보고) 저 누구 좀 만나고 올게요.
이연	누구?
신주	저도 사생활이란 게 있어요. (반대쪽으로 향하며) 먼저 주무세요.
이연	이것들이!!

#47   묘연각 / 형제의 방 안팎 (밤)

홀로 묘연각 돌아온 이연이 '수호석과 금척'을 앞에 놓고 생각에 잠겨 있다.

이연(E)	놈은 틀림없이 온다. 이 보물을 노리고.

그때 누군가 밖에서 '연아, 이연! 나랑 놀자!'
방문 열고 나간다. 이윽고 목소리의 주인이 모습을 드러낸다.
이연의 눈빛 미친 듯이 흔들린다. 그 얼굴, 다름 아닌 '무영'이다.

이연	천무영? 무영이?!!!
무영	(다정히) 그래 나야.
이연	(믿기지 않는 듯) 네가 어떻게 여기….
무영	살아 돌아왔냐고?

꿈인가 생시인가, 잠시 멍하니 그를 마주 보고 섰다가!
한달음에 달려가 무영을 끌어안는다! 무영도 그 어깨를 단단

히 얼싸안는다!

이연을 끌어안고, 등 뒤에서 섬뜩하게 웃는 무영! 그 순간!

이연   (무영 귀에다 대고) 네가 홍백탈이니?

5화 끝

구석

놀
이

6

#1   숲 (밤)

          '어린 이연과 홍주, 무영'이 봇짐 하나씩 안고 모닥불 앞에 둘
          러앉았다. 늑대 울음소리 들린다.

무영(아역)   (이연 옷깃을 잡고) 연아, 나 무서워.

이연(아역)   이 숲에 아귀가 나온대. 알지? 사람이고 짐승이고 막 뜯어먹
          는 거.

홍주(아역)   (겁에 질린 무영 감싸 주며) 야! 무영이 괴롭히지 마.

이연(아역)   (킥킥 웃다가) 탈의파 할멈이 알았겠지? 우리 도망친 거?

무영(아역)   (걱정스레) 지금이라도 돌아가자.

홍주(아역)   가출을 했으면 끝장을 봐야지. 가진 거나 다 털어 봐.

          홍주의 봇짐에서는 음식만 잔뜩 나온다. 무영은 전부 책. 이
          연은 속옷뿐이다.

이연(아역)   홍주 너 주막 차리러 왔니?

홍주(아역)	난 배고픈 건 못 참아. (무영의 책을 휙) 뭐야 이건?
무영(아역)	글공부는 매일 해야지.
이연(아역)	하여튼 천무영….
홍주(아역)	(이연의 속옷 들어 보이며) 넌 고쟁이?
이연(아역)	(당당히) 딴 건 몰라도 난 속곳은 매일 갈아입어야 돼. 그리고… (옥빗 꺼내 들며) 짠!
무영(아역)	탈의파 할머니가 엄청 아끼는 빗이잖아!
이연(아역)	우릴 괴롭힌 복수다!

빗을 깨서 나눠 주고, 친구들에게 어깨동무하는 이연. 셋이 머리 맞대고.

이연(아역)	이건 말이야. 우리가 셋이 합쳐서 하나란 증거야.
홍주(아역)	(주먹을 들고 장난스레) 배신한 놈은 내 손에 죽는다.
무영(아역)	잃어버리면 어떡하지?
이연(아역)	사슴 똥 먹일 거야.

난감한 표정의 무영. 이연이 귀엽다는 듯 그 머리를 마구 쓰다듬는다.

#2   묘연각 / 뜰 (밤)
그리고 현재. 미친 듯이 흔들리는 '이연 눈동자'에서 화면 넓어지면.

구미호뎐
1938   제6화 구석놀이

이연	천무영? 무영이?!!!
무영	(다정히) 그래 나야.
이연	(믿기지 않는 듯) 네가 어떻게 여기….
무영	살아 돌아왔냐고?
이연	(피식) 웃기지 마. 무영이 죽었어. 내가 봤어. (서늘하게) 정체가 뭐냐 너.
무영	나야. 연아. (품에서 뭔가를 꺼내 보이며) 네 친구 무영이.

무영 손에 든 물건을 보고 멈칫하는 이연! '부러진 옥빗'이다!

이연	(충격으로) 네놈이 왜 그걸 갖고 있어?!
무영	(말갛게 웃으며) 사슴 똥 먹는 건 질색이라.
이연	…말도 안 돼.
무영	보고 싶었다.

이연, '꿈인가 생시인가.' 잠시 멍하니 그를 마주 보고 섰다가, 한달음에 달려가 무영을 끌어안는다. 무영도 그 어깨를 단단히 얼싸안는다.
이연을 끌어안고, 등 뒤에서 섬뜩하게 웃는 무영! 그 순간!

이연	(무영 귀에다 대고) 네가 홍백탈이니?
무영	(!!) 그게 무슨 소리야.

그와 동시에! 이연이 검을 뽑아 들고 살벌한 일격을 날린다!

예상했다는 듯, 여유 있게 막아 내는 무영!

무영   넌 여전하구나. 여전히 불같아.

하고, 곧바로 반격! 이연도 흔들림 없이 받아 낸다!

이연   (쉴 새 없이 검을 몰아붙이며) 너 누구야!!

서로를 너무나 잘 아는 두 남자의 대결! 어느 쪽도 빈틈이라
고는 보이지 않는다!

#3   묘연각 / 홍주의 방 (밤)
         홍주가, 매화와 재유 앞에 놓고 얘기 중이다. 매화 눈에 눈물
         그렁그렁하다.

홍주   나는 이제 총독부의 타깃이 됐다. 내 정체도 더는 못 숨길 테지.
매화   (눈물 흘리는) 저를 벌해 주세요! 저 때문에 오라비가! 아니 제
         가! 사장님을 위험하게 만들었어요!
홍주   울지 마. 이런 시대엔 기생도, 화초가 아니라 잡초가 돼야 해.
         (눈물 닦아 주며 단호히) 농약을 뿌려도 털고 일어나.
매화   (눈물 꾹 참고) 명심할게요.
홍주   재유 넌 지금부터 총독부 움직임을 주시해. '절대' 다치지 말고.
재유   (그 마음 안다. 따뜻한 미소) 분부대로 할게요. (하고, 나가면)

매화	(불안한 듯) 이제 우리 묘연각은 어떻게 되는 건가요?
홍주	니들은 아무 일도 없던 것처럼 영업해. 묘연각은 내가 지켜.

그때, 밖으로 나갔던 재유가 다급히 방문을 열어젖힌다.

재유	사장님! 지금 밖에!!

#4	**묘연각 / 뜰 (밤)**

홍주의 얼굴 일그러진다! 그 시선에, 죽자고 싸우는 이연과 무영의 모습 보인다!

홍주	지금 뭐 하는 짓이야!!

홍주의 일갈 들리지도 않는 듯 '쾅!!' 검 맞부딪친다! 둘 다 검을 놓쳤다! 이번에는 육탄전이다! 무시무시한 완력으로 치고 받고! 홍주가 고통스럽게 중얼거린다!

홍주	그만… 제발 그만 좀 해….

이연과 무영, 서로의 멱살을 움켜쥔다!
그 순간! 무시무시한 속도로 날아드는 대검!
뒤에서 정확히 이연의 심장 부위를 뚫고! 이어 피하려던 무영의 가슴팍 관통한다!

홍주다! 노한 얼굴로 두 사람에게 걸어오며!

홍주   보자 보자 했더니 이것들이 누굴 호구 새끼로 아나.

이연   류홍주. 너 미쳤냐? (하고, 검 뽑아내려 칼날 움켜쥐는데)

무영   (손 막으며) 안 그러는 게 좋을 걸? 난 몰라도 넌 급소를 관통했어.

홍주   게다가 '산신의 검'이잖아?

이연   (이를 악물고) 뭐 하자는 거야, 너.

홍주   이연이 둘이더라? '진짜'는 만주에 있는 아편쟁이.

이연   !!!! ('젠장…' 쓰게 웃고) 들켰네. 근데 나도 이연이야.

홍주   (하자마자) 다만, 이 시대에 속한 놈이 아닐 뿐이지.

하고, 둘을 관통한 검을 거침없이 뽑아 버린다!
이연 발밑으로 피가 '툭툭' 흘러내린다!

무영   연이가 피를 너무 많이 흘렸어!

홍주   (아랑곳 않고) 우리 무영이는 어떻게 살아 돌아왔을까. 탈의파는
        죽은 놈을 되살리는 법이 없잖아. 원칙주의자거든.

무영   나도… 답을 찾고 있는 중이야. 누가 날 깨웠는지. 어쩌면 '산
        자도, 죽은 자도 아닌' 나는 누군지.

이연의 숨 거칠어진다! 금방이라도 쓰러질 듯 위태로운 모습!

홍주   니들 '4대 산신을 뽑는 그날' 무슨 일이 있었던 거니?

무영   (시선 피하는데)

구미호뎐
1938   제6화 구석놀이

홍주	말해! 뭔 짓을 했길래 우리 사이가 박살이 났냐고!
이연	내가… 죽였다. 무영이 하나뿐인 형을.
홍주	(!!!!) 미친.
이연	(무영의 눈 똑바로 보며) 후회 안 해. 난.
무영	(형 애기에 눈에서 불꽃이 튄다. 분노를 삼키며 나직이) 닥쳐.

그때! '울컥-' 피를 토하며, 마주 선 무영에게 안기듯 허물어
지는 이연!

이연	(무영을 꽉 잡고) 돌아가야 돼. 난… 여기서 안 죽어. 절대…. (하고, 의식을 잃는다!)
무영	(홍주에게 담담히) 호흡이 약해지고 있어.
홍주	어떡할래? (시험하듯) 지금 연이를 구할 수 있는 건 너뿐이야.

그러자 무영이 품에 안긴 이연을 놔 버린다! 그대로 바닥에
나뒹구는 이연!!

#5	냉면 가게 (밤)
	이랑과 여희가 냉면 가게를 찾았다. 뒷정리 중인 사장 보인다.

여희	문 닫았나 본네. 다른 데 갈까.
이랑	아니. 난 내가 먹고 싶은 데서 먹어. (들어가서) 냉면 두 그릇 가 져와.

사장	(성가신 듯) 영업 끝났소. 손님 안 받아.

하자마자, '쾅!!' '이랑의 도끼'가 아슬아슬하게 사장 머리 위를 지나 벽에 꽂힌다!
'악!!' 사장이 정리하던 냉면 그릇 '우당탕' 떨어트린다!

이랑	(보지도 않고) 냉면.
여희	('헉!!')

잠시 후, 이랑이 냉면 맛있게 먹고 있다. 여희는 예쁜 척 하느라 한 가닥씩 오물.

이랑	그렇게 먹고 배가 부르니?
여희	(수줍게) 배불러.
여희(E)	남잔 베일에 가려진 여자를 좋아한다. '밥도 새 모이만큼 먹고, 변소도 안 가는 나'

흡족한 미소를 감추는 여희다. 그런데 이랑이 먹다 말고 여희를 빤히 쳐다본다.

여희	왜? (당황해서 얼른 입 닦으며) 얼굴에 뭐 묻었어?
이랑	볼수록 흥미로워서.
여희	(얼굴 빨개져서) 내가?
이랑	양품점 점원인 줄 알았더니 둔갑한 인어라지. 다리 부실한 반

쪽짜린 줄 알았는데, 의외로 파괴 왕이야.

여희   (울상으로) 파괴 왕?

이랑   노래로 다 때려 부수잖아. 그 목소리는? 어머니한테 물려받
       았니?

여희   (풀이 팍 죽어서) 난 내 목소리 싫어. 사람들 행복하게 만들고 싶
       어서 노래하는데. 가끔 나도 모르게 그런 짓을 해 버리고….

이랑   배부른 소리 하지 마. 그거 좋은 거야. 세상과 싸우고, 스스로
       를 지킬 힘이 있다는 거.

       나름의 진심이자 위로다. 여희가 잠시 그 얼굴 마주 보더니.

여희   그런가? 그럼 난 이랑 너를 지켜 줄게.

이랑   (이번엔 이랑이 당황했다) 네가 날 왜 지켜?!

여희   (둘러대는) 음… 소원이 아직 다섯 개나 남았으니까?

이랑   보기보다 끈질긴 여자군. (어색한 듯 일어서서 카운터로) 여기 계산.

       이랑이 계산하는 사이, 여희가 참았던 냉면을 허겁지겁 쓸어
       넣는다.
       여희는 모르지만, 이랑이 돌아보고 '픽' 웃고 있다. 귀엽다는 듯.

#6   경성 거리 (밤)
       두 사람, 냉면 가게에서 나와 헤어진다.

이랑	들어가.
여희	(조금 섭섭해서) 안 바래다줘?
이랑	것도 소원에 포함되나?
여희	아니야. 아껴 쓸래. (미소로) 잘 자.
이랑	(무뚝뚝) 응.

여희가 종종거리며 돌아가는 길.
그녀는 모르지만, 이랑이 조금 떨어진 지붕 위에서 지켜보며,
따라 걷고 있다.

#7	조선 총독부 (밤)
	경무국장 책상에 금광 지도 펼쳐져 있다. 아키라는 이랑과 일
	전으로 부상 입은 상태.

국장	널 이 모양으로 만든 게 '구미호'라고?
아키라	예. 둔갑을 하는 놈이었습니다. (울분에 차서) 묘연각 사장도 한
	통속이에요! 당장 쓸어버리시죠!
국장	좋네. (싱긋 웃는) 조선에 쓸 만한 요괴가 넘쳐나는구나.

인서트 플래시백   5화 32씬
경무국장, 이연과 검을 맞대던 장면 짧게 스쳐 간다.

국장	(지도 말아서 건네며) 금광 개발을 서두르라고 전해.

구미호뎐
1938   제6화 구석놀이

아키라	묘연각을 그냥 두실 겁니까!
국장	전쟁이 한창이다. 군비 확충이 먼저야. (곧바로 나갈 채비하며) 우리는, 실험실로 간다.
아키라	(그제야 밝아진) 새로운 사냥감이 될 조선 요괴들을 확보했습니다.
국장	사냥감이 아니야. 우리 제국의 '전쟁 무기'지.

#8	오복 양품점 (밤) 신주가 은호를 따라 불 꺼진 양품점 찾았다. 행거 너머로 '숨겨진 문'이 나온다. 문 열고 들어가면, 중앙에 태극기 걸려 있는 창고 방에, 남녀 앉아 있다.
은호	소개할게요. 우리 조직 새 멤버.
	기다리던 남녀의 얼굴을 본 신주가 기함한다. 다름 아닌 '현의옹과 우렁각시'다.
신주	이분들이 은호 씨네 조직원?!
우렁각시	(놀랐지만 태연히) 우리 단골이잖아. 아는 얼굴이니까 말 까도 되지?
신주	(끄덕) 세상에… 독립운동 하셨구나.
은호	이쪽은 구면이고 (현의옹 가리키며) 인사드려. 저분은 그레고리 현.
신주	(풉) '뭔 고리'요?!
현의옹	그레고리!
은호	해외 유학파 출신이셔. 나이는 서른일곱.

신주	3700살 아니고요? (웃음 꾹) 전혀 안 그래 보이는데, 30대시구나.
현의옹	(은호에게) 난 저 친구 별로.
은호	왜요?
현의옹	관상을 보니까, 대충 한 달쯤 깔짝거리다 소리 소문 없이 튈 거 같아.
신주	(입모양으로 '하지 마요!!')
우렁각시	(피식, 은호에게) 만주에서 들여온 물건부터 봅시다.

은호가 탁자 위에 서류 가방 올려놓는다. 5화에 신주가 경성
역에서 받아 온 물건.
가방 열면 '다이너마이트' 들어 있다. 놀란 신주, 입 틀어막는다.
잠시 얘기 나누고, 은호가 자리를 비우면.

신주	(목소리 낮춰) 어르신이 왜 여기 계세요!
현의옹	나 삼도천 문지기다. 헤아릴 수 없는 죽음을 봐 왔지만 이건 아냐. 전쟁에 고문에 강제 노역… 그렇게 짓밟히라고 태어난 목숨들이 아냐.
신주	(숙연해져서) 탈의파 어르신도 아세요?
현의옹	인간사에 개입하지 말라고 펄펄 뛰지. 비밀이다.
신주	사실 저도 이연님 몰래 왔어요.
우렁각시	잘 왔다. 우리가 또 명색이 조선 요괴인데, 나라 뺏기고 손가락만 빨고 있을 순 없잖니.
신주	멋있다. (뿌듯하게) 동지들.
우렁각시	너 미래에서 온 신주라며? (어렵사리 묻는) 우리 조선은… 살아

있니? 왜놈들한테 완전히 먹혀 버렸니?

신주   (잠시 고민하다 씩씩한 미소로) 그건 그냥 비밀로 남겨 둘래요.

신주(E)   두 분이 함께 만든 '소중한 미래'니까.

#9   묘연각 / 홍주의 방 (밤)

         이연이 홍주 침대에 의식 없이 누워 있다.

         무영이 나무를 깎아 만든 대바늘로 자신의 손끝을 찌른다.

         무영 복부의 상처는 그새 핏자국만 남았다.

         '손끝의 핏방울' 이연 상처에 떨어뜨린다. 상처 부위, 거짓말
         처럼 아물기 시작한다.

홍주   (그 모습 흥미롭게 지켜보다가) 천무영이 재주 여전하네.

무영   (손 닦고 일어서며) 반나절이면 깨어날 거야.

홍주   (손목을 탁 붙들고) 왜 살렸어? 너 애 때문에 죽었다며.

무영   (상냥하게) 난 말이야… '모든 걸 제자리로 돌려놓기 위해' 연
         이를 과거로 끌고 왔어.

홍주   제자리라니?

무영   내 가족도, 내가 다스리던 숲도, 전부 되찾을 거야. 그러기 위
         해선 연이가 필요해. 이 친구는 '1938년의 이연'이 없는 걸
         갖고 있거든.

홍주   무슨 뜻이야?!

무영   너도, 언젠가 알게 될 거야.

홍주   (이연 내려다보며) 네가 홍백탈인 건 모르지?

무영	(장난스럽게) 쉿.

무영이 방에서 나가면, 홍주가 서랍 깊숙한 곳에 숨겨둔 '옥빛 조각' 꺼내 든다. 홍주도 지금껏 간직하고 있었다. 옥빛 조각 쥐고, 이연의 이마 쓰다듬으며.

홍주	(애틋하게) 연아. 미안. 네가 이연의 과거든 미래든 난 상관없어. 난 내 방식으로 너를, 무영일, 지킬 거야. 우리 서로가 너덜너덜해지는 한이 있어도.

#10	묘연각 / 매난국죽의 방 (낮)

다음 날. 기생들이 곱게 환복하고, 머리 손질한다. 죽향은 옆에서 언니들 돕고 있다.

국희	(눈살 찌푸리며) 기생들이 새로 온다고?! 이 시국에?
매화	사장님 지시가 있을 때까지 묘연각 정상 영업이야.
국희	몇이나 오는데?
매화	후보는 여섯 명. 사장님이 만나 보고 정하신대.
난초	(싫은 기색으로) 몇 살이래? 예뻐?
국희	쟤는 우리 사장님 빼고, 예쁜 여자 다 싫어하잖아.
난초	입 닥쳐라. 넌 예외니까. (죽향에게) 너, 문 앞에 죽치고 있다가 애들 상태 보고해.

묘연각 / 뜰 (낮)

죽향이 대문 근처에 쪼그려 앉아 땅에 낙서를 한다. 기생들
기다리는 중.

화려하게 치장한 기생들 묘연각에 들어선다. '우와… 예쁘
다.' 죽향 입 '떡' 벌어진다.

쪼그려 앉은 죽향의 시선에, 기생들의 발 클로즈업된다.

그런데… 예쁜 꽃신들 사이 '낡은 짚신' 한 켤레 섞여 있다.
게다가.

죽향   이상하다? 왜 여섯이 아니라 일곱이지?

안채로 향하는 기생들 뒷모습 보인다. 분명… '일곱 명'이다.

#12   묘연각 / 형제의 방 (낮)

지붕(또는 처마)에 숨겨진 '붉은색 복주머니' 클로즈업된다.

화면 넓어지면, 멀찍이서 그것을 바라보는 시선, 무영이다.

인서트 플래시백

5화 39씬에 이어, 무영이 복주머니를 들고, 오도전륜대왕 마
주하고 있다.

무영   이게 무엇입니까.

대왕   일종의 '초대장'이지. 이걸 여기 어디, 눈에 띄지 않는 곳에 묻

어 두면 놈이 제 발로 찾아들 게다. 네 몸을 고치려거든 '그 것'을 잡아.

무영   그것이라뇨?

대왕   (이리 와 보란 손짓. 다가오면 귓속말)

무영   (경악해서) 어찌 그런 자를?!!

대왕   (복주머니 뺏으려고) 싫음 말든가.

무영   (꼭 쥐는) 아닙니다!

대왕   (못 미더운 듯) 한데, 이 몸으로 그놈을 잡을 수 있겠니?

무영   (잠시 생각하더니, 싱긋) '제 손으로' 잡으란 법은… 없지 않습니까.

다시 현재의 묘연각.

무영(E)   '손님'이 온다. 연아. 이 위험천만한 승부에서 내 장기 말이 돼 주렴.

잠에서 깬 이랑과 신주, 기지개를 켜며 방을 나선다. 무영과 눈 마주쳤다.
당황한 기색도 없이 '안녕?' 인사해 보이는 무영.

#13   묘연각 / 홍주의 방 (낮)
이연이 눈을 뜬다. 그새 해가 중천이다.
무거운 몸 일으켜 앉으면, 기다렸단 듯 홍주가 돌아본다.

구미호뎐
1938   제6화 구석놀이

홍주	일어났어? 자기?
이연	(어이가 없다) 야, 나를 닭 꼬치처럼 꿰어 놓고 뭐? 자기?
홍주	(태연하게) 그동안 나 등쳐 먹은 게 누군데?
이연	등쳐 먹다니?
홍주	짝퉁 주제에 그렇게 튕겼니? (훑으며) 벗겨 보면 다 거기서 거긴데.
이연	(이불로 몸 가리고) 나 자는 사이에 무슨 짓 했냐.
홍주	뭔 짓을 하긴 했는데, 난 아니야.
이연	(보면 상처 깔끔하게 치료돼 있다) 설마···.
홍주	(끄덕)
이연	(벌떡 일어나서) 걔 진짜 천무영이구나? 진짜 살아 돌아왔어!

#14   묘연각 / 뜰 (낮)

무영이 이랑, 신주와 왁자하게 화채를 먹고 있다. 그새 말을 튼 모양.

신주	나 그 소문 들었어요! 4대 산신을 뽑는 시험에서 요괴를 한 마리도 안 베고 합격하셨다면서!
이랑	치료만 했다고? 왜?
무영	날로 먹을라고.
신주	날로 먹다뇨. 수백 년에 한 번씩만 태어난다는 '희귀한 혈액'의 소유자께서.
이랑	(무영에게) 갈 때 피 좀 뽑아 놓고 가라. 나한테 팔아도 되고.

무영	(웃는) 얼마 줄 거야?
이랑	(지갑 꺼내며) 싸게 줘. 이연 친구라며.
무영	(귀여운 듯) 이건 뭐… 하는 짓이 완전 이연 판박이네.
이랑	우리 하나도 안 닮았거든!! 사과해.
신주	어? 이연님!

이연이 조금 떨어져서 그 모습 지켜보고 있다.

| 신주 | 이제 괜찮으세요? |
| 이연 | (무영에게) 얘기 좀 하자. |

#15   묘연각 / 정자 (낮)
이연과 무영이 마주 보고 있다.

무영	아직도 못 믿겠니?
이연	아니. 이제 믿어. 네가 무영이란 거. 근데 난 알아야겠어. 왜 '하필 이 타이밍'에 날 찾아왔는지 '어떻게' 날 찾아냈는지.
무영	(이연과 눈을 맞추며 도발하듯) 왜 왔을까?
이연	('수호석과 금척' 내보이는) 이거.

무영을 시험하고 있다! '수호석과 금척' 빤히 바라보는 무영!

| 무영 | 이게 뭐야? |

이연	그냥. '네가 더 잘 알지 않을까' 싶어서.
무영	(움켜쥐며) 그렇게 말하니까 갖고 싶어지는데? (이연의 반응 보다가, 슬쩍 놔주는) 농담이야. 난 필요 없어.
이연	(챙겨 넣으며 의혹의 눈길로) 나 어떻게 찾았어?
무영	(가슴팍 열어 보이며) 내 몸의 절반은 아직도 돌이나 다름없어.
이연	(돌처럼 굳은 몸을 보고 '흠칫!!')
무영	누가 날 살려 냈는지 몰라도 탈의파의 저주를 벗어나진 못한 거 같다. 치료약이 있을까 해서 요괴들의 전당포를 찾다 이들을 만났어.

무영이 건네는 것, 너구리 부부가 돌리던 '이연 피해자 모임 전단지'다.

이연	(보고) 너구리 부부? (전단 확 구겨 버리며) 아우! 이것들 훈방됐니?!!
무영	네 소식을 듣고, 곧장 여기로 달려왔어.
이연	(속을 꿰뚫듯 보다가, 진심으로) 잘 왔다. 친구야.
무영	(빙긋)
이연	탈의파 할멈한테 가 보지 그래. 네 몸 원래대로 돌려놓으라고.
무영	너라면 용서하겠니? 자기가 다스리던 산을 몰살한 산신을.
이연	왜 그랬니?
무영	형을 살리고 싶었어. 내가 아끼는 모든 것과 맞바꿔서라도.

그 말에, 복잡한 눈길로 무영을 마주 보는 이연. 무영은 그 시선 피하지 않는다.

그러고 있는데, 홍주가 나타나서.

홍주   그림 좋다. 둘 다 옷 갈아입어. 예쁘게.
무영   옷은 왜?
홍주   놀자 우리 셋이. 옛날처럼 아무 생각 없이.
이연   저기요. 간밤에 우리한테 칼침 놓으셨거든요?
홍주   까라면 까라. (자리를 뜨며) 1시간 뒤에 나간다.

#16   오복 양품점 (낮)
      잘 차려입은 귀부인 하나, 탈의실에서 나와 옷 가격을 묻는다.

귀부인   이거 얼마예요?
이랑(E)   100원만 내슈.

      퉁명스럽게 답하며, 돌아보는 얼굴 뜻밖에도 '이랑'이다.
      이랑의 팔에는 귀부인이 갈아입은 옷 잔뜩 걸려 있다.

귀부인   100원?! 뭐 그리 비싸.
이랑   (불량한 태도로) 우린 뭐 땅 파서 장사하는 줄 아나?
귀부인   (짜증) 다음에 올게. (들고 있던 옷을 휙 던져 버린다.)

      하필 이랑 머리에 덮어씌워졌다. 이랑, 열 받았다. 귀부인이 가
      게 나가려는데.

이랑	(빛의 속도로 문 가로막고) 다음에 온다고? (문짝을 주먹으로 '퍽!!') 2시간 동안 옷이란 옷은 다 입어 보고?
귀부인	(비현실적으로 문 일그러졌다) 살게. 사면 되잖아⋯요.

이랑이 먼지떨이로 성의 없이 가게 먼지를 털고 있다.
이번에는 돈 많아 뵈는 중년 남자 손님 들어와서.

중년 남	(다짜고짜) 야, 이거 환불해 줘. 옷에서 담배 냄새나.
이랑	교환, 환불 금지야. (먼지떨이로 아저씨 머리를 털며) 반말도 금지고.
중년 남	(시비조로 뺨을 툭툭) 이 어린놈의 새끼가! 내가 누군지 알아?!
이랑	(먼지떨이 뚝 부러진다) 하아⋯.

양품점 외경에서, 둔탁한 구타 소리와 남자의 신음 소리 들린다.
중년 남자가 옷 반쯤 벗겨진 채 허겁지겁 양품점에서 빠져나온다.
중년 남자가 사라지자마자, 여희 돌아온다.

여희	(잔뜩 들떠서) 덕분에 신청서 잘 접수하고 왔어! 신인 가수 선발 대회라 줄이 어마어마하더라고!
이랑	가수 선발 대회?
여희	뽑히면 레코드사에서 음반도 내주고, 전속 가수가 될 수도 있대!
이랑	그게 그렇게 좋니?
여희	그럼! 내 꿈인데! 가게도 봐주고 고마워 진짜!
이랑	이제 네 소원 4개 남았다.

여희	가게는? 별일 없었고?
이랑	(돈다발 한 뭉치 건네주며, 태연히) 이만큼 팔았어.
여희	세상에! 이게 다 얼마야?!!
이랑	(진심으로 착각했다) 아무래도 나, 장사에 소질 있는 거 같다.

#17 극장 / 앞 (낮)

홍주가 '뻥튀기' 사 들고 나타난다.

구시렁거리는 이연과 무영을 극장에 밀어 넣는다.

#18 극장 (낮)

영화 시작됐다. 무영 가운데 놓고, 이연과 홍주가 양옆에 앉 았나.

이연이 우악스럽게 손을 뻗어 '홍주의 뻥튀기' 한 주먹씩 가 져간다. 홍주가 뻥튀기 봉지 막아 버린다.

뺏으려고 아옹다옹하다가 뻥튀기 쏟는다. 극장에 뻥튀기 비 처럼 흩날린다.

둘이 이러는 게 익숙한지, 그저 날아드는 뻥튀기 받아먹는 무 영이고.

시간 경과되면, 긴장된 효과음 들린다. 무서운 장면.

무영이 실눈을 뜬 채 고개를 돌린다. 눈 가려 주는 홍주.

다시 시간 경과. 이연은 무영 어깨에 기대 졸고 있다.

반대쪽에서는 홍주가, 세상 편한 자세로 무영에게 기대 영화를 본다.

영화가 끝나도록 얼음이 되면서도 무영의 얼굴, 어쩐지 환해 보인다.

두 남자를 지켜보는 홍주의 눈에, 둘의 '어린 시절'이 겹쳐 보인다.

그런 홍주의 다정하고, 또 서글픈 얼굴에서.

#19   경성 거리 (낮)

세 사람, 아이스께끼 하나씩 입에 물고 나란히 걷는다.

갑자기 소나기 쏟아진다. 뛰기 시작한다.

이연이 그들을 추월해서 전속력으로 뛰어 나간다.

어이없이 보던 홍주가 멈춰 선다.

홍주를 따라 멈춰 선 무영에게.

홍주   (혀를 차는) 쟤는 달리기만 하면 저렇게 진심일까.

무영   (픽 웃으며) 털 젖는 거 질색하잖아.

홍주   어때. 탈을 벗고 만난 이연은?

무영   여전히 솔직하고 현명한데다, 자신감이 넘치네. (진심으로) 내가 좋아하던 모습 그대로야.

무영이 다정히 겉옷 벗어서 홍주 머리에 씌워 준다. 저만 오롯이 비에 젖으면서.

무영	빗방울이 굵다.
홍주	같이 쓰자. 너만 비 맞는 거 싫어.
무영	(고개 저으며) 같이 쓰면 네 한쪽 어깨가 젖어 버리는 걸?
홍주	너, 안 변했구나?

그러고 있는데, 이연이 어느새 두 사람에게 달려왔다.
'내놔!' 홍주가 덮은 무영의 옷 낚아채더니 제가 뒤집어쓴다.
무영이 '야!!' 하자마자, 양쪽에서 둘을 끌어들인다.

이연	다 들어와! 좀씩 젖어도 우산은 셋이 나눠 쓰는 거야!
홍주	(픽 웃으며) 얘도 안 변했네.

비오는 경성 거리를 그렇게 함께 걷기 시작하는 세 사람 모습에서.

#20   묘연각 / 수돗가 (낮)
빨랫줄에 하얀 이불 홑청 널려 있는 수돗가. '검은 고양이' 한 마리 불안하게 운다.
매화가 홀로 장독대를 닦다가 몸 일으킨다.
문득 홑청 너머에 '여자 그림자' 어른거린다. '거기 누구?' 매화가 묻는다.
대답이 없다. 빨래를 젖혀 본다. 그림자는 어느새 다른 홑청 뒤에 서 있다.

'누구니?' 그림자 따라 움직이며 빨래 젖히는 매화.

그때마다 그림자는 다른 곳에 서 있다.

문득 오싹해진다. 불안한 얼굴로 마지막 홑청 '확' 걷는데, 국희다.

매화	(가슴 부여잡고) 어우 놀래라.
국희	(마른 멸치 씹으며) 언니. 주방 아줌마가 장맛이 이상하대.
매화	무슨 장?
국희	된장, 고추장, 간장 전부 다.

매화와 국희가 장독대 몇 개 열고, 손가락으로 맛을 본다. 국희가 '우웩'.

매화	(인상 찌푸리며) 진짜네. 맛이 변했어. 꼭 상한 것처럼.
국희	집에 무슨 변고가 생기려면 장맛이 변한다던데.
매화	(나무라는) 그런 말 함부로 입에 담는 거 아냐.
국희	담글 때 부정이 탔나?
매화	'손 없는 날' 골라서 담갔잖니. 고사도 제대로 지냈고.

자막	장은 모든 음식의 기본이 된다 하여 '길일(吉日)'을 택해 장을 담그고, 부정을 막는 고사를 지냈다.

#21	묘연각 / 뜰 (낮)

같은 시각, 죽향이 혼자 방으로 향하는 길. 툇마루 밑에서 '쿵' 하는 소리 들린다.
움찔했다가 다시 걸음을 옮기는데, 또 '쿵쿵' 하는 소리.

죽향   거기… 누구 있어요? (답이 없다. 내려다보려고 서서히 고개 숙이는데)
국희(E)   내 가락지 못 봤니?
죽향   (그 목소리에) 국희 언니? 가락지 잃어버렸어요?

보면, 컴컴한 마루 밑에 '한복 차림의 여자'가 뒷모습으로 엎어져 있다.

죽향   거기 어떻게 들어갔어요?
국희(E)   같이 좀 찾아 줄래? 소중한 거란 말이야.

죽향이 별 의심 없이 쪼그려 앉아 돕는다. 흙 속에 '비취색 반지' 하나 보인다.

죽향   (주워 들고) 이거 아녜요?
국희(E)   어디 봐 봐. (죽향이 손을 뻗으면) 더 가까이. 더.

낑낑대며 손을 집어넣는 순간! 뭔가가 맹렬한 속도로 죽향을 향해 기어 온다!
비명을 지르며 달아나는 죽향! 모퉁이 돌자마자, 걸어오던 매화와 부딪칠 뻔 했다!

구미호뎐
1938   제6화 구석놀이

죽향	(정신없이) 언니! 국희 언니가!!!
국희	(매화 뒤에서 모습 드러내며) 내가 뭐?
죽향	방금 마루 밑에 있었잖아요!
국희	뭔 소리야. (혀를 끌끌 차는) 젊은 애가 대낮부터 헛것을 봤나.

#22   클럽 파라다이스 (낮)

텅 빈 클럽. 이랑과 여희가 나란히 피아노 앞에 앉아 있다.
여희가 짧은 노래 한 소절 부른다.
이랑이 듣고, 오른손으로 서툴게 피아노 건반 '툭툭' 누른다.
거짓말처럼 맞아 떨어지는 멜로디.
여희가 신기한 듯 다른 노래 불러 본다. 또 기막히게 음을 맞
추는 이랑이다.

여희	어떻게 한 거야?! 피아노 배운 적 없다며?
이랑	몰라. 그냥 들리는 대로 누른 건데.
여희	랑이 너 천잰가 봐!
이랑	(진지) 어려서부터 그런 소리 종종 듣긴 했는데. 뭐든 빨리 배 운다고.
여희	(쿡 웃는) 귀여워!!
이랑	(정색하고) 나 마적단 두목이야. 소원이고 자시고 이거 때려치 운다.
여희	도와주라. 나 진짜 떨려. 가수 선발 대회 경쟁률이 300대1이래.
이랑	(대수롭지 않게) 이백아흔아홉 명만 없애 버리면 되겠네. (뒤춤의

도끼에 손을 뻗으며) 당장 소원 빌어.

여희   ('헉!!') 되게 솔깃한 제안인데, 내 재주로 붙고 싶어.

이랑   붙을 거야. (이런 말 잘 못한다. 어색) 웬만한 가수보다 훨 고와. 네 목소리.

여희   진짜?!! (신나서) 계속 해 보자. 이 노래 알지?

여희가 노래를 부른다. 둘이 처음 클럽에서 만난 날 부르던 노래.
이랑이 잠시 머뭇대는가 싶더니 부드럽게 멜로디 연주한다.
여희가 왼손으로 코드 반주하기 시작. 아름다운 화음 만들어 내는 두 사람이다.

#23   야외 (밤)
경치 좋은 야외에서 술을 마시는 세 친구.

무영   기억나? 옛날에 연이 뒷간에 빠진 거.

홍주   우리 '눈 가리고 숨바꼭질' 하다가! 무영이 네가 건졌잖아.

무영   세상 두 쪽 나도 안 울던 애가, 그날 밤에 이불 뒤집어쓰고 울 더라.

이연   (흘기며) 이것들이 남의 가슴 아픈 과거사를… 그날 이후로 나 결벽증 생겼거든?!

홍주와 무영이 '쿡쿡' 웃는다. 그런 두 친구를 보다가.

이연	기분이 좀 묘하다. 우리 셋이 이렇게 마주 앉아 술을 마시게 될 줄이야. 것도 1938년에.
홍주	네가 온 미래는 어떤 세상이야?
이연	거기선 말이야. (핸드폰 꺼내 보이며) 다들 이 손전화로 안부를 주고받아. 보고 싶단 말도, 꼴 보기 싫단 말도. 버튼 하나만 누르면 인연이 끝나기도 해. 차단하기 기능이 있거든.
홍주	(신기한 듯 귀에 대보고) 슬프다 얘. 만남과 이별은 적당히 질척거리는 게 맛인데. 우리처럼 피도 좀 튀기고.
이연	그러기엔 내가 피를 좀 많이 흘린 거 같지 않니?
홍주	(미안함에도) 사과는… 안 할래.
무영	알아. 홍주 네가 얼마나 그 시절을 아끼고, 우리를 아끼는지.

그 말에, 잠시 말없이 술만 홀짝이는 세 사람.
함께 있지만, 그들은 더 이상 어린아이가 아니며, 둘도 없던
친구들은 적이 됐다.

무영	(어색한 침묵을 깨며) 아, 그 친구는 뭐 하니? 반달곰. 워낙 말 없고 우직한 애라, 걔가 4대 산신이 될 줄 몰랐잖아.
이연	그 친군 미래에 민속촌 알바 뛰고 있어.
홍주	민속촌??

#24   묘연각 / 형제의 방 (밤)

신주가 지켜보는 가운데, 은호가 숙련된 손놀림으로 권총을

분해한다.

신주 감탄하는 사이 뚝딱 재조립까지. 신주에게 권총 건네며.

은호   제대로 쏘고 싶으면 총의 구조부터 알아야 돼.

신주   (감동) 고마워요.

은호   고마우면 얘기해 봐. 왜 총 맞아도 너만 멀쩡한 지. 마술사야?

신주   어쩌면, 은호 씨가 아는 세상이 전부가 아닐 수도 있어요.

은호   무슨 말이야?

신주   사람들은 말해 줘도 안 믿어. 자기가 경험하기 전까지. 근데 은호 씨는 하지 마요. '보지 말아야 할 걸 본 인간'은 다치거나 미치거나, 둘 중 하나가 되거든.

매화(E)   (밖에서) 실례합니다.

은호   어? 매화 씨다.

매화   (문 열고) 다들 기다리고 있어요. 선생님.

신주   선생님?

은호   일주일에 한 번 여기서 수업하거든. 영어 수학.

은호 사라지면, 신주 혼자 남은 방에 전깃불 깜박깜박 댄다.

신주   (불길한 듯) 설마 또 '정전'은 아니겠지?

#25   묘연각 / 모처 (밤)

         은호와 매난국죽, 필기도구 들고 교자상에 둘러앉았다.

은호가 백지에 써 놓은 문제 보여 준다. 친절하게 그림까지 곁들인 문제.

'철수와 영희네 집에서 빵집까지의 거리는 10킬로. 철수는 시속 5킬로의 속력, 영희는 시속 3킬로의 속력으로 빵집을 향해 걸어갔다. 두 사람이 오후 2시에 만나려면, 각각 몇 시에 출발해야 할까?'

은호   (문제 들고서) 지난 시간에 배운 거 복습해 볼게요. 오후 2시에 만나기 위해, 철수와 영희는 각각 몇 시에 출발했을까요?

연필 씹는 매화, 머리 쥐어뜯는 국희, 낙서하는 난초. 죽향만 눈으로 문제 훑는다.

국희   (손 번쩍) 둘이 무슨 빵 먹어요? 곰보빵이면 안 나갈라고.
은호   (그 속을 훤히 안다. 단호하게) 카스텔라.
국희   (한숨) 카스텔라는 못 참지.
난초   (똑똑한 표정으로 손 들고) 철수 잘 생겼어요?
은호   (하자마자) 미남이고, 젊고, 자가용과 문화주택 소유잡니다.
난초   그럼 저는 2시까지 못 가요. 미장원 들려야 돼.
은호   (환장) 문제 푼 친구 없어요?
죽향   (소심한 투로) 철수는 오후 12시, 영희는 오전 10시 40분이요.
은호   정답! 죽향이 학교 다닌 적 없지? 다른 것도 풀어 볼래?

은호가 가져온 문제들 보여 준다.

문제 점점 어려워지는데, 암산으로 답을 척척 맞히는 죽향이다.
매화, 감탄한다. 그 사이 국희는 졸고 있고, 난초는 거울만 들
여다본다.

은호   (쓰다듬어 주는) 죽향인 공부에 소질이 있구나.
매화   (전깃불 깜박거린다) 선생님, 불 나갈 거 같아요.
은호   그럼 오늘은 여기까지 하고 (씩 웃으며) 청주나 한 잔씩 할까요?
난초, 국희   (이제야 신났다) 네!!
매화   죽향이 가서 자.

밖으로 나온 죽향이 뿌듯하게 웃는다. 이런 칭찬을 받아 본
건 처음이다.
죽향 사라지면, 방문 앞 댓돌 서서히 클로즈업된다.
안에 사람은 넷인데, 신발은 다섯 켤레.
고운 신발들 사이, 낮에 묘연각 찾아든 '낡은 짚신' 섞여 있다.
수돗가에 있던 검은 고양이, 마당 한쪽에서 묘하게 운다.

#26   야외 (밤)
           이연이 밤하늘을 올려다본다.

이연   이 시대엔 별이 참 많구나. 잊고 있었어.
홍주   (별을 보며) 옛날에 나 그런 소원 빈 적 있다? '이대로 시간이 멈
           춰 버리면 좋겠다. 우리 셋한테 제발 아무것도 뺏어 가지 말

아 달라'고.

이연, 무영	(아프게 보면)
홍주	내 소원은 잘 안 이뤄지더라고. 젠장… (마시려다) 어? 술 떨어졌다.
이연	그 소원은 내가 이뤄 주지. (술병 뺏어 일어나며) 금방 갔다 올게.
홍주	(이연 사라지면) 넌 어떻게 지냈니? 미래 세상에서.
무영	연이를 지켜봤어. 그 시대 연이는 참 많은 걸 갖고 있더라. 탈의파 할멈 밑에서 일하며, 곁에는 가족과 친구, 사랑하는 여인까지.

플래시백 구미호뎐 '미방분'

이연과 지아가 공원에서 다정히 데이트 하는 모습이다.
(추가) 어디선가, 무영이 두 사람을 지켜보고 있다. 얼음장 같은 눈길로.

홍주	연이 말고. 네 얘기해 봐.
무영	(낯빛 살짝 어두워지는) 내 얘기?

인서트 플래시백

짐이라곤 거의 없는 단출한 방. 무영이 혼자 머물던 곳이다.
곁에는 아무도 없다.
어둠 속에 TV 불빛만 새 나오고. 공허한 표정으로 밤새 TV를 보는 무영.
사극 드라마, 퀴즈 프로그램, 홈쇼핑 광고 등등.

| 무영 | (그 기억에, 애써 웃으면서) 난… 잘 지내고 있어. |
| 홍주 | (방긋. 머리 쓸어 주며 진심으로) 다행이다. |

#27 **묘연각 / 모처 (밤)**
은호와 기생들 야식을 먹는다. 아까부터 껌벅거리던 불 나가
버린다.
밥 먹듯 정전이 되던 시절이다. 매화가 '정전이네?' 대수롭지
않게 양초에 불붙이면.

국희	정전엔 '구석놀이'가 제 맛인데.
은호	구석놀이가 뭐예요?
국희	구석에 사는 귀신 불러내는 놀이요.
매화	(웃는) 귀신을 만나면, 미래의 자기 서방님 알려 줄 거라고 저래요.
은호	(그런 거 안 믿는다) 재밌겠다.

상 치워졌다. 다들 어린애처럼 들뜬 분위기.
'매화→난초→국희→은호' 순서로 방의 네 귀퉁이에 자리
잡고.

| 난초 | 시작할 때는, 놀이에 참가한단 의미로 자기 이름을 크게 말해요. 끝날 땐 이름을 거꾸로. '처음엔 은호, 끝날 땐 호은' 이렇게. 뒤에 사람이 등을 '톡톡' 치면, 자리 한 칸씩 옮길게요. |

구미호뎐
1938 제6화 구석놀이

은호	그냥 방을 빙빙 도는 거잖아. 싱겁다.
매화	그러다 자기 자리에 누가 가만히 서서 안 움직이면 그게 귀신이래요.
국희	제일 중요한 거. 구석놀이 할 때 절대 '말을 하면' 안 돼요. (잽싸게) 그럼 시작합니다. 국희!

국희를 필두로, 차례로 이름 외친다. 놀이 시작됐다.

앞사람 등을 '톡톡' 치면 자리 옮기는 방식으로, 방을 도는 네 사람.

다들 침묵하는 가운데, 촛불만 을씨년스럽게 일렁인다.

한 바퀴 돌았다. 아무 일도 일어나지 않는다.

두 번째 바퀴를 돌았다. '언제까지 돌아?' 매화가 입모양으로 묻는다.

국희가 잔말 말고 계속하라고 손짓. 은호가 앞에 선 매화의 등 '톡톡' 두드린다.

그런데 '왤까.' 매화가 움직이지 않는다.

어디선가 바람 불어와 촛불 하나 '획-' 꺼진다. 방은 아까보다 어두워졌다.

다시 등을 두드려 봐도 매화는 요지부동. 묘한 위화감에 은호가 주위 둘러본다.

은호(E)	뭐지? 매화 씨가 눈앞에 있으니까 모서리 하나가 비어야 되는데… 네 군데가 전부… 차 있다? (깨닫고) 이 방에 '다섯 명'이 있어!

은호의 얼굴 딱딱하게 굳는다! 그 순간!
은호 앞에 있는 '그것'이 기생들에게 말을 건다! 다름 아닌
'은호의 목소리'로!

은호(E)	우리 이제 그만하면 안 돼요? 나 무서워.
일동	(이쪽을 보면)
은호	(경악해서) 나 아니야! 이 방에 지금 1명이 더 있어요!!

동시에 하나 남은 촛불까지 '싹' 꺼진다! 기생들, 비명을 지른다!
매화가 '불 켜!!' 황급히 촛불을 켜는 난초와 국희!
은호는 사라지고 없다!!!

#28   사극 세트장 / 일각 (밤)
그 시각, 은호는 달빛 희미하게 새어 드는 낯선 곳에 서 있다.
'매화 씨? 난초 씨. 다들 어디 있어요?' 기생들 불러보지만, 대
답하는 이 하나 없다.
'이곳은 대체 어딜까.' 조심스레 주위 둘러본다.
발에 뭔가 덜컥 걸린다. 사람이다.
대여섯 명의 고운 한복 차림 여자들, 얼굴에 삼베 두건을 쓰
고 나란히 누워 있다.
'저기요….' 말을 건다. 미동이 전혀 없다.
불안한 손길로 얼굴을 덮은 천 들춰 본다. 얼굴에 연지곤지,
새색시 화장이다.

코밑에 손을 대보고 소스라친다! '죽었어!!'
사색이 된 은호가 뒷걸음질 친다! 방문을 더듬어 찾는다!
그런데 방 어디에도 문이 없다! 여기저기 벽을 더듬는 은호 뒤로!
두건을 뒤집어쓴 여자들, 어느새 전부 일어서 있다!! 은호는 아직 알지 못한다!

#29   묘연각 / 뜰 (밤)

외출했던 이연, 홍주, 무영이 돌아왔다. 묘연각이 뒤숭숭하다. 이연과 무영은 한 발 떨어져 있고 홍주가 기생들 호되게 꾸 짖는다.

홍주   니들이 무슨 짓을 한지 알아?!

국희   (훌쩍이며) 죄송해요. 저희는 그냥 재미삼아서….

홍주   뭐? 재미? 그거 '헛것 중에서 제일 독한 것들'을 부르는 짓이야!

국희   (기어 들어가는 소리로) 진짜 몰랐어요.

매화   (애타게) 은호 씨는 어떻게 된 거예요?

홍주   내가 알아서 해. 방으로 가서 근신하고 있어.

기생들, 방으로 사라진다. 이연이 시니컬한 태도로.

이연   인간들은 왜 자꾸 저런 위험한 놀이를 만들어 내나 몰라. 구 석놀이니 분신사바니 뒷감당도 못 하면서.

무영	낯선 세상에 대한 호기심이지 뭐.
홍주	열 받아. 웬 간땡이 부은 잡귀가 감히 내 구역에서!
이연	구석이나 문지방에 사는 애면 오래된 지박령 아니겠니? 꼬일 대로 꼬였겠지만, 강한 놈은 아냐.
홍주	인간을 잡아간 건 처음 봐.
이연	(대수롭지 않게) 어떤 놈인지 잡아서 물어보지 뭐.
무영(E)	(복주머니 숨겨 둔 방향 바라보며) 그것이 왔다… (무영도 예상 못한 변수다) 헌데, 왜 인간 여자를 데려간 거지?!

#30   사극 세트장 / 일각 (밤)

'아냐. 이건 꿈이야…' 은호가 벽을 더듬으며 정신없이 출구를 찾고 있다!

그때! 뒤에서 '끼이익-' 오래된 마룻바닥에서 나는 소리!

겁에 질린 듯 천천히 뒤돌아본다!

죽은 여자들 전부 일어서 있다! 가려진 얼굴들, 똑바로 은호를 보며!

은호의 비명 소리 울려 퍼지면서!!

#31   묘연각 / 모처 (밤)

이연, 홍주, 무영이 기생들 구석놀이 하던 방에 와 있다. 신주도 불려 왔다.

홍주는 태연히 낮에 먹다 남은 뻥튀기를 먹고 있다.

전깃불 환한 가운데, 무영이 촛불을 켠다. 신주는 살짝 겁먹었다.

신주   '구석놀이'를 하자고요?

이연   그 여자 선우은호 구해 달라며. 쪽수는 맞춰야지.

신주   나 귀신 진짜 무서운데.

하자마자, 이마에 뻥튀기 하나 날아온다. 홍주가 서늘한 얼굴로 뻥튀기 씹으며.

홍주   눈앞에 산신이 셋이나 있는데 싸가지 없게. 우리가 백두대간에서 골프나 치다가 산신 된 줄 아냐?

무영   홍주 넌 빠지는 게 어때. 상대가 어떤 놈인지도 잘 모르고.

홍주   (말 자르며) 걱정은 고마운데. 여긴 내 집이고 '나'는 내가 지켜.

이연   (무영에게 일부러) 내 걱정은 안 하나 봐?

무영   (마지못해) 시작해.

이연   (검을 들어 보이며) 오면 내가 벤다.

모서리에 자리를 잡는다. 순서는 홍주→신주→무영→이연. 이연과 홍주는 여유만만. 무영은 '홍주를 끌어들인 것'이 못내 불안한 기색.

신주   각자 위치 사수하고, 놈이 나올 때까지 아무도 말하시면 안 돼요. 특히 (홍주 돌아보며) 제 뒤에 계신 분.

| 홍주 | (흘기고) 우리 어린이들, 빨리 때려잡고 뻥튀기에 해장술 한 잔 하자. |
| 신주 | 그럼 각자 이름 말하고 시작합니다. (전깃불 딱 끄고) 구신주. |

삽시간에 주위 어둑해진다. 다들 이름 외치며 구석놀이 시작됐다. 그것이 '어떤 결과'를 불러올지는 상상도 못한 채.

#32   묘연각 / 매난국죽의 방 (밤)
죽향이 자다 깨서 눈 비빈다. 매화, 난초, 국희 불안해 보인다.

매화	은호 씨는 대체 어디로 사라진 걸까.
난초	구석놀이 처음 한 것도 아닌데 왜 이런 일이 생겨?
국희	나 소름 돋아 죽겠어. 일단 소금 좀 뿌리자. (막상 나가려니까 무섭다. 애교로) 언니….
매화	에휴… 내가 갔다 올게.

큰언니 매화가 방을 나선다.
난초와 국희가 이불 뒤집어쓰고 있는데, 얼마 지나지 않아 밖에서 들리는 목소리.

매화(E)	얘들아, 문 좀 열어 봐.
국희	그냥 들어와.
매화(E)	나 손이 없어.

구미호뎐
1938   제6화 구석놀이

국희	(일어나며) 이 언니가 소금을 포대로 안고 왔나?

막 문을 열려는데, 갑자기 그 앞을 가로막는 죽향. (이하, 속삭이는 소리로)

국희	왜?
죽향	아닌 거 같아요.
국희	뭐가?
매화(E)	뭣들하고 있니? 열어 줘. 빨리.
죽향	(겁에 질린 얼굴로) 매화 언니 아니에요.
난초	설마….

난초가 창호지에 구멍을 뚫고 밖을 내다본다. '뻘겋게 충혈된 눈'과 눈 마주친다!
혼비백산하는 난초! 국희와 죽향도 소스라친다! 벽에 붙어 벌벌 떨면서!

국희	우리 있잖아. 아까 '이름 거꾸로' 얘기했나?
난초	(!!!) 까먹었어.
국희	(머리 싸매고) 어떡해. 구석놀이… 아직 안 끝났어!!

#33	묘연각 / 모처 (밤)

이쪽은 구석놀이 한창이다.

홍주가 자리를 옮기며 앞에 있는 신주의 등을 주먹으로 '퍽 퍽' 친다.
신주의 소리 없는 아우성. 이연이 웃음을 '꾹' 참는다.
그러고 있는데… 어디선가 바람 불어와 촛불이 '훅' 꺼진다.
동시에 발자국 소리 들린다! 누군가 오고 있다! '끼이익' 방문 열리더니! 곧장 방으로 들어서는 그림자!

이연   (기다렸다는 듯 검을 들고) 왔다!

그런데! 이연이 놈을 향해 막 검을 휘두르려는 순간!

이랑(E)   불 꺼 놓고 뭐 하나?
이연   (멈칫) 랑이니?
이랑(E)   (한심하단 듯) 야밤에 잠 안 자고 뭐 하냐고.
이연   (외출했던 이랑이 돌아왔나 싶어) 불 좀 켜 봐.
무영(E)   네 동생 아냐 저거!
홍주(E)   그놈이야?!
무영(E)   확실해! 베어 버려 연아! 빨리!!

어둠 속에서 쏟아지는 목소리들! 이연이 검을 고쳐 쥔다!
그림자를 향해 힘껏 칼 휘두르는데! '안 돼요!!' 신주가 온몸 으로 막아선다!
그 바람에 한데 엉켜 나뒹구는 이연과 그림자! 그런데!
달빛에 비친 그 얼굴, '진짜 이랑'이다!!

구미호뎐
1938   제6화 구석놀이

이연	(놀라서) 랑아!
이랑	(확 밀어내며) 미친 새끼 아냐 이거?!
이연	미안. 난 그놈인 줄 알고. (무영 돌아보며) 아까 무영이 네가….
무영	내가 뭐?
이연	그놈 확실하다며.
무영	구석놀이 시작하고, 난 한 마디도 안 했어.
이연	(무영을 빤히) 진짜 그놈이었다고? '너' 아니고?
무영	왜, 나라고 생각해?

짧은 순간, 둘의 눈빛 팽팽히 부딪힌다! 그런데!

신주	두 분 말씀 중에 죄송한데요. 홍주 사장님은 어디 갔죠?
이연, 무영	뭐?!!

홍주가 서 있던 모서리를 본다! 그 자리, 텅 비어 있다!!

#34   묘연각 / 매난국죽의 방 (밤)
매화가 소금을 갖고 돌아왔다. 기생들 소스라치며.

난초	언니. 밖에서 아무것도 못 봤어?! 좀 전에….
매화	못 봤는데?
난초, 국희	!!!!

당장 소금 포대 뺏어 들고, 소금을 뿌리기 시작하는 국희와 난초!

#35   묘연각 / 뜰 (밤)
       무영이 사색이 돼서 묘연각을 뒤진다.

무영(E) (미칠 듯한 얼굴로) 아니야… 내가 원한 건 이게 아니었어. 홍주야!!

       이연이 굳은 얼굴로 나타난다. 기생들 방으로 무영을 이끌며.

이연   저것 좀 봐 봐! (밖에서 보면, 기생들 방에 뿌려 놓은 소금 전부 시커멓
       게 변해 있다!) 소금이 까맣게 변했어. 우리가 잘못 판단한 거야.
       잡귀가 아냐.
무영   홍주를 잡아갈 정도면… (괴로운 듯) 요괴. 적어도, 우리보다 훨
       씬 오래 산 놈이야.
이연   (기생들에게) 니들, 오늘 첫 닭이 울 때까지 이 방에서 한 발짝
       도 나가지 마.

       이연이 밖에서 문 걸어 닫는다. 신주가 '검은 고양이' 안고 헐
       레벌떡 뛰어온다.

신주   목격자 찾았어요!
무영   고양이?!

구미호뎐
1938   제6화 구석놀이

이연	구신주 특기야.
고양이	(야옹야옹)
이연	뭐래?
신주	낮에 온 기생들 틈에 섞여 들어왔대요! 오래된 짚신을 신고!
이연	어떤 놈이야?!
고양이	(야옹)
이연	(경악해서 말문이 막힌 신주 붙들고) 말해!
신주	(충격으로) … '장산범'
이연	장산범?!! 남의 목소리를 흉내 낸다 했더니! (무영에게) 꽤 거물이지?
무영	(마음 급해서) 홍주한테 시간이 별로 없어!
이연	우리는 놈에 대해 아는 게 거의 없고!
무영	놈을 잡을 방법부터 알아보자!

단단하게 눈빛 주고받고, 빠르게 흩어지는 두 사람.

#36   묘연각 / 형제의 방 (밤)

이연이 자려고 누운 이랑을 깨운다.

이연	랑아, 니네 애들 좀 빌리자.
이랑	(돌아누운 채) 싫은데? 장산범이고 잡혀간 여자들이고 난 관심 없어.
이연	냉면 사 줄게. 열 그릇.

이랑	(홍) 냉면 먹고 왔거든?
이연	(달래는) 원하는 거 다 말해 봐.
이랑	(잠깐 생각하더니 일어나서) 네 친구 피 좀 뽑아 와.
이연	네가 모기 새끼냐?
이랑	싫음 말고.
이연	알았어. 내가 잘 얘기해 줄게.

#37   묘연각 / 앞 (밤)

이랑이 대문 앞에서 휘파람을 분다.
이내 요란한 바퀴 소리 들리더니 어디선가 부두목 나타난다.
인력거 부려 두고, 굳이 공중제비 돌아 한쪽 무릎을 꿇는다.

부두목	두목.
이랑	(무표정하게) 등장할 때 그거 하지 말라고 했지.
부두목	시정하겠습니다! 무슨 일로 부르셨는지요?

이랑이 부두목에게 뭔가를 은밀히 지시한다.

#38   무영의 아지트 (밤)

무영이 오도전륜대왕과 다시 만났다.

대왕	(못마땅한 얼굴로) 거래를 무르겠다고?

구미호뎐
1938   제6화 구석놀이

무영	(간곡히) 장산범이 서쪽 산신 류홍주를 데려갔어요!
대왕	뭐라?! (하더니, 귀를 후비며) 그게 뭐? 네가 자초한 거 아니냐?
무영	(무릎을 꿇고) 홍주는 안 됩니다! 제발!!
대왕	(끄떡도 않는) 사연은 딱한데, 신과의 거래는 환불이 안 돼요.
무영	(애타게) 길이라도 가르쳐 주십시오! 제가 어디로 가야 하는지!
대왕	'삿된 자들의 길' 천하의 탈의파조차 함부로 엿보지 못하는 곳이다.
무영	(당장이라도 달려 나가려는데)
대왕	(앞을 가로막고) 가지 마라. 아무것도 하지 마.
무영	어째섭니까!
대왕	네 눈에 '끝 간 데 없는 어둠'이 보여. 너 같은 놈은 그쪽 세상에 먹혀 버리기 딱 좋거든.
무영	(단호히) 죽어도 살아 돌아올 겁니다. 홍주를 살려서.

#39   묘지 (밤)

그날 밤. 나뭇가지를 깎아 '목검'을 만드는 무영. 그 얼굴에 독기가 서려 있다.

#40   골목 (밤)

재유가 누군가를 기다리고 있다. 절반쯤 찬 '쌀 포대' 옆에 놓여 있다. 은밀히 재유와 접선하는 사내, 5화에 등장했던 '형사1(조선인)'이다.

재유	알아냈습니까.
형사1	당장 묘연각을 습격할 것 같진 않소.
재유	경무국장은요?
형사1	심복 하나만 데리고 무슨 '실험실'로 간다 하오.
재유	실험실? 그게 뭡니까.

대답 꺼리는 형사에게 쌀 포대 건넨다. 형사가 슬쩍 열어 보면 돈다발이다.

형사1	일급 기밀이라 자세한 건 나도 모르오. 다만 거기 잡혀 온 자들이 (망설이다가) '사람이 아니'란 소문이 있소.
재유	!!!!!

#44   묘연각 / 정자 (낮)
이연과 이랑이 웬 할멈을 앞에 두고 앉았다.
따뜻한 차를 '후룩후룩' 마시는 할멈. 부두목이 옆에 서서.

부두목	장산범한테 물려 갔다가 유일하게 살아 돌아온 여인입니다.
이연	(반신반의) 할멈이 장산범을 만났다고?
할멈	(기억 더듬는) 우리 자매가 딱 넷이라우. 동짓날이었어. 밤이 하도 길어서 구석놀이를 했지. 내가 실수로 말을 해 버렸는데….
이연	(말 자르며) 어디로 잡혀갔어?
할멈	어두워서 자세히 못 봤지.

이연	에이씨.
할멈	나 말고도 색시들이 많이 잡혀 왔더라고.
이랑	색시들??
할멈	(목소리 낮춰) 죄다 그놈 '각시'들이랴.
이연	그래서 여자들만 잡아갔구나?!
이랑	색시를 찾는데 (의심스레 할멈 훑으며) 할멈은 왜 데려갔대?
할멈	내가 소싯적에 우리 부락 최고 미인이었다우. 밭에 나가 콩잎을 따고 있으면 온 동네 총각들이 아주 침을 줄줄 흘리면서···.
이랑	(못 참겠다) 그만!! (와중에 자꾸 노골적으로 윙크) 상태 왜 저래?
부두목	그게··· 머리가 좀 오락가락한답니다.
이연	(환장하겠다. 할멈에게) 어떻게 도망쳤어?
할멈	또또를 따라갔지.
이연	또또가 뭐야?
할멈	그러니까 그게··· (가물가물) 기억이 안 나.
이연	(이연이 답답해서 가슴을 친다)
이랑	장산범은? 봤어?
할멈	(두려운 기색으로) 나는 봤지.
이랑	어떻게 생겼어?
할멈	종이하고 붓.

이윽고 붓을 들어 그림을 그리기 시작하는 할멈. 완전히 몰두했다.
하지만, 완성된 그림 받아 본 형제의 얼굴 구겨진다. 5살 어린이 수준의 발 그림이다.

이연	(그림을 구겨 버리려다 문득) 이건 뭐야?

그림 속 소녀의 품에 '동물과 같은 물체' 보인다.

할멈	우리 또또.
이연	이게 또또라고?!
할멈	도둑괭이가 우리 집에 낳고 간 새낀데, 갸가 나를 무척 따랐어.
이연, 이랑	!!!!

시간 경과되면, 무영이 돌아왔다.
신주가 '검은 고양이' 잡아 들고 온다. 팔 여기저기 할퀸 자국.

신주	얘가 따뜻한 아궁이 옆에서 안 나올라고 어찌나 난리를 치는지.
무영	고양이는 왜?
이연	(고양이 목덜미 잡아 들고) 귀신도 보는 영물이잖아. 저쪽 세상으로 가는 문을 열어 줄 거야.
무영	(목검 2개 꺼내 보이며) '무기'는 여기. 사람 피와 살을 먹고 자란 나무로 만들었어.
신주	오, 장산범 같이 해묵은 요괴들 잡는 덴 이만한 게 없죠.
이연	'두두리'를 어디서 구했어?!

자막	두두리 - 사람의 피와 살을 먹고 자란 나무

구미호뎐
1938   제6화 구석놀이

무영	(눙치는) 나도 발품 좀 팔았지.
이연	준비는 끝. (시계를 보고) 이제 해 떨어지기만 기다리면 돼.

#42   내세 출입국 관리 사무소 (낮)

탈의파가 빙수 앞에 놓고, 현의옹을 빤히 본다. 빨간 색소 뿌린 그 시절 빙수.

현의옹	(애교 있게) 여보, 먹어 보라니까.
탈의파	(마지못해 한 입 먹더니) 얼음이 입에서 눈처럼 녹아내리네?
현의옹	이게 '빙수'라우. 요새 경성에서 난리잖아.
탈의파	이거 먹는다고 밤마다 싸돌아다녔다?
현의옹	줄이 워낙 길어야 말이지.
탈의파	(손날로 목젖을 팍!) 양품점에서 빙수도 파나 보지? (콜록거리는 남편에게) 뭔 작당 모의를 하는지 적당히 해라. '역사'는 인간들이 만드는 거야. 우리가 아니라.
현의옹	(간곡히) 조선의 신이잖아. 우리.
탈의파	이 땅에 사연 없는 죽음이 있었던가? 왜란, 호란을 겪고도 조선은 일어났어. (단호히) 일어날 거야.

밖에서 요란한 사물놀이패 소리 들린다.

탈의파	(인상을 팍) 어우! 저것들 또 왔어.
현의옹	(주먹 불끈 쥐고) 내가 가서 혼쭐을 내주고 올게요.

#43	내세 출입국 관리 사무소 / 앞 (낮)

현의옹이 밖으로 나왔다. 아리랑 노랫소리 들린다. 벽에 대자
보 어지러이 붙어 있다.
'토착신들 생존권 보장하라!' '수천 년을 지킨 우리 땅에 왜놈
들이 웬 말이냐!'
'토착신들 나 몰라라 하는 탈의파는 물러나라!'
이마에 붉은 띠 두르고 농성하는 이들, 1화 5씬에서 사무소
습격했던 '잡신들'이다.

잡신1	(현의옹 붙들고) 탈의파 좀 만나게 해 주시오!
현의옹	(달래는) 우리 그이 성격 몰라서 이럽니까. 이러다 날벼락 맞아요.
잡신1	(불같이) 날벼락을 맞으면 맞는 거고!
잡신2	왜놈들이 숲을 밀고, 땅을 파헤치고, 장승을 쓰러뜨리고 있
	소! 죽었는지 살았는지, 생사도 모르는 이들이 태반이에요!
현의옹	아유 짠해라….

남편이 한참 지나도 돌아오지 않는다. 탈의파가 밖을 내다본다.
어느새 현의옹, 붉은 띠 두르고, 잡신들과 어깨동무한 채 아
리랑 부르고 있다.

#44	묘연각 / 형제의 방 (밤)

해가 졌다. 이연이 검을 손질하고 있다. 이랑이 옆에서 걱정
스런 표정으로.

이랑	들어가면 못 나올 수도 있다며? 네 친구만 보내.
이연	(단단한 눈빛으로) 내가 가야 돼.
이랑	아 왜!!
이연	'홍주가 나였어도' 똑같이 했을 테니까.
이랑	그럼 천무영 말고 나랑 가든가.
이연	(단칼에) 딴 놈은 몰라도 넌 안 돼. 내가 널 어떻게 사지로 보내니?
이랑	('쳇…') 그놈을 믿어? 죽마고우고 자시고, 수백 년 만에 만났다며.
이연	공교롭게도 죽은 무영일 다시 만나고, 장산범이 나타났어. 구석놀이 할 때도, 무영인 홍주를 빼고 싶어 했고.
이랑	장산범을 그놈이 데려왔다는 거야?!
이연	글쎄… 그래도… 난 걔를 믿고 싶다.
이랑	한심한 놈!! 만약 이게 함정이면?!
이연	적어도, 무영이가 '왜 날 찾아왔는지'는 알게 되겠지.

#45   묘연각 / 홍주의 방 (밤)

이랑과 무영이 홍주 방에 모였다.

이연이 마지막으로 방에 들어가기 전에, 신주에게 귀띔한다.

이연	신주야. 넌 가서 탈의파 할멈한테 전해.
신주	장산범 잡으러 간다고요?
이연	할멈 천리안도 소용없는 곳이야. 늦어서 걱정할지도 몰라.

| 신주 | 몸조심하시고요. (이연 손을 붙잡고) 은호 씨도 꼭 구해 주세요. |

신주가 잽싸게 자리를 뜨면, 이연이 방으로 향한다.
방 한쪽에 촛불 몇 개 켜 놨다. 구석에는 '검은 고양이' 보이고

| 이랑 | (시계 확인한다. 1분 전이다) 8시 정각이 되면 시작한다. |

이연과 무영이 '목검과 부적' 하나씩 나눠 갖는다.
무영은 무섭게 굳은 얼굴. 그런 무영을 경계하듯 노려보는 이랑이다.

| 이랑 | 야, 묶어. |

이연의 손가락에 명주실 감아 준다. 실타래는 이랑 손에.

이연	집으로 돌아오는 길이야?
이랑	혹시 몰라서.
이연	(그런 이랑의 마음 알고) 고맙다. 내 걱정해 줘서.
이랑	(8시를 알리는 괘종 소리 들린다) '절대' 죽지 마! 알지? 저쪽 세상에서 죽으면 혼(魂)도 못 건진다!
무영	불 꺼!!

촛불 '훅훅' 불어 끄는 이랑.
이연과 무영, 동시에 '부적'을 뭉쳐서 입에 넣는다. 고양이는

무영이 안고 있다.

이연   형이 갔다 와서 냉면 사 줄게.

이랑에게 다정히 손 흔드는 이연 모습에서, 마지막 촛불 꺼진
다. 어둠 속에서 고양이 안광만 이리저리 반짝이더니, 인기척
사라진다.
이랑이 '야… 야!' 불러 본다. 대답이 없다. 그 순간! '이랑이
쥔 실타래' 미친 듯한 속도로 풀려 나가기 시작한다!
실타래 '꽉' 움켜쥐는 이랑!
거의 마지막까지 다 풀린 후에야 실타래 멈춘다!
이랑이 촛불을 켠다! 이연과 무영은 물론, 고양이도 사라지고
없다!
벽을 타고, 천장 이곳저곳 거미줄처럼 뻗어 나간 명주실뿐!!
이랑의 얼굴, 무섭게 굳는다!

#46   사극 세트장 / 조선 시대 거리 (낮)
화면 가득 이연의 눈동자. 서서히 화면 넓어지면, 이연과 무
영의 모습 보인다.
그들 얼굴로 눈부신 햇살 쏟아진다. 백주대낮이다. 고양이는
보이지 않고.
눈앞에 펼쳐진 건 '조선 시대 거리'.

이연	뭐야?! 조선 시대?
무영	(서둘러 움직이는) 뭐든 일단 홍주부터 찾자.

둘이 나란히 걷기 시작한다.
주위 둘러보면 거리 텅 비어 있다. 인적이라고는 전혀 없다.
이연이 귀를 기울이며.

이연	이상하지 않니?
무영	뭐가?
이연	인기척은 고사하고, 생활 소음 하나가 없어.
무영	(그 소리에) 홍주야!! 류홍주!! (무영의 외침, 텅 빈 메아리처럼 돌아온다.)
이연	흩어져서 찾아보자.

둘이 찢어진다. 각자 여기저기 둘러보지만, 홍주의 흔적 보이지 않는다.
이연이 문득 '묘한 냄새'를 맡았다.
냄새 따라가 보니 번듯한 기와집. 대문 열자마자 인상을 찌푸린다. 마당에 대여섯 구의 '시체' 한데 포개져 있다. 핏자국 검게 말라붙어 있다.
곧장 '무영아!!' 부른다. 무영, 뛰어온다.

무영	전부 '사람'이야?
이연	응. 죽은 지 얼마나 됐니?
무영	(조심스레 시체 들춰 보며) 못해도 사흘은 된 거 같은데….

구미호뎐
1938   제6화 구석놀이

그 순간, 시체 움찔한다. 시체더미 속에 뭔가가 있다.

무영이 위쪽 시체 걷어 낸다.

그 속에서 머리를 드는 것, 양반집 자제로 보이는 '여자아이'다.

이연	(경계 늦추지 않고) 너 누구야?
소녀	(눈물만 그렁그렁)
이연	대답해.
무영	(침묵하는 소녀에게, 상냥하게) 누가 이랬니?
소녀	장산…범.
무영	(이연과 눈을 맞추고) 그놈 어디 있는지 아니?
소녀	(겁에 질린 얼굴로 끄덕)
이연	그리 안내해. (자신 있게) 우리가 썰어 주마.
무영	(망설이는 소녀에게) 여기서 나가고 싶지?
소녀	(말없이 끄덕)
무영	장산범한테 데려다줄래?

소녀가 잠시 머뭇하더니 대문 나선다. 이연과 무영이 뒤를 밟는다.

소녀의 종종걸음 점점 빨라지더니, 이내 '곳간'으로 사라진다.

곳간 안은 묘한 안개로 가득 차 있다. 검을 뽑아 든다.

무영	꼬마야? 어디 있니?
이연	(예감 안 좋다. 입 틀어막고) 무영아! 숨 쉬지 마!! 쉬면 안 돼!

무영이 뒤늦게 입을 막아 보지만, 이미 늦었다! 둘 다 의식을 잃고 '쿵' 쓰러진다!

시간 경과되면, 이연과 무영이 손발 묶인 채 거리 한복판에 꿇어앉아 있다.
주위에는, 얼굴에 삼베 두건 뒤집어쓴 여자들.
그중에 두 여자, 망나니의 칼 들고 있다! 칼날이 서슬 퍼렇게 빛난다! 망나니 여자들, 칼을 들고 다가온다! 그제야 기겁해서!

이연   니들 뭐야?! (묶인 줄을 풀려고 몸부림치며) 무영아!
무영   (마찬가지로 안간힘 써 보지만) 줄이 안 풀려!!

여자들이 당장이라도 목을 칠 것처럼 칼 치켜든다!

이연   잠깐만 레이디들! 우리, 말로 하자! 응?

하자마자! 가차 없이 두 사람 목을 내리치는 칼날! 피가 '팍' 튄다!
꿇어앉은 그들 고꾸라진다! 이대로 죽은 건가 싶은 그때!
이연이 의아한 얼굴로 자기 목 더듬는다! 멀쩡히 붙어 있다?!

이연   (엎드린 채로 속삭이는) 무영아. 야… 우리 안 죽었어.
무영   (그제야 고개 살짝 들고) 뭐?
이연   (핏자국 보며) 가짜 피야.

구미호뎐
1938   제6화 구석놀이

그때! 어디선가 '컷!!' 외치는 소리 들린다!

'수고하셨습니다! 현대적인 차림을 한 수많은 스텝들 보이고! 그들을 찍고 있는 카메라?! '드라마 촬영장'이다! 제목은 <장산범의 신부>

이연　　뭐야 이게?!!!

경악한 얼굴로! 서로를 마주 보는 이연과 무영 모습에서!

6화 끝

구미호뎐
1938 상권

초판 1쇄 인쇄	글	펴낸이
2023년 6월 13일	한우리	백영희
초판 1쇄 발행		
2023년 6월 26일		

펴낸곳
㈜너와숲

주소
04032 서울시 금천구
가산디지털1로 225
에이스가산포휴 204호

전화
02-2039-9269

팩스
02-2039-9263

등록
2021년 10월 1일
제2021-000079호

ISBN
979-11-92509-75-4(04680)
979-11-92509-74-7(세트)

정가
22,000원

© 한우리

이 책을 만든 사람들

편집
전혜영
마케팅
유승현

제작처
예림인쇄

디자인
글자와기록사이